Massia Kaneman-Pougatch
professeur de français
à l'École de langue et de civilisation
françaises de Genève

Marcella Beacco di Giura
professeur de français
collaboratrice
au *Français dans le monde*

Dominique Jennepin
professeur de français
aux Cours de Civilisation Française
de la Sorbonne

HACHETTE *Livre*
Français langue étrangère
58, rue Jean-Bleuzen, 92170 VANVES

Nos sincères remerciements à Roland Eluerd et Pierre Delaisne qui ont participé au projet.

Les différentes rubriques de l'ouvrage ont été plus particulièrement prises en charge par :
S. Trevisi pour « Découvertes », avec la collaboration de José Canelas.
D. Jennepin pour la « Grammaire ».
M. Kaneman-Pougatch pour « Paroles en liberté ».
M. Beacco di Giura pour la « Civilisation ».

Conseil en communication : Tout pour plaire
Conception graphique : Encore lui !
Réalisation : O'Leary
Photogravure : Nord Compo
Illustrations
    Découvertes : Catherine Beaumont
    Boîte à outils : Paul Woolfenden
    Paroles en liberté : Rémi Pépin
    Cartographie, plans : Laurent Rullier
Couverture : Encore lui !
Photo couverture : Fotogram Stone / Elies Carole

ISBN 2 01 15 5016 5

AVANT-PROPOS

Avec cette nouvelle méthode, qui s'adresse aux grands adolescents et adultes débutant en français, nous avons souhaité répondre à des demandes et à des remarques maintes fois entendues en cours : intégrer aux acquis du communicatif ainsi qu'à la nécessité reconnue de s'appuyer sur une progression grammaticale rigoureuse et solide, et sur des connaissances linguistiques pratiques et concrètes, les avancées de la didactique, qu'il s'agisse du cognitif, des approches interactives ou des techniques de préparation à l'autonomie de l'apprentissage.

Café Crème s'y efforce par :

• une maîtrise des contenus, qui couvrent, en une centaine d'heures par niveau, **les acquis de base** de l'apprentissage du français ;

• une démarche innovante, et en même temps solide sur le plan de la progression grammaticale, qui s'est beaucoup inspirée de l'interactivité et de l'analyse de discours :
– *première phase* : on découvre. On observe la langue en situation (mini textes, mini dialogues, petits documents), on fait des hypothèses sur son fonctionnement grâce à une mise en activités immédiate. Bref, on manipule la langue, avant de formuler quelque règle que ce soit.
– *deuxième phase* : on systématise. Toutes ces hypothèses, on y répond de façon contrôlée et systématique. C'est la boîte à outils, dans laquelle une première page de vocabulaire reprend et organise les champs sémantiques sur lesquels on s'appuie et met en place des stratégies d'acquisition lexicale. Puis deux pages de grammaire, à partir de tableaux, d'exercices, d'exemples d'usage et d'emploi, fixent les acquisitions et donnent les règles.
– *troisième phase* : on s'approprie tout ce qui vient d'être vu, à partir d'une histoire en quatre parties. L'apprenant a alors la possibilité de réemployer la langue dans des situations de communication naturelle, et ainsi de s'exprimer à son tour.
Ces trois phases structurent les 16 unités du livre, dans lesquelles, sur 8 pages, se succèdent la partie **Découvertes** (3 pages), la partie **Boîte à Outils** (3 pages), et la partie **Paroles en liberté** (2 pages), introduites par un contrat d'apprentissage, favorisant l'autonomie des apprenants ;

• une organisation innovante, elle aussi, de l'ensemble du livre, autour de **quatre types de discours**, qui déterminent les contenus linguistiques des quatre parties correspondantes :
– l'informatif, en partie 1,
– l'argumentatif, en partie 2,
– l'explicatif, en partie 3,
– le narratif, en quatrième et dernière partie ;

• une vigilance particulière à fonctionner en séquences de classe, d'une part, et à maintenir l'intérêt d'autre part, en variant les sujets, les documents, les histoires.
Ainsi, l'histoire de Paroles en liberté est constituée de quatre histoires, qui permettent de diversifier les lieux (on passe d'Aix à Toulouse, de la banlieue à Paris), les situations sociales et les psychologies.

• une recherche constante de la plus grande clarté et de la plus grande simplicité possibles, dans la maquette, dans la présentation des activités et des consignes, et dans la structuration de l'ensemble.

Avec des bilans, des dossiers de civilisation, un mémento grammatical et un lexique de 800 mots, nous espérons fournir à l'apprenant la possibilité de construire, en moins de 200 pages, le socle d'un apprentissage durable, efficace, solide et... attrayant.

Ajoutons qu'un cahier d'exercices, facultatif, permet à ceux qui veulent aller plus loin, de trouver des activités complémentaires nombreuses et variées, en particulier pour l'écrit.

Café Crème, avec son dynamisme, contribuera à faire de la classe un lieu convivial, où les apprenants auront plaisir à se retrouver et à s'exprimer en français.

Tableau des contenus

	Thème	Savoir-faire	Vocabulaire	Grammaire
Bienvenue !	• la présentation	• se saluer, se présenter	• les mots dans la classe	• je m'appelle…
UNITÉ 1 **Préférences**	• les goûts	• exprimer une appréciation • dire ce que l'on aime, ce que l'on n'aime pas • demander à quelqu'un ce qu'il aime • *tu* ou *vous*	• les goûts : sport, spectacle, transport • aimer, préférer + nom et + infinitif	• phrase affirmative et négative • l'interrogation • *moi, toi, vous* • verbes en -*er* : *je, tu, vous* • articles définis • le pluriel des noms
UNITÉ 2 **Portraits**	• l'identité	• dire son nom, sa nationalité, sa profession • demander à quelqu'un son identité • remplir une fiche	• noms de métiers et lieux de travail • adjectifs de nationalité • chiffres et nombres	• l'interrogation • verbe *être* + adjectif de nationalité • *être* + nom de profession • conjugaisons : *être*, verbes en -*er* • articles indéfinis
UNITÉ 3 **Moi et les autres**	• les rencontres informelles, les salutations	• saluer une personne, présenter des personnes • dire et demander l'âge • parler du temps qu'il fait	• les salutations • les jours de la semaine, les saisons, les mois • les nombres • la famille	• le verbe *avoir* : conjugaison et emplois • les adjectifs possessifs • la préposition *de* + article • l'interrogation avec *qui, qui est-ce* • *c'est…*
UNITÉ 4 **Carnet d'adresses**	• les moments et lieux des rendez-vous	• téléphoner pour prendre rendez-vous, fixer l'heure et le lieu • demander, donner une adresse	• les mots pour dire l'heure • les moments de la journée	• les adjectifs possessifs • l'interrogation : *où, quand* • préposition *à* + article défini • impératif des verbes en -*er* • verbes *aller* et *prendre*

PARTIE 1 : BONJOUR…

CIVILISATION ESPACES

	Thème	Savoir-faire	Vocabulaire	Grammaire
UNITÉ 5 **La pause de midi**	• les aliments, le restaurant	• au restaurant • inviter quelqu'un à la maison • faire des propositions	• la quantité • les repas	• les articles partitifs : *du, de l', de la, des* • *pas de* • les verbes *boire, venir* et *manger* • l'interrogation avec *quel* • *moi, toi, lui, elle* • *il y a* • *on = nous*
UNITÉ 6 **Sport et santé**	• la forme et la santé	• dire qu'on est malade, s'adresser à un médecin • ordonner, conseiller	• le corps humain • les sports • la quantité	• les verbes *faire* et *dire* • passé composé avec avoir • l'interrogation : *combien de* • le pronom *en* • *il faut* + infinitif
UNITÉ 7 **De toutes les couleurs**	• la mode	• conseiller • donner son opinion • acheter • se repérer dans un espace intérieur	• les couleurs • les vêtements • l'orientation dans l'espace	• les démonstratifs : *ce, cet, cette, ces* • les quantificateurs : *beaucoup, très, trop, assez* • *je pense que* • les verbes *acheter, payer, finir* et *choisir* • les nombres ordinaux
UNITÉ 8 **Un aller- retour**	• les voyages, les vacances	• comprendre les annonces à la gare • prendre le train • parler des vacances • exprimer ses goûts	• les activités de vacances • l'expression du temps *souvent, rarement, tous les jours, la semaine / l'année dernière, en retard, en avance, à l'heure…*	• le passé composé avec *être* • les verbes *partir* et *descendre, vouloir, pouvoir, devoir* • emploi de *alors* • les adjectifs qualificatifs

PARTIE 2 : À MON AVIS…

CIVILISATION COULEURS

Tableau des contenus

		Thème	Savoir-faire	Vocabulaire	Grammaire
PARTIE 3 : DIS POURQUOI...	**UNITÉ 9** Au travail !	• la vie professionnelle	• comprendre la cause d'un événement dans un texte écrit • demander et donner des informations à partir d'une annonce professionnelle	• l'expérience professionnelle • le parcours professionnel	• l'interrogation avec *pourquoi* • *à cause de, parce que* • le comparatif • les prépositions de temps • les prépositions devant un nom de pays
	UNITÉ 10 En famille	• les relations familiales	• comprendre un texte informatif écrit • donner / comprendre des explications dans un échange oral • donner son emploi du temps quotidien	• jouer à / faire de • les contraires : adjectifs et verbes	• les pronoms personnels COD : *le, la, l', les* • la comparaison • verbes + infinitif avec *à, de* ou sans préposition
	UNITÉ 11 Autour d'un verre	• le café comme lieu de rencontre, la conversation au bistrot	• comprendre et analyser un fait de société dans un texte écrit • comprendre / exprimer le but • exprimer l'appréciation • demander / donner / refuser des conseils	• quelqu'un / quelque chose • ne ... personne / ne ... rien • mots pour exprimer son opinion	• les pronoms personnels COI : *lui, leur* • les verbes *plaire, écrire, vivre* et *envoyer* • le futur proche : *aller* + infinitif • le superlatif de l'adjectif
	UNITÉ 12 Embouteillages	• les moyens de transport, la circulation	• comprendre et rédiger un texte informatif • s'excuser dans une situation formelle et se justifier	• les bâtiments d'une ville • l'expression de la chronologie • l'expression pour s'excuser	• le futur simple • la négation • l'interrogation : préposition + *qui* • le verbe *savoir*
	CIVILISATION RYTHMES DE VIE				
PARTIE 4 : ALORS, RACONTE...	**UNITÉ 13** Souvenirs d'enfance	• des histoires vécues	• parler de soi : raconter des événements au passé et les situer dans le passé	• les mots pour exprimer les sentiments	• l'imparfait • l'opposition imparfait / passé composé • *il y a* • la subordonnée temporelle avec *quand* • le verbe *connaître*
	UNITÉ 14 Histoires vraies	• la vie privée	• raconter des événements	• les loisirs • la description d'un logement	• les verbes pronominaux • le passé récent : *venir de* + infinitif • *être en train de* • *depuis* • le pronom relatif *qui*
	UNITÉ 15 Une journée à Paris	• la journée d'un touriste	• demander / donner / comprendre des informations sur des itinéraires • parler de l'endroit où l'on habite	• les monuments • s'orienter dans l'espace • donner des mesures	• les pronoms *y* et *en* • *bien / mieux*, • *bon / meilleur* • *oui* et *si*
	UNITÉ 16 Dénouement	• une histoire policière	• raconter une histoire au passé	• caractériser un personnage, décrire un lieu • construire une histoire chronologiquement	• les verbes *apercevoir, croire* • révisions des temps du passé, de l'emploi des pronoms personnels • le pluriel des noms
	CIVILISATION PARIS, CAPITALE				

Bienvenue !

 **Bonjour !** ▪▪▪

❶ **Vous vous appelez comment ?**
Présentez-vous et dites votre nom.

 **Comment allez-vous ?** ▪▪▪

À VOUS ! ❷ ▪▪▪ **Écoutez et répétez.**

VOCABULAIRE

EN CLASSE DE FRANÇAIS...

À VOUS! 🢒 ❶ ▪▪▪ À deux, écoutez et répétez.

GRAMMAIRE

JE M'APPELLE...

Je m'appelle Jean.	Je suis étudiant.
Je m'appelle Corinne.	Je suis étudiante.

❶ **Complétez.**

Je m'appelle Éric Martin.
Je suis professeur.
Je m'appellle Corinne.
...
Je m'appelle Jean.
...

PRÉSENTATIONS

DIALOGUE A

Kyoko et Thierry sortent de l'université.

THIERRY : Salut ! Je m'appelle Thierry.

KYOKO : Et moi Kyoko.

THIERRY : Tu es japonaise ?

KYOKO : Oui.

THIERRY : Tu es étudiante ?

KYOKO : Oui, j'apprends le français. Mais à Tokyo, je suis journaliste.

DIALOGUE B

KYOKO : Bonjour !

TOUS Bonjour !

KYOKO : Excusez-moi. Je m'appelle Kyoko. Je suis journaliste.

TOUS Enchanté !

KYOKO : Monsieur s'il-vous-plaît ! Un café crème ! Vous êtes français ?

JACQUES : Oui, oui ! Je m'appelle Jacques Mistral et je suis architecte à Aix-en-Provence.

MARTINE : Et moi, j'habite à Toulouse. Je m'appelle Martine Cazenave.

JOSEPH : Et moi, je suis Joseph.

KYOKO : Et vous êtes ?

JOSEPH : Je suis chauffeur de taxi à Paris.

KYOKO : Et vous, madame, vous êtes française ?

LILIANE : Non. J'habite à Genève et je m'appelle Liliane.

KYOKO : Et vous monsieur ?

TOUS : Chuuut !

Écoutez

❶ **Dialogue A : Vrai ou faux ?**

1. Thierry est journaliste.
           étudiant.

2. Kyoko est japonaise.
           française.

❷ **Dialogue B : Vrai ou faux ?**

1. Jacques est chauffeur de taxi.
                journaliste.
                architecte.

2. Jacques habite à Toulouse.
               à Paris.
               à Aix-en-Provence.

Observez et répétez

▶ **Les mélodies**

❸ **Écoutez et répétez.**

Salut !

Bonjour !

Chut !

Exprimez-vous

À VOUS ! ❹ À deux présentez-vous.

Partie 1
Bonjour....

Unité 1
Préférences
– Découvertes 10
– Boîte à outils 13
– Paroles en liberté
BIZARRE ! 16

Unité 2
Portraits
– Découvertes 18
– Boîte à outils 21
– Paroles en liberté
JOUR D'INSCRIPTION 24

Bilan 26

Unité 3
Moi et les autres
– Découvertes 28
– Boîte à outils 31
– Paroles en liberté
IL FAIT CHAUD ! 34

Unité 4
Carnet d'adresses
– Découvertes 36
– Boîte à outils 39
– Paroles en liberté
RENDEZ-VOUS 42

Civilisation
Espaces 44

Savoir-faire
- exprimer une appréciation
- dire ce que l'on aime, ce que l'on n'aime pas
- demander à quelqu'un ce qu'il aime
- *tu* ou *vous*

Vocabulaire
- les goûts : sport, spectacle, transport
- aimer, préférer

Grammaire
- phrase affirmative et négative
- l'interrogation
- *moi, toi, vous*
- verbes en -*er* : *je, tu, vous*
- articles définis : *le, la, les*
- pluriel des noms

J'aime... Je n'aime pas...

J'aime le soleil.
J'aime le jazz.
J'adore Éléonore.
J'aime les aéroports.

*J'aime les cafés
Et Paris au mois de mai...*

Je n'aime pas Nicole.
Je n'aime pas l'école.
J'aime Arthur.
J'aime la peinture.

*J'aime les cafés
Et Paris au mois de mai...*

J'aime le jazz.
Je n'aime pas l'école.

❶ 🔊 **Écoutez et lisez la chanson.
Repérez les mots que vous connaissez.**

❷ **Oui ou non ? Regardez le tableau.**

– *Vous aimez le cinéma ? la danse ?*
– *Oui, j'aime le cinéma. Non, je n'aime pas la danse.*

Continuez.

❸ **Lisez la chanson et regardez le tableau.
Classez les mots.**

le	la	l'	les
soleil	peinture	...	..
...	...	...	...

CENTRE DE LOISIRS

ACTIVITÉS		SALLE
le cinéma		A
le théâtre		B
la peinture		C
le judo		D
la musique		E
la danse		F

  « Tu » ou « vous » ?

1 – Eh, Nicole ! Tu aimes le tennis ?
– Oh oui ! J'aime le tennis.

2 – Arthur, tu aimes la musique, toi ?
– Oui, moi, j'aime la musique et la danse.

3 – Et vous, madame, vous aimez la télévision ?
– Non, monsieur, je n'aime pas la télévision.

4 – Et toi, Arthur, tu aimes le jazz ?
– Non, je n'aime pas le jazz. Moi, j'adore le rock.

5 – Et vous, monsieur, vous aimez les aéroports ?
– Les aéroports ? Non, je n'aime pas les aéroports.

> – Et toi, Arthur, tu aimes
> le jazz ?
> – Moi, j'adore le rock.
> – Et vous, monsieur, vous
> aimez...

❹ **Écoutez les dialogues.
Repérez « tu » et « vous ».**

	Tu	Vous
dialogue 1	X	...
dialogue 2	...	...
dialogue 3	...	
dialogue 4		
dialogue 5		

❺ **Complétez les dialogues.**

– *Tu aimes la musique, toi ?*
– *Oui, moi, j'aime la musique.*
– *Et vous, madame, vous aimez la télévision ?*

1. – Et ..., Arthur, ... aimes le cinéma ?
– Oui, ... aime le cinéma.

2. – Et ..., madame, ... le rock ?
– Ah non, ..., ... n'aime pas le rock !

3. – ... ... la peinture, monsieur ?
– Oui, ... adore la peinture.

4. – Nicole, ... la danse ?
– Non, ..., ... adore la musique.

Découvertes

③ *Génial !*

❻ Regardez, lisez et faites des commentaires.

C'est... !

Ce n'est pas... !

④ *Portraits*

1. J'aime le tennis.
J'aime la musique.
J'aime danser.
C'est génial !

2. Je n'aime pas rêver.
Je n'aime pas les villes.
J'adore la mer.
C'est beau !

3. J'aime le cinéma.
J'adore les parfums.
J'aime voyager.
C'est magnifique !

a

b

c

❼ Qui est-ce qui parle ?
Associez le texte et la photo.

❽ Pensez à un personnage célèbre.
Relisez le texte et écrivez un petit texte.

« J'aime... Je n'aime pas... J'adore... C'est... »

VOCABULAIRE

❶ Classez les verbes et les adjectifs.

j'aime - je déteste - je préfère - j'adore - je n'aime pas - c'est magnifique - c'est génial - ce n'est pas beau - c'est horrible - c'est beau

verbes : *je déteste* ....   *je préfère*

   – ⟵————————⟶ +

adjectifs : *c'est horrible* ......   *c'est génial*

   – ⟵————————⟶ +

❷ Classez les noms.

La voiture, le ski, la boxe, le train, la marche, le cinéma, l'avion, le foot, le théâtre, le judo, la danse, l'opéra, la télévision, le tennis, le vélo.

les spectacles	**les sports**	**les transports**
...	...	*la voiture*
...	...	...

❸ Formez des mots.
Regardez l'exemple, puis trouvez les noms.

danser ➜ *la danse*

danser	voyager	marcher	rêver
la ...	le ...	la ...	le ...

❹ Associez les mots.

Moi, je n'aime pas la voiture, je préfère marcher.

Et vous ? Continuez.

Je n'aime pas	le foot,	*je préfère*	voyager
	marcher		danser
	regarder la télévision		rêver
	le théâtre		l'avion
	la voiture		le tennis
	le train		le cinéma
	...		....

❺ 🔊 Écoutez et complétez.

– Vous ... la danse ?
– Oh oui ! ... danser.
– Et la musique ?
– ... le jazz.
– Et le rock, ... ?
– Non, ... le rock.
– Vous ... le rock, c'est bizarre.

L'alphabet 🔊   a b c d e f g h i j k l m n o p q r s t u v w x y z

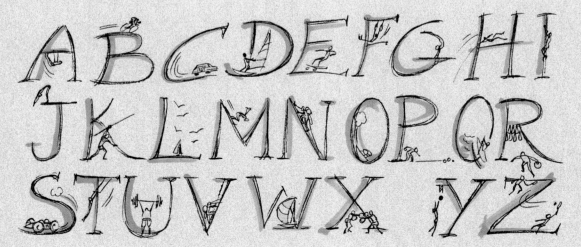

accent aigu	(´)	é
accent grave	(`)	à, è
accent circonflexe	(^)	ê

❻ Écoutez et répétez les lettres de l'alphabet.

❼ 1. Épelez votre nom.
    2. À deux, épelez et écrivez vos noms.

GRAMMAIRE

CONJUGAISON : LES VERBES EN -ER

aimer	regarder	danser
J'aim**e**	Je regard**e**	Je dans**e**
Tu aim**es**	Tu regard**es**	Tu dans**es**
Vous aim**ez**	Vous regard**ez**	Vous dans**ez**

 Devant une voyelle, **je** devient **j'** : *J'aime.*

• **Préférer** prend un accent grave quand on n'entend pas la terminaison :
*Vous préf**é**rez, je préf**è**re, tu préf**è**res.*

❶ Complétez les verbes.

1. – Vous dans… le rock ?
– Oh oui ! j'aim… danser.
2. – Vous aim… l'avion ?
– Non, je détest… l'avion.
3. – Tu aim… le jazz ?
– Oh oui, et j'ador… le rock !
4. – Tu écout… la musique ?
– Non, je regard… la télévision.

LA NÉGATION

forme affirmative	forme négative
J'aime le jazz.	Je **n'**aime **pas** le rock.
Tu aimes le cinéma.	Tu **n'**aimes **pas** le théâtre.
Vous regardez les photos.	Vous **ne** regardez **pas** la télévision.
C'est génial !	Ce **n'**est **pas** beau.

 Devant une voyelle, **ne** devient **n'** :
*Je **n'**aime pas.*

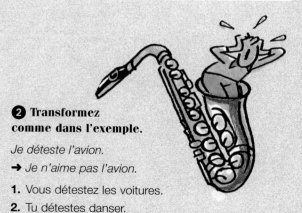

❷ Transformez comme dans l'exemple.

Je déteste l'avion.
➜ *Je n'aime pas l'avion.*

1. Vous détestez les voitures.
2. Tu détestes danser.
3. Je déteste les parfums.
4. Tu détestes la boxe.
5. Vous détestez regarder la télévision.

L'INTERROGATION

affirmation	interrogation
Tu aimes la danse.	Tu aimes la danse ?

• Pour poser une question, on change l'intonation.

• On utilise aussi **est-ce que** :
Est-ce que tu aimes la danse ?

❸ Écoutez. Est-ce que vous entendez :
1. une affirmation,
2. une question par intonation,
3. une question avec « est-ce que » ?

	1	2	3	4	5	6	7	8	9	10
affirmation										
question par intonation										
question avec « est-ce que » ?										

❹ Trouvez la question.

1. – Madame, … ?
– Oh oui, j'aime le tennis.
2. – Et toi, André, … ?
– Non, je n'aime pas regarder la télévision.
3. – Monsieur, … ?
– Non, je déteste la boxe.
4. – Toi, … ?
– Oui, j'adore le jazz.

GRAMMAIRE

LE NOM

singulier	pluriel
le train	les train**s**
la voiture	les voiture**s**
l'avion	les avion**s**

- À l'écrit, le nom prend un **s** au pluriel.

 En général, il n'y a pas d'article devant les noms propres : *J'aime Paris, j'aime Arthur.*

L'ARTICLE DÉFINI : LE, LA, LES

	masculin	féminin
singulier	**le**	**la**
	le train	**la** voiture
	l'avion	**l'**activité
pluriel	**les**	**les**
	les trains	**les** voitures
	les avions	**les** activités

 Devant une voyelle, **le** et **la** deviennent **l'** : *L'avion, l'activité.*

❺ Complétez avec l'article défini.

1. J'aime … école, … rock, … jazz et … théâtre.

2. J'adore … sport et … voitures.

3. Tu n'aimes pas … danse.

4. Tu détestes … avion. Tu préfères … train.

5. Tu aimes … opéra et … cinéma.

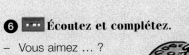

❻ 📟 **Écoutez et complétez.**

– Vous aimez … ?

– Oh ! Oui, j'adore …

– Et la musique ?

– J'aime …

– Et le rock, vous aimez ?

– Non, … le rock.

– Vous n'aimez pas le rock ! C'est …

❼ Chassez l'intrus.

1. J'aime, j'adore, je préfère, je n'aime pas, les cafés.

2. Les aéroports, la peinture, l'école, je préfère, le soleil.

❽ Qu'est-ce qu'elle aime ? Qu'est-ce qu'il déteste ?

Elle aime

Il déteste

BIZARRE !

DIALOGUE

Dans un bureau d'architectes à Aix-en-Provence.

LA SECRÉTAIRE : Madame Lamy ! Pour la conférence de Bruxelles, vous préférez l'avion ou le TGV* ?

ANNIE : Oh moi, le TGV j'aime bien ! C'est rapide et confortable. L'avion, je déteste !

LA SECRÉTAIRE : Très bien ! Voilà le courrier, monsieur Mistral !

JACQUES : Merci !

ANNIE : Hé ! Jacques ! regarde le message !

JACQUES : Hein ?

ANNIE : Écoute, écoute !

> *Salut, Jacques,*
> *Tu aimes toujours jouer ?*
> *À bientôt !*
> *P.*

JACQUES : Jouer ! Mais je déteste jouer !

ANNIE : P. ! C'est bizarre, non ?

*TGV : Train à Grande Vitesse.

Écoutez

❶ Vrai ou faux ?

1. Pour la conférence de Bruxelles, Annie Lamy préfère l'avion.

2. Le TGV, c'est rapide.

3. Annie écoute le message.

4. Jacques adore jouer.

5. Le message est bizarre.

❷ « Tu » ou « vous » ? Réécoutez le dialogue.

1. La secrétaire dit *vous* à Jacques Mistral.

2. La secrétaire dit … à Annie Lamy.

3. Annie dit … à Jacques.

4. P. dit … à Jacques.

Observez et répétez

▶ **Les rythmes**

❸ Écoutez et répétez.

C'est ra pide

C'est con for table

J'aime le TGV

Le rythme est régulier. Le « e » final ne se prononce pas.

❹ Répondez aux questions.

1. Tu aimes danser ?

2. Tu préfères le train ?

3. Tu aimes jouer ?

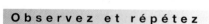

▶ **Les mélodies** 🔲

❺ Écoutez et répétez.

– Vous préférez l'avion ?

– Non, j'aime le train.

– Est-ce que vous aimez jouer ?

– Moi ?

– Non, je déteste jouer.

Question : la voix monte.
Affirmation : la voix descend.

❻ Trouvez les questions.

1. – … ?
      – Oui, je déteste la boxe.
2. – … ?
      – Moi ? J'adore la musique.
3. – … ?
      – Oui, c'est bizarre.

Exprimez-vous

| À VOUS ! | **❼ À deux, jouez la scène :** |

1. entre la secrétaire et Annie ;
2. entre Annie et Jacques.

| À VOUS ! | **❽ Un journaliste interviewe Jacques Mistral.** |

À deux, préparez les questions et les réponses, puis jouez la scène.

Jacques Mistral aime la musique : il préfère l'opéra. Il aime écouter Luciano Pavarotti et Barbara Hendricks. Il adore Verdi et Mozart. Il déteste le rock…

❾ Jouez.

j'aime	*je déteste*
…	*la boxe*
…	…

1. Faites une liste.
2. Échangez les listes entre vous.
3. Devinez l'auteur de la liste.

UNITÉ 2

Portraits

Savoir-faire
- dire son nom, sa nationalité, sa profession
- demander à quelqu'un son identité
- remplir une fiche

Vocabulaire
- noms de métiers et lieux de travail
- adjectifs de nationalité
- chiffres et nombres

Grammaire
- l'interrogation
- verbe *être* + adjectif de nationalité
- *être* + nom de profession
- conjugaisons : *être*, verbes en *-er*
- articles indéfinis : *un, une, des*

 Le champion est infirmier

LE REPORTER :	Attention ! Ils arrivent. Oh là là ! Formidable ! Formidable ! Le champion, c'est le ... le champion, c'est le numéro 8 ! Bravo ! Bravo, monsieur ! Bravo !
JEAN LAPIERRE :	Merci.
LE REPORTER :	Vous vous appelez comment ?
JEAN LAPIERRE :	Je m'appelle Jean Lapierre.
LE REPORTER :	Alors, vous aimez le sport ?
JEAN LAPIERRE :	Oui, j'adore le sport.
LE REPORTER :	Qu'est-ce que vous faites dans la vie ?
JEAN LAPIERRE :	Je suis infirmier dans un hôpital à Paris.
LE REPORTER :	Et vous habitez où ?
JEAN LAPIERRE :	À Paris.
LE REPORTER :	Et vous, mademoiselle, vous vous appelez Dumas ?
FLORENCE DUMAS :	Oui, je suis Florence Dumas.
LE REPORTER :	Et qu'est-ce que vous faites dans la vie ?
FLORENCE DUMAS :	Je suis pilote.

– Vous vous appelez comment ?
– Vous vous appelez Dumas ?
– Je m'appelle...
– Oui, je suis...
– Qu'est-ce que vous faites dans la vie?
– Je suis...

❶ Écoutez. Vrai ou faux ?

1. Jean Lapierre est pilote. ...
2. Jean Lapierre n'aime pas le sport. ...
3. Jean Lapierre est infirmier. ...
4. Florence Dumas est pilote. ...

❷ Faites parler J. Lapierre et F. Dumas.

		Jean Lapierre.
Je m'appelle	infirmier.
Je suis	pilote.
		Florence.

Des chiffres et des nombres

1	2	3	4	5
un	deux	trois	quatre	cinq

6	7	8	9	10
six	sept	huit	neuf	dix

100	200	300	400	500
cent	deux cents	trois cents	quatre cents	cinq cents

600	700	800	900
six cents	sept cents	huit cents	neuf cents

1000		2 000	3 000	10 000	100 000
mille		deux mille	trois mille	dix mille	cent mille

❸ ▪▪▪ **Écoutez et lisez les nombres.**

❹ ▪▪▪ **Écoutez et répétez les nombres.**

❺ ▪▪▪ **Écoutez et écrivez les nombres en chiffres.**

❻ **Dans cette grille, trouvez les nombres de un à dix. Un nombre manque : à vous de le trouver.**

C	E	V	A	T	N	E	U	N	I
I	I	E	S	I	R	T	F	N	F
N	H	D	I	X	L	R	M	V	H
Q	S	V	C	G	W	O	P	Q	U
R	D	E	U	X	Y	I	K	C	I
B	X	J	N	M	N	S	O	R	T
G	A	C	H	Z	T	F	I	S	S
S	I	X	T	O	G	L	O	V	F
A	T	P	L	Q	U	A	T	R	E
N	E	U	F	G	S	V	B	C	D

③ Grand Marathon

DEUX CHAMPIONS :
UNE FEMME PILOTE ET UN INFIRMIER

3 000 coureurs à Paris.
Ils habitent à Paris, à Rome, à Tokyo, à New York, à Londres...
Ils travaillent.
Ils sont étudiants, professeurs, informaticiens, infirmiers, techniciens...

Classement

Hommes
1. LAPIERRE Jean, Paris, France
2. DOMINGOS Carlos, Lisbonne, Portugal
3. VENTURI Lorenzo, Rome, Italie

Femmes
1. DUMAS Florence, Genève, Suisse
2. VILLENEUVE Céline, Montréal, Canada
3. TAKABE Kayoko, Tokyo, Japon

Jean Lapierre est infirmier dans un hôpital. Il habite à Paris. Il aime le sport et la musique.

Florence Dumas travaille à Genève. Elle est pilote. Elle aime la danse.

**Florence Dumas travaille à Genève. Elle est pilote.
Il habite à Paris.
Il est infirmier.
Ils habitent à Paris.
Ils sont étudiants.**

❼ **Lisez l'article du journal et repérez :**

les villes	les pays	les métiers
Paris	*France*	*infirmier*
...	...	...

❽ **Complétez les portraits des coureurs avec les formes verbales : adore, aime, est, sont, travaille, habite, habitent.**

Kayoko ... à Tokyo. Elle ... professeur. Elle ... le cinéma et la musique.

Lorenzo ... à Rome. Il ... technicien. Il ... le sport et le théâtre.

Jean et Yves ... informaticiens. Ils ... à Paris. Jean ... le rock et Yves ... le jazz.

À VOUS ! ❾ **Le reporter interviewe un coureur. Relisez le dialogue p. 18. À deux, préparez les questions et les réponses, puis jouez la scène.**

VOCABULAIRE

❶ Mettez ensemble les noms de pays et les adjectifs de nationalité.

Les nationalités

japonais / japonaise

suisse / suisse

espagnol / espagnole

italien / italienne

canadien / canadienne

coréen / coréenne

portugais / portugaise

grec / grecque

anglais / anglaise

belge / belge

suédois / suédoise

marocain / marocaine

allemand / allemande

autrichien / autrichienne

Les pays

L'Allemagne, l'Angleterre, l'Autriche, la Belgique, le Canada, la Corée, l'Espagne, la Grèce, l'Italie, le Japon, le Portugal, la Suède, la Suisse.

❷ Dites votre nationalité.

❸ 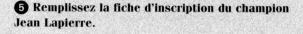 **1. Écoutez et complétez.**

– Vous vous appelez comment ?

– Sophie.

– Vous êtes … ?

– Non, je suis … .

– Et toi, tu es … ?

– Non, monsieur, je suis … .

– Et vous, madame, vous êtes … ?

– Je ne comprends pas !

– Vous êtes … ? … ? … ?

– … .

– Madame est … ! C'est très bien.

2. Récrivez le dialogue avec un nom masculin.

– *Vous vous appelez comment ?*

– *Philippe.*

…

– *Et vous, monsieur, vous êtes…*

❹ Classez les noms de profession dans le tableau.

Un médecin, un professeur, un étudiant, un cuisinier, un infirmier, un caissier, un vendeur, un ingénieur, un acteur, un serveur, un musicien.

une université	un restaurant	un hôpital
un professeur	…	…
une usine	un grand magasin	un théâtre
…	…	…

❺ Remplissez la fiche d'inscription du champion Jean Lapierre.

Fiche d'inscription

Nom :

Prénom :

Profession :

Nationalité :

Ville :

À VOUS ! **❻ À deux, remplissez la fiche de votre voisin ou la fiche d'un coureur de votre choix. Posez des questions.**

GRAMMAIRE

L'INTERROGATION

Vous vous appelez **comment** ?

➔ Je m'appelle Jean Lapierre.

Tu t'appelles **comment** ?

➔ Je m'appelle...

Vous habitez **où** ?

➔ J'habite à Paris.

Tu habites **où** ?

➔ J'habite à...

Qu'est-ce que vous faites dans la vie ?

➔ Je suis infirmier.

Qu'est-ce que tu fais dans la vie ?

➔ Je suis...

CONJUGAISON : LE VERBE ÊTRE

indicatif présent

Je **suis**	Nous **sommes**
Tu **es**	Vous **êtes**
Il / elle **est**	Ils / elles **sont**

• Le verbe **être** s'emploie avec :

un nom	ou	**un adjectif**
Tu es professeur.		Tu es français.
Elle est étudiante.		Elle est grecque.
Ils sont cuisiniers.		Elles sont suisses.

CONJUGAISON : LES VERBES EN -ER

indicatif présent

aimer	**habiter**
J'aim**e**	J'habit**e**
Tu aim**es**	Tu habit**es**
Il / elle aim**e**	Il / elle habit**e**
Nous aim**ons**	Nous habit**ons**
Vous aim**ez**	Vous habit**ez**
Ils / elles aim**ent**	Ils / elles habit**ent**

travailler	**préférer**
Je travaill**e**	Je préfèr**e**
Tu travaill**es**	Tu préfèr**es**
Il / elle travaill**e**	Il / elle préfèr**e**
Nous travaill**ons**	Nous préfér**ons**
Vous travaill**ez**	Vous préfér**ez**
Ils / elles travaill**ent**	Ils / elles préfèr**ent**

❶ Trouvez la question.

1. Dites « vous ».

– *Je m'appelle Danièle, Danièle Lamotte.*

➔ – *Vous vous appelez comment ?*

a. – ... ?

– Je suis musicienne.

b. – ... ?

– Non, je suis belge.

c. – ... ?

– J'habite à Genève.

2. Dites « tu ».

a. – ... ?

– Je m'appelle Sophie.

b. – ... ?

– Je suis informaticienne.

c. – ... ?

– Non, je suis grecque.

d. – ... ?

– J'habite à Paris.

❷ Remplacez les verbes entre parenthèses par la forme correcte.

1. Vous (travailler) dans une usine ?

– Non, je (travailler) dans un hôpital.

2. Jacques et Nadine (habiter) à Aix-en-Provence ?

– Non, ils (habiter) à Marseille..

3. Vous (préférer) le train ?

– Oui, moi, j'(adorer) le train.

4. Et Jacques, il (aimer) le théâtre ?

– Non, il (préférer) le cinéma.

5. Sophie (écouter) la radio ?

– Non, elle (regarder) la télévision.

6. Tu (travailler) dans un restaurant ?

– Non, je (travailler) dans un grand magasin.

7. André et Olivier, vous (préférer) l'avion ?

– Oui, nous (préférer) l'avion.

L'ARTICLE INDÉFINI : UN, UNE, DES

	masculin	féminin
singulier	**un**	**une**
	un homme	**une** femme
	un infirmier	**une** infirmière
pluriel	**des**	**des**
	des hommes	**des** femmes
	des ouvriers	**des** ouvrières

3 **Complétez avec l'article indéfini.**

2 600 coureurs au Grand Marathon de Genève : ... vendeurs et ... vendeuses, ... caissiers et ...caissières, ... ingénieurs, ... médecins, ... pilotes, ... actrices, ... étudiants et ... étudiantes. ... cuisinier est champion. Il travaille dans ... restaurant à Lausanne. ... informaticienne est championne. Elle travaille dans ... usine à Lyon.

4 **Complétez le tableau avec les noms de profession au féminin.**

-/-e	-er/-ère	-eur/-euse
un étudiant	un cuisinier	un vendeur
une étudiante	une cuisinière	une vendeuse
	un infirmier	un serveur
	une ...	une ...
	un ouvrier	
	une ...	
	un caissier	
	une ...	

-teur/-trice	-ien/-ienne	-/-
un acteur	un musicien	un pilote
une actrice	une musicienne	une...
	un technicien	
	une ...	
	un informaticien	
	une ...	

5 **Formez des phrases comme dans l'exemple.**

– Greta (anglais) ? – Non (suédois)

➔ – Greta est anglaise ? – Non, elle est suédoise.

1. – Valérie et Thierry (technicien) ? – Non (étudiant).
2. – Florence (médecin) ? – Non (pilote).
3. – Vous (français) ? – Non (belge).
4. – Tu (acteur) ? – Non (musicien).
5. – Elles (autrichien) ? – Non (allemand).
6. – Annie et Florence, vous (français) ? – Non (suisse).

6 **Faites les portraits.**

Mme Boulez
Paris, acteur, théâtre
➔ *Mme Boulez habite à Paris, elle est actrice. Elle travaille dans un théâtre.*

Pat et Fred
Bruxelles, ouvrier, usine

Éléonore et Marie
Lyon, infirmier, hôpital

Alain
Nice, informaticien, laboratoire

Philippe
Bruxelles, professeur, université

 À VOUS !

7 **Jouez les dialogues : Alain et Philippe ; Pat, Fred et Mme Boulez...**

Alain : Vous habitez où ?
Philippe : À Bruxelles. Et vous ?
Alain : .....

JOUR D'INSCRIPTION

DIALOGUE A

Thierry Mistral est étudiant en histoire. Aujourd'hui, c'est jour d'inscription.

LA SECRÉTAIRE :	Bonjour ! vous êtes monsieur, heu…
THIERRY :	Je m'appelle Mistral : M.I.S.T.R.A.L.
LA SECRÉTAIRE :	(*Elle cherche dans l'ordinateur.*) Vous êtes Thierry Mistral ?
THIERRY :	Oui, je suis étudiant en histoire.
LA SECRÉTAIRE :	Ah oui ! Vous habitez toujours à Aix ?
THIERRY :	Oui, toujours.
LA SECRÉTAIRE :	Très bien ! Au revoir, monsieur !
THIERRY :	Au revoir, madame, bonne journée !

DIALOGUE B

Un moment plus tard, à la terrasse d'un petit café. Il rencontre deux amis.

THIERRY :	Luc ! Émilie !
LUC :	Hé Thierry ! Salut ! Tu es toujours à la fac ?
THIERRY :	Oui et toi, qu'est-ce que tu fais ?
LUC :	Je fais un stage avec Émilie.
THIERRY :	Monsieur, s'il vous plaît ! un café ! (*À Luc.*) Un stage ?
LUC :	Oui, en informatique.
THIERRY :	C'est bien ?
ÉMILIE :	C'est intéressant.
LUC :	Et Kyoko ?
ÉMILIE :	Kyoko ?
THIERRY :	Oui, elle est japonaise. Elle étudie le français et elle est géniale.

Écoutez

❶ Dialogue A : Donnez la bonne réponse.

1. a. Thierry est à l'hôpital.
   b. Thierry est à l'université.
2. a. Il est étudiant.
   b. Il est professeur.

❷ Remplissez la fiche de Thierry.

Nom : …
Prénom : …
Profession : …
Ville : …

❸ Dialogue B : Qu'est-ce qui va ensemble ?

1. Elle étudie le français.
2. Ils ne sont pas à l'université.
3. Il étudie l'histoire.

a. Thierry.
b. Kyoko.
c. Luc et Émilie.

Observez et répétez

▶ **Les rythmes** ▪▪▪

❹ **Écoutez et répétez.**

– Vous êtes… ?

– Thierry ! Je m'appelle Thierry, Thierry Mistral !

– Je suis étudiant, étudiant en histoire.

L'accent tonique se met

– à la fin d'un mot : Thierry !

– ou d'un groupe de mots : Thierry Mistral !

L'accent tonique se déplace :

– Je suis étudiant.

– Je suis étudiant en histoire.

▶ **Les mélodies** ▪▪▪

❺ **Écoutez et répétez.**

– Vous vous appelez comment ?

Mot interrogatif à la fin : la voix monte.

– Qu'est-ce que vous faites dans la vie ?

Mot interrogatif au début : la voix descend.

– Vous êtes français ?

La réponse est oui ou non : la voix monte.

❻ **À deux, posez des questions et répondez.**

1. Vous vous appelez comment ?
2. Vous êtes français(e)…?
3. Qu'est-ce que vous faites dans la vie ?
4. Vous habitez où ?
5. Vous habitez toujours… ?

Exprimez-vous

À VOUS ! ❼ **À deux, jouez la scène.**

Vous êtes au centre de loisirs. Aujourd'hui, c'est jour d'inscription. Imaginez le programme et choisissez une activité.

À VOUS ! ❽ **Vous êtes journaliste.**

1. Vous interviewez Sophie Bonnot, la star du cinéma français. Vous posez des questions sur l'homme de sa vie (identité, profession, goûts). À deux, jouez la scène.
2. Rédigez votre article.

❶ Vous aimez ou vous n'aimez pas ? Faites des phrases avec les éléments suivants.

la musique
le cinéma
travailler
la peinture
l'école
voyager

les cafés
la boxe
le théâtre
marcher
rêver
le tennis

➜ *J'aime le cinéma mais je n'aime pas le théâtre.*

❷ Utilisez des article définis.

Karin n'aime pas … villes. Elle préfère … mer et elle adore … soleil. Elle n'aime pas … avion, elle préfère … train et … voiture.

❸ Trouvez les articles (défini ou indéfini).

Paula est italienne. Elle habite à Rome. Elle travaille dans … laboratoire avec … informaticiens et … ingénieurs. Elle aime … musique et … histoire.

❹ Voici des réponses. Trouvez les questions.

1. Oui, j'adore danser !
2. Oui, c'est génial !
3. Je m'appelle Nicolas.
4. Je suis pilote.
5. Non, ils sont japonais.
6. À Paris.
7. M. et Mme Dubois sont professeurs.
8. Dans un hôpital.
9. Je préfère le rock.
10. J'étudie l'histoire à l'université.

❺ Faites comme dans l'exemple et trouvez la bonne nationalité.

Keiko – Tokyo

➜ *Keiko habite à Tokyo. Elle est japonaise.*
1. Maria et Iannis – Athènes
2. Annie et Catherine – Paris
3. Tu – Madrid
4. Nous – Bruxelles
5. Vous – Genève
6. Pedro – Lisbonne

❻ Qu'est-ce qu'ils aiment, qu'est-ce qu'ils n'aiment pas ?

❼ Faites comme dans l'exemple et trouvez la bonne profession.

Michel – hôpital

➜ *Michel travaille dans un hôpital. Il est infirmier.*
1. Florence – théâtre
2. M. Berger – université
3. Paul et Alain – restaurant
4. M. Dumas – usine
5. Mlle Laurent – grand magasin
6. Vous, Jacques et Luc – aéroport
7. Nous – hôpital

❽ Complétez les deux dialogues suivants.

LA SECRÉTAIRE DE L'UNIVERSITÉ : … ! Vous vous appelez comment ?
PAUL : Je … Paul Leroy.
LA SECRÉTAIRE : Vous … où ?
PAUL : J'… à Grenoble.

PIERRE : Tu … la boxe ?
ÉRIC : Non, je … la boxe. Je … le tennis, c'est génial !

❾ Présentez des personnages comme Madonna, Gérard Depardieu, Carl Lewis, Juliette Binoche…

L'actrice Juliette Binoche.

❿ Écrivez les verbes entre parenthèses au temps correct.

1. Nous ne (aimer) pas la danse.

2. Ils (être) au restaurant.

3. Tu (détester) le théâtre.

4. Tu (préférer) le cinéma.

5. Je ne (être) pas pilote.

6. – Vous (habiter) Grenoble ?

– Non, nous (habiter) Aix.

7. Elles (travailler) à l'hôpital.

⓫ Écrivez ces chiffres et ces nombres.

3 – 7 – 6 – 8 –100 – 500 – 900 – 1000 – 10 000 – 100 000

⓬ Complétez.

La marche. ➔ La marche, c'est génial !

1. L'opéra.

2. La peinture de Picasso.

3. La danse.

4. La télévision.

5. La musique de Mozart.

UNITÉ 3

Moi et les autres

Savoir-faire
- saluer une personne, présenter des personnes
- dire et demander son âge
- parler du temps qu'il fait

Vocabulaire
- les salutations
- les jours de la semaine, les saisons, les mois
- les nombres
- la famille

Grammaire
- le verbe *avoir* : conjugaison et emplois
- les adjectifs possessifs
- la préposition *de* + article
- l'interrogation avec *qui*, *qui est-ce*
- *C'est...*

 ① *La Fête de la musique (I)*

ROBERT :	Salut, André, ça va ?
ANDRÉ :	Bien, et toi ?
ROBERT :	Ça va, merci. Tu es seul ?
ANDRÉ :	Non, je suis avec ma femme.
ANDRÉ :	Claire, je te présente Robert.
ROBERT :	Enchanté. Comment allez-vous ?
CLAIRE :	Bien. Et vous ?
ROBERT :	Très bien. C'est une soirée magnifique et j'adore la musique.
CLAIRE :	Et il fait beau et chaud.

– Salut, André, ça va ?
– Comment allez-vous ?
– Bien, et toi ?
– Bien, et vous ?
– Je te présente Robert.
– Enchanté.

❶ ▪▪▪ **Écoutez et donnez la bonne réponse.**

1. André est avec Claire. ...
2. C'est une soirée magnifique. ...
3. Il fait beau et chaud. ...
4. Robert n'aime pas la musique. ...

 ❷ ▪▪▪ **Réécoutez le texte et jouez les scènes en petits groupes.**

À VOUS !

La Fête de la musique (II)

SANDRINE : Bonsoir, madame Aubert.

MME AUBERT : Bonsoir, Sandrine, comment vas-tu ?

SANDRINE : Je vais très bien. Et vous ?

ANTONIN : Maman, maman ! J'ai soif.

MATHILDE : Maman, j'ai chaud.

MME AUBERT : Ah ! ce sont tes enfants ?

SANDRINE : Oui, ils adorent la musique. Alors,
ils sont contents.

MME AUBERT : Ils ont quel âge ?

SANDRINE : Antonin a 5 ans, et Mathilde 3.

❸ 📼 **Écoutez et donnez la bonne réponse.**

1. Sandrine est seule.   ...

   Sandrine est avec Mme Aubert.   ...

   Sandrine est avec Mathilde et Antonin.   ...

2. Mathilde et Antonin aiment la musique.   ...

   Mathilde et Antonin détestent la musique.   ...

   Mathilde et Antonin écoutent la musique.   ...

3. Antonin a 3 ans.   ...

   Antonin a 5 ans.   ...

   Antonin a 10 ans.   ...

J'ai soif.
J'ai chaud.
Ils ont quel âge ?
Antonin a 5 ans.

À VOUS ! ➤   **❹** 📼 **Réécoutez et lisez
le dialogue. À deux, jouez la scène
entre Sandrine et Mme Aubert.**

❺ Inventez les dialogues.

J'ai ....

et j'ai ....

J'ai froid

et j'ai faim.

 **La météo** ▪▪▪

– Nous sommes le combien aujourd'hui,
   Jean-Jacques ?
– Le combien sommes-nous aujourd'hui ? Le 21.
– Oui, chers auditeurs, aujourd'hui, nous sommes le
   21 juin, c'est l'été. Et il... pleut.
   Voici la météo !

6 Trouvez les contraires.

1. *Le soleil brille. ≠ Il pleut.*

2. Il fait beau. ≠ ...

3. Il fait chaud. ≠ ...

7 Écrivez un bulletin météo pour votre pays.

Aujourd'hui...

MÉTÉO : LE TEMPS AUJOURD'HUI

Il fait beau dans le Sud et dans l'Est. Le soleil brille sur la Provence
et la Côte d'Azur. Dans le nord de la France, il fait mauvais.
À Paris, il pleut et il fait froid. Dans l'Ouest, il fait 16 degrés et il pleut.

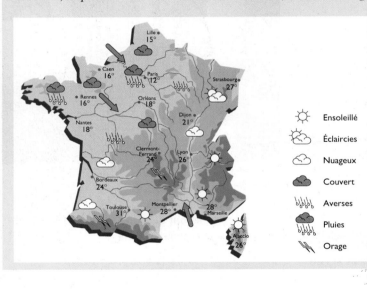

Les jours de la semaine
lundi
mardi
mercredi
jeudi
vendredi
samedi
dimanche

Ensoleillé	
Éclaircies	
Nuageux	
Couvert	
Averses	
Pluies	
Orage	

Il fait chaud.   Il fait beau.
Il fait froid.   Il fait mauvais.
Il fait 16 degrés.
Aujourd'hui, nous sommes
le 21 juin.

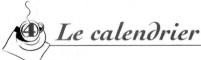 **Le calendrier**

À VOUS ! **8 « Nous sommes le combien
aujourd'hui ? »**
À deux, posez la question et répondez.

9 ▪▪▪ **Écoutez et lisez les nombres.**

10 ▪▪▪ **Écoutez et répétez les nombres.**

11 ▪▪▪ **Écoutez et écrivez les dates.**

le deux (2), le trois (3), etc.
Mais : le premier (1er).

Le ... mai ; le ... avril ; le ... juin ; le ... août, le ... juillet ;
le ... septembre ; le ... décembre ; le ... mars ; le ...
janvier ; le ... novembre ; le ... février ; le ... octobre.

Les nombres de 10 à 31 ▪▪▪

10 dix	20 vingt
11 onze	21 vingt et un
12 douze	22 vingt-deux
13 treize	23 vingt-trois
14 quatorze	24 vingt-quatre
15 quinze	25 vingt-cinq
16 seize	26 vingt-six
17 dix-sept	27 vingt-sept
18 dix-huit	28 vingt-huit
19 dix-neuf	29 vingt-neuf
	30 trente
	31 trente et un

VOCABULAIRE

❶ Repérez les mots que vous ne connaissez pas.

Une famille	La famille Duval	
les grands-parents :	Georges et Yvette **Duval**	Robert et Anne **Mazet**
	↓	↓
	Marcel **Duval**	Sandrine **Duval**
le couple :	le mari	la femme
les parents :	le père	la mère
	↓	↓
	Antonin **Duval**	Mathilde **Duval**
les enfants :	le fils	la fille
	le frère de Mathilde	la sœur d'Antonin

Les relations

les amis :   Robert Leroy est un ami de Marcel Duval.

les collègues :   Sandrine Duval et ses collègues travaillent dans un grand magasin.

les voisins :   La famille Duval et la famille Aubert habitent rue Victor-Hugo.

LA FAMILLE FRANÇAISE EN CHIFFRES

● La famille, c'est un couple marié (ou non marié) avec ou sans enfants.

● Un couple sur huit n'est pas marié. Un couple marié sur trois divorce.

● L'âge moyen du mariage, c'est 27 ans pour la femme, 28 ans pour l'homme.

● La France a 15 millions d'enfants de 0 à 19 ans.

● En moyenne, un couple a deux enfants. Les familles de quatre enfants sont rares.

❷ Qui est-ce ? Continuez comme dans l'exemple.

– *C'est le mari de Sandrine et le voisin de la famille Aubert. Qui est-ce ?*

➜ *C'est Marcel Duval.*

À VOUS !

❸ Vous êtes à la Fête de la musique avec des collègues. Vous rencontrez des amis. À quatre ou cinq, jouez la scène des présentations.

LES PRÉSENTATIONS

– Céline, je te présente Daniel.

– Céline, voilà mon frère Henri. Henri, c'est Céline.

– Madame Quérou, je vous présente Céline, une amie.

– Monsieur Blot, je vous présente mon frère Henri.

– Bonjour, je m'appelle Gérard Martin.

– Excusez-moi, Françoise Latour, c'est vous ?

Unité 3

Boîte à outils

CONJUGAISON : LE VERBE AVOIR

indicatif présent

J'**ai**	
Tu **as**	
Il / elle **a**	
Nous **avons**	
Vous **avez**	
Ils **ont**	

Le verbe **avoir** a trois emplois :

- **possession** — J'ai un enfant.
  J'ai une voiture.
- **âge** — J'ai 20 ans.
- **état physique** — J'ai soif, j'ai froid.

L'ADJECTIF POSSESSIF : MON, TON, SON, MA, TA, SA, MES, TES, SES

singulier

	masculin		féminin	
J'ai	un frère,	un ami,	une sœur,	une amie.
→ C'est	**mon** frère,	**mon** ami,	**ma** sœur,	**mon** amie.
Tu as	un frère,	un ami,	une sœur,	une amie.
→ C'est	**ton** frère,	**ton** ami,	**ta** sœur,	**ton** amie.
Il / elle a	un frère,	un ami,	une sœur,	une amie.
→ C'est	**son** frère,	**son** ami,	**sa** sœur,	**son** amie.

 Avant une voyelle, **ma**, **ta**, **sa** deviennent **mon**, **ton**, **son** : *Mon* amie.

pluriel

	masculin	féminin
J'ai	des parents,	des voisines.
→ Ce sont	**mes** parents,	**mes** voisines.
Tu as	des parents,	des voisines.
→ Ce sont	**tes** parents,	**tes** voisines.
Il / elle a	des parents,	des voisines.
→ Ce sont	**ses** parents,	**ses** voisines.

❶ Posez des questions.

Tu / avoir une voiture.

→ *Est-ce que tu as une voiture ?*

1. Vous / avoir 18 ans.
2. Ta sœur Sylvie / avoir des amis à Paris.
3. Les Duval / avoir des enfants.
4. Les enfants / avoir soif.
5. Nous / avoir faim.
6. Vous / avoir froid.

❷ 🔊 **Avoir ou être ? Donnez la bonne réponse.**

	avoir	être		avoir	être
1		X	5		
2			6		
3			7		
4			8		

Mes amis!

Ses amis!

❸ Complétez avec des adjectifs possessifs.

1. mon, ma, mes

Je m'appelle Claire. Je suis mariée et j'ai deux enfants : … mari travaille dans un hôpital. … enfants adorent la musique. … fils a 6 ans, … fille a 8 ans.

2. son, sa, ses

Mon amie Claire a un restaurant : … parents sont cuisiniers. … frère est serveur et … sœur est caissière.

3. Maintenant, vous parlez directement à Claire. Vous posez des questions.

Tu es mariée et tu as deux enfants. Est-ce que ton mari travaille dans un hôpital ? Est-ce que…

DE + ARTICLE : DU, DE LA, DE L', DES

de + le (masculin singulier) ➜ **du**
*L'âge moyen (de le) **du** mariage.*

de + la (féminin singulier) ➜ **pas de changement**
*La fête **de la** musique.*

de + l' ➜ (masculin et féminin singulier ➜ **pas de changement**).
*Les infirmiers **de l'**hôpital. Les 12 mois **de l'**année.*

de + les (masculin et féminin pluriel) ➜ **des**
*L'ami(e) (de les) **des** voisin(e)s.*

❹ Complétez avec la préposition de.

la fête / la musique ➜ la fête de la musique

1. les serveuses / le restaurant
2. le Sud / la France
3. l'âge / les étudiants
4. les enfants / les voisins
5. la voiture / le collègue
6. les ouvriers / l'usine

LE PRÉSENTATIF : C'EST

• **C'est + nom**

singulier	pluriel
***C'est** Céline.*	***Ce sont** mes voisins.*
***C'est** la fille de mon ami.*	***Ce sont** tes enfants.*

• **C'est + adjectif**
***C'est** génial !*

C'est l'hiver nous sommes le...

Le 21 Mars, c'est le printemps.

❺ Reliez les éléments qui vont ensemble.

Aujourd'hui,   c'est un informaticien.
André,   c'est jeudi.
La danse,   c'est magnifique !
Le 21 juin,   c'est ma voisine.
Sandrine,   c'est la fête de la musique.
Robert,   c'est un ami de Marcel.

C'est l'automne, c'est le...

C'est l'été, c'est le...

❻ À deux, par écrit, composez un personnage.
Donnez des informations sur :
– son âge,
– sa profession,
– ses goûts.
Lisez vos textes et choisissez le personnage le plus original.

IL FAIT CHAUD !

DIALOGUE A

Bruxelles. Annie termine sa conférence sur « La ville aujourd'hui ».

CATHERINE L. : Madame Lamy ! Formidable ! Bravo pour votre conférence !

ANNIE : Merci ! Vous êtes québécoise ?

CATHERINE L. : Ah ! mon accent ! Mais vous aussi vous avez un accent.

ANNIE : Oui, j'habite dans le sud de la France, à Aix-en-Provence.

CATHERINE L. : C'est une ville magnifique.

ANNIE : Et vous ?

CATHERINE L. : Moi, j'habite à Laval ; je suis économiste. Je m'appelle Catherine Léveillé.

ANNIE : Enchantée ! Vous êtes seule à Bruxelles ?

CATHERINE L. : Oui.

ANNIE : Venez, il fait chaud ici, je connais un petit restaurant !

CATHERINE L. : Très bien ! J'ai faim !

ANNIE : Moi aussi !

DIALOGUE B

Aix-en-Provence. Mireille Mistral regarde la télévision, son mari travaille sur son ordinateur.

LA TÉLÉVISION : Et maintenant, la météo avec Marie Levant. Alors Marie, c'est le soleil !

M. LEVANT : Eh oui, Patrice ! aujourd'hui mardi 5 juillet, nous avons un temps magnifique. Il fait beau et chaud sur toute la Provence ! *(Jacques éteint brusquement la télé.)*

MIREILLE : Oh non, Jacques ! Mon film !

JACQUES : La télé, toujours la télé !

MIREILLE : Et toi et ton ordinateur !

JACQUES : Excuse-moi, j'ai chaud et je suis fatigué.

MIREILLE : Bon ! Bon ! Ah ! Téléphone à ta mère, elle est seule. Elle a 80 ans aujourd'hui !

JACQUES : Non, je vais au bureau.

MIREILLE : Maintenant ? Hé ! Jacques !

JACQUES : Hein, quoi ?

MIREILLE : Un fax pour toi.

> *Salut Jacques,*
> *Je prépare une surprise. À bientôt !*
> *Ton ami P.*

JACQUES : Une surprise ?

Écoutez

❶ Dialogue A : Qu'est-ce qui va ensemble ?

1. *Annie Lamy*   **a.** Bruxelles
2. Catherine Léveillé   **b.** Laval
3. La conférence   **c.** *Aix-en-Provence*
4. Le petit restaurant

❷ Vrai ou faux ?

1. Catherine Léveillé est architecte.
2. Elle est seule à Bruxelles.
3. Les deux femmes sont dans un petit restaurant.
4. Il fait chaud dans le restaurant.
5. Les deux femmes ont faim.

❸ Dialogue B : Répondez aux questions.

1. Est-ce qu'il pleut aujourd'hui sur la Provence ?
2. Qui regarde la télévision ?
3. Mireille est contente ?
4. Qui travaille sur un ordinateur ?
5. Qui est seul ?
6. Qui a 80 ans ?
7. Qui prépare une surprise ?

Observez et répétez

▶ **Les rythmes**

❹ Écoutez et répétez.

ma dame La my

bra vo pour la con fé rence

une ville ma gni fique

Le rythme est régulier.
L'accent tonique se met à la fin du groupe.
Le « e » final ne se prononce pas.

▶ **Les mélodies**

❺ Écoutez et répétez.

– Qui est Mireille ?

– C'est la mère de Thierry.

– Qui est Thierry ?

– C'est le fils de Jacques et de Mireille.

Question avec un mot interrogatif au début : la voix descend.
Affirmation : la voix descend à la fin de la phrase.

À VOUS! **❻ À deux, posez des questions et répondez.**

– *Qui est Kyoko ?*
– *Qui est P. ?*

Exprimez-vous

À VOUS! **❼ Présentations. À quatre, préparez les dialogues et jouez la scène. Albert Lafaille est responsable de la conférence de Bruxelles.**

Il présente les participants :

– Noriko Matzuda est japonaise, médecin à Osaka ;

– Armando Mittali est italien, architecte à Rome ;

– Michel Durel est français, ingénieur à Bordeaux.

La conférence de Noriko Matzuda est formidable…
Il fait chaud, les participants ont soif…

❽ Aujourd'hui, vous présentez la météo à la télévision. Rédigez un petit texte, puis présentez la météo dans votre cours de français.

Carnet d'adresses

Savoir-faire
- téléphoner pour prendre rendez-vous, fixer l'heure et le lieu
- demander, donner une adresse

Vocabulaire
- les mots pour dire l'heure
- les moments de la journée

Grammaire
- les adjectifs possessifs
- l'interrogation : *où, quand*
- préposition *à* + article défini *(au, à l', à la, aux)*
- impératif des verbes en *-er*
- verbes *aller* et *prendre*

Un coup de téléphone

LUC :   Allô !

MARINE : Luc ? c'est Marine.

LUC :   Ah, salut, Marine. Où est-ce que tu es ?

MARINE : Je suis à Lyon, au Festival de danse.

LUC :   C'est génial ! Tu es seule ?

MARINE : Oui... et je cherche un hôtel.

LUC :   Tu ne vas pas à l'hôtel ! L'appartement est grand et ma sœur est à Paris.

MARINE : Merci. C'est gentil.

> – Où est-ce que tu es ?
> – Je suis à Lyon, au Festival.
> – Tu ne vas pas à l'hôtel !

❶ Écoutez. Vrai ou faux ?

1. Marine est la sœur de Luc.   ...
2. Marine est une amie de Luc.   ...
3. Marine est seule.   ...
4. Marine est avec sa sœur.   ...
5. Marine cherche un hôtel.   ...

❷ Repérez et répétez :

1. les deux questions de Luc ;
2. l'invitation de Luc à Marine ;
3. le remerciement de Marine.

À VOUS !   Jouez la scène.

② Rendez-vous à la maison

LUC : Je termine mon travail à cinq heures et demie. Tu es au théâtre ?

MARINE : Oui.

LUC : Tu as mon adresse ?

MARINE : Euh... Non.

LUC : Bon, j'habite rue de Brest. Ce n'est pas loin. Tu prends le quai des Célestins à droite et tu continues tout droit. Tu arrives place du Port du Temple. Ne traverse pas la place. Tourne à droite, tu es rue de l'Ancienne Préfecture. Tu continues et à gauche, tu as la rue de Brest. J'habite au numéro 80.

MARINE : C'est facile ! J'arrive à six heures, six heures et demie. Ça va ?

LUC : Très bien. À tout de suite.

❸ Écoutez et complétez.

1. Luc habite …
2. Marine est …
3. Marine arrive à l'appartement de Luc à …

❹ Regardez le plan. Cherchez la place des Célestins, l'appartement et le bureau de Luc. Décrivez :

1. le chemin de Marine : *Elle prend…*
2. le chemin de Luc de son appartement à son bureau : *Il prend…*

> Tu prends le quai des Célestins, …tu continues tout droit. Ne traverse pas la place, tourne à droite.

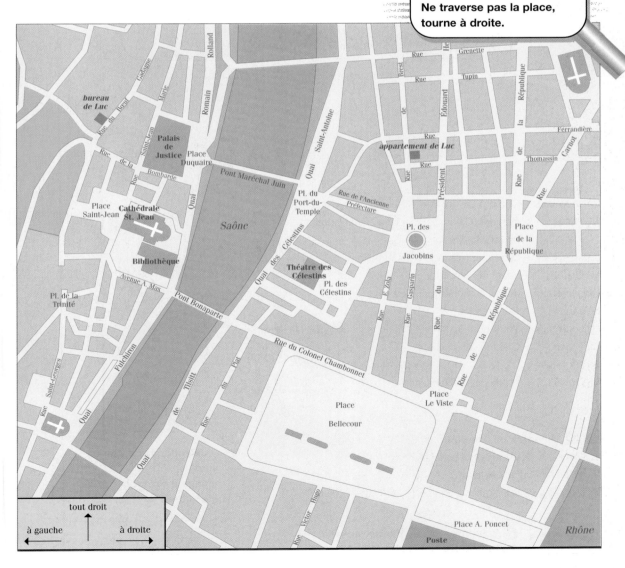

Découvertes

3 Un message

Nancy, le 14 juin

Cher Paul,
J'arrive à la gare du Nord mardi 21
à 16 heures.
Rendez-vous aux « arrivées », au point rencontre.
Bises.   Béatrice

Cannes, le 6 décembre

Chère Isabelle,
J'arrive à l'aéroport de Nice jeudi 12
à 8 heures.
Rendez-vous à la sortie numéro 1.
Amitiés.   Jacques

5 Lisez les textes.

6 Écrivez un message pour donner rendez-vous à un(e) ami(e).

Nancy, le 14 juin
Cher Paul…
Chère Isabelle…
Bises.
Amitiés.

4 Je voudrais un rendez-vous

La secrétaire :	Cabinet du docteur Dransard, bonjour !
M. Duval :	Bonjour. C'est Marcel Duval. Je voudrais un rendez-vous.
La secrétaire :	Quand est-ce que vous êtes libre ?
M. Duval :	Jeudi ou vendredi.
La secrétaire :	Jeudi, à dix heures, ça va ?
M. Duval :	Oui, très bien.
La secrétaire :	Votre numéro de téléphone, s'il vous plaît ?
M. Duval :	C'est le 01 42 63 39 11.
La secrétaire :	01 42 63 39 11. Merci. Au revoir.
M. Duval :	Au revoir, mademoiselle.

7 **Écoutez et complétez.**

1. Monsieur Duval téléphone au …
2. Monsieur Duval est libre …
3. Monsieur Duval a rendez-vous …

À VOUS !

8 Vous prenez un rendez-vous.
À deux, jouez la scène.

– Je voudrais un rendez-vous.
– Quand est-ce que vous êtes libre ?

VOCABULAIRE

Quelle heure est-il ?

Il est une heure (du matin).
Il est une heure.

Il est une heure (de l'après-midi).
Il est treize heures.

Il est sept heures et quart.
Il est sept heures quinze.

Il est six heures et demie.
Il est dix-huit heures trente.

Il est dix heures moins le quart.
Il est neuf heures quarante-cinq.

Il est onze heures (du soir).
Il est vingt-trois heures.

Les moments de la journée

C'est le matin.   C'est l'après-midi.   C'est le soir.   C'est la nuit.

❶ Écoutez et écrivez l'heure.

1. ....   **2.** ...   **3.** ...   **4.** ...   **5.** ...

❷ Lisez les phrases, repérez le moment de la journée et associez l'heure du train et le jour de la semaine.

Lundi, je vais à Paris. Je prends le train de nuit.
Mardi, je vais à Berlin. Je prends le train du matin.
Jeudi, je vais à Albi. Je prends le train de l'après-midi.
Samedi, je vais à Issoire. Je prends le train du soir.

	lundi	mardi	jeudi	samedi
7 h				
14 h 12				
19 h 25				
0 h 30				

❸ Regardez les adresses. Écrivez votre adresse et votre numéro de téléphone.

L'adresse

M. & Mme Yves Dupuis
15, rue Victor-Hugo
77300 Fontainebleau
Tél. 01 64 22 02 02

Jean Poirier
3, avenue de la Mairie
30150 Roquemaure
Tél. 04 66 50 11 11

Chantal Duparc
2, impasse du Château
95780 La Roche-Guyon
Tél. 01 34 34 56 69

Nicole et Philippe Meyer
3, place de l'Église
57850 Dabo
Tél. 03 87 07 34 34

Catherine Berthon
123, boulevard de la Mer
22560 Trébeurden
Tél. 02 96 23 09 09

Alain Lefloch
7, quai aux Épices
56100 Lorient
tél. 02 97 21 21 52

GRAMMAIRE

À + ARTICLE : AU, À LA, À L', AUX

à + le (masculin singulier) ➜ **au**
Je suis (à le) au festival.

à + la (féminin singulier) ➜ **pas de changement**
J'arrive à la gare du Nord.

à + l' (masculin et féminin singulier) ➜ **pas de changement**
Tu ne vas pas à l'hôtel / à l'université.

à + les (masculin et féminin pluriel) ➜ **aux**
Rendez-vous (à les) aux « arrivées » de la gare.

❶ Complétez avec la préposition à.

Je téléphone / le mari de Sylvie.
➜ *Je téléphone au mari de Sylvie.*

1. Aujourd'hui, nous allons / le cinéma.
2. Je présente Céline / les parents de ma femme.
3. Mon amie Céline arrive à 14 heures. Je vais / l'aéroport.
4. – Où est-ce que tu es ? – Je suis / la maison.
5. Rendez-vous / l'appartement. J'habite rue Victor-Hugo, / le numéro 5.

L'IMPÉRATIF DES VERBES EN -ER

forme affirmative	forme négative
Téléphone	Ne téléphone pas
Téléphonons	Ne téléphonons pas
Téléphonez	Ne téléphonez pas
Écoute	N'écoute pas
Écoutons	N'écoutons pas
Écoutez	N'écoutez pas

❷ Transformez comme dans l'exemple.

Tu regardes la télé. ➜ *Ne regarde pas la télé.*

1. Nous écoutons la radio à 7 heures.
2. Vous téléphonez à vos enfants.
3. Tu traverses la place et tu tournes à droite.
4. Vous cherchez vos amis.
5. Nous travaillons la nuit.

CONJUGAISON : ALLER, PRENDRE

indicatif présent		impératif présent	
Je vais	Je prends		
Tu vas	Tu prends	Va	Prends
Il / elle va	Il / elle prend		
Nous allons	Nous prenons	Allons	Prenons
Vous allez	Vous prenez	Allez	Prenez
Ils / elles vont	Ils / elles prennent		

Les verbes **aller** et **prendre** ont plusieurs sens :

Je vais à Paris.	Je prends le train.
Je vais à l'aéroport.	Je prends la rue de Brest.
Je vais bien.	Je prends à droite.
Je vais au café.	Je prends un café crème.

❸ Remplacez les verbes entre parenthèses par la forme correcte.

1. Lundi, je (aller) à Paris avec mon ami Frédéric. Nous (prendre) le train. Mardi, à Paris, nous (aller) à l'aéroport. Frédéric (aller) à New York et il (prendre) l'avion du matin. Moi, je (prendre) l'avion à midi. Je (aller) à Londres.
2. – Est-ce que vous (aller) bien aujourd'hui ?
– Nous (aller) bien, merci. Et vous ?
– Merci, ça (aller).
3. – J'ai faim.
– Moi aussi. (aller) au restaurant !
– Oui, mais il pleut. (prendre) la voiture.
4. – La gare, s'il-vous-plaît ?
– C'est facile. Vous (aller) tout droit. Rue Victor-Hugo, vous (prendre) à gauche. Ne traversez pas la place de l'Amitié. (aller) tout droit et (prendre) la rue de la Gare. Vous préférez prendre le bus ? (prendre) le bus 58, 68 ou 88 : ils (aller) à la gare.

GRAMMAIRE

L'INTERROGATION AVEC OÙ ET QUAND

où ?	quand ?
Tu es où ?	*Tu arrives quand ?*
Où est-ce que tu es ?	*Quand est-ce que tu arrives ?*
Vous allez où ?	
Où est-ce que vous allez ?	

❹ **Transformez les questions.**

Il est où ? ➜ *Où est-ce qu'il est ?*

1. Elle arrive quand ?
2. Ils vont où ?
3. Nous sommes où ?
4. Vous arrivez à Paris quand ?
5. Tu vas au cinéma quand ?
6. Il va où ?

LE VERBE ÊTRE

- **Être + nom de profession ou adjectif**

*Je **suis** infirmier.*   *Alain **est** seul.*

- **Être + préposition**

*Je **suis** à l'hôpital.*   *Vous **êtes** à Paris.*

L'ADJECTIF POSSESSIF : NOTRE, VOTRE, LEUR, NOS, VOS, LEURS

singulier		
	masculin	**féminin**
Nous avons	un frère,	une sœur.
➜ C'est	**notre** frère,	**notre** sœur.
Vous avez	un frère,	une sœur.
➜ C'est	**votre** frère,	**votre** sœur.
Ils / elles ont	un frère,	une sœur.
➜ C'est	**leur** frère,	**leur** sœur.

pluriel		
	masculin	**féminin**
Nous avons	des parents,	des voisines.
➜ Ce sont	**nos** parents,	**nos** voisines.
Vous avez	des parents,	des voisines.
➜ Ce sont	**vos** parents,	**vos** voisines.
Ils / elles ont	des parents,	des voisines.
➜ Ce sont	**leurs** parents,	**leurs** voisines.

Nos voisins sont musiciens !

❺ **Posez les bonnes questions.**

Il est 8 heures. ➜ *Quelle heure est-il ?*
Je suis infirmier. ➜ *Qu'est-ce que vous faites ?*

1. Je m'appelle Alain Dufeu.
2. J'habite à Paris.
3. Nous travaillons dans un grand magasin.
4. Nous arrivons à 7 heures du matin.
5. Ils ont 18 ans.
6. Elles vont au restaurant.
7. Ils sont au cinéma.

❻ **Complétez avec des adjectifs possessifs.**

1. notre, nos

Nous habitons à Aix. … appartement n'est pas loin du théâtre. Nous habitons avec … parents. … adresse est : 23, place Pascal, à Aix.

2. votre, vos

… amis sont étudiants : … ami Hervé étudie l'histoire, … amie Brigitte étudie le français.

3. leur, leurs

À l'arrivée du Marathon, le reporter demande aux coureurs … nom, … profession et … âge. Il demande aussi le nom de … enfants.

RENDEZ-VOUS

DIALOGUE A

Aix-en-Provence, sur une place. Kyoko et Thierry sont assis au pied d'une fontaine.

THIERRY : Oh là là, il est cinq heures !

KYOKO : Mmm ! on est bien !

THIERRY : Oui ! J'ai rendez-vous avec mon père à cinq heures et demie.

KYOKO : Où est-ce que tu as rendez-vous ?

THIERRY : À son bureau ! Et toi, qu'est-ce que tu fais ?

KYOKO : Moi ? Je fais mes devoirs et, à 8 heures, je vais au festival de danse.

THIERRY : Au festival ? Avec qui ?

KYOKO : C'est secret !

THIERRY : C'est un secret. Pff ! Tu es nulle. Salut !

KYOKO : Thierry ! J'ai rendez-vous avec une amie, tu es content maintenant ?

DIALOGUE B

Au bureau, il est cinq heures et demie.

JACQUES : Ah ! Thierry, c'est toi ? Regarde mon projet.

THIERRY : C'est le nouveau centre culturel ?

JACQUES : Oui. Là, tu as le théâtre, le cinéma et la grande salle de concert.

THIERRY : C'est magnifique ! Hé ! Papa, tu as un fax !

> *Jacques,*
> *Laisse les plans !*
> *Prends le TGV pour Paris !*
> *Rendez-vous jeudi à 18 heures, au Paris-Lyon Palace près de la gare de Lyon.*
> *Ton ami P.*

JACQUES : P. ? P. ? Ha ! Mais c'est Pierre !

THIERRY : Pierre ? C'est qui ?

JACQUES : C'est un ami d'enfance !

THIERRY : Et pour les plans ? Comment il sait ? C'est bizarre !

Écoutez

❶ Dialogue A : Répondez aux questions.

1. Qui parle ?
2. Où est-ce qu'ils sont ?
3. Quelle heure est-il ?

❷ Donnez la bonne réponse.

1. Thierry a rendez-vous
   a. avec Kyoko ;
   b. avec son père ;
   c. avec un ami.

2. Il a rendez-vous
   a. à cinq heures et demie ;
   b. à cinq heures ;
   c. à huit heures.

3. À 8 heures, Kyoko
   a. va au festival ;
   b. fait ses devoirs ;
   c. danse.

❸ Dialogue B : Vrai ou faux ?

1. Le projet de Jacques, c'est un centre culturel.
2. P. donne rendez-vous à Jacques.
3. Le rendez-vous est à Lyon.
4. Le rendez-vous est à 8 heures.
5. P., c'est Pierre.

Observez et répétez

▶ **Les rythmes**

❹ **Écoutez et répétez.**

à cinq heures   à huit heures

tu étudies   avec une amie

On enchaîne les mots.

▶ **Les mélodies**

❺ **Écoutez et répétez.**

Regarde mon projet. Laisse les plans !

Prends le TGV !

À l'impératif, la voix descend.

❻ **Demandez à votre voisin(e) de :**

– *répéter les mots* ➜ *Répétez les mots.*

– *écouter la cassette ;*

– *prendre son livre.*

Exprimez-vous

 ❼ **Au cinéma. Lisez le programme, puis, à deux, jouez la scène.**

Thierry regarde le programme des cinémas.
Il téléphone et donne rendez-vous à Kyoko à
8 heures au cinéma. C'est un film français.

LE RENOIR – 24, cours Mirabeau – 04 42 26 08 32
  • Kansas City avec Jennifer Jason Leig :
    16 h 15 – 18 h 15 – 20 h 15 – 22 h 15
  • Le facteur avec Philippe Noiret : 21 h 00
LE CÉZANNE – 21, rue Goyrand – 04 42 26 00 51
  • Conte d'été avec Melvil Poupaud :
    18 h 15 – 20 h 15 – 22 h 15

❽ **L'invitation.**

GRANDE FÊTE
chez Julien
samedi
avec musique et danse
13, rue du marché
Aix-en-Provence

Lisez l'invitation de Julien. Vous écrivez à votre ami pour demander l'heure, la date, le numéro de téléphone.

Espaces

1 Un peu de géographie

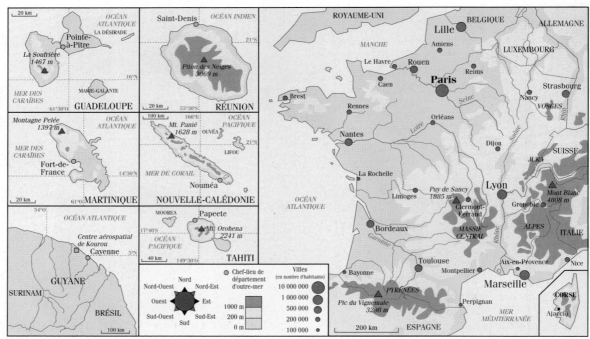

La France a la forme d'un hexagone.
Trois côtés donnent sur la mer.
Le paysage français est varié, le climat
change du nord au sud, sa végétation est
diversifiée. Les arbres caractéristiques sont,
au nord, le hêtre, au sud, le pin maritime,
le cyprès et l'olivier.

Les Alpes sont des monta-
gnes très hautes. Mais elles
ne sont pas un obstacle :
on passe facilement d'un
côté à l'autre. *En 219
avant Jésus-Christ, le
général africain Hannibal,
ennemi des Romains,
traverse les Pyrénées et les Alpes.*

OBSERVEZ – RÉPONDEZ

▶ **Vrai ou faux ?**

Les mers qui entourent la France sont :

a. l'océan Pacifique   **d.** la Manche

b. la mer Méditerranée   **e.** la mer Noire

c. l'océan Atlantique

▶ **Repérez sur la carte les Alpes et les Pyrénées
et donnez les bonnes réponses.**

1. Les Alpes sont à la frontière de :

a. l'Allemagne   **b.** l'Italie   **c.** la Suisse

2. Les Pyrénées sont à la frontière de :

a. l'Allemagne   **b.** l'Espagne   **c.** l'Italie

3. Le sommet le plus élevé est :

a. le Vignemale **b.** le Puy-de-Sancy **c.** le Mont-Blanc

▶ **Repérez sur la carte les grands fleuves
et donnez les bonnes réponses.**

1. Un fleuve traverse le Bassin parisien, c'est :

a. la Seine   **b.** la Garonne   **c.** la Loire

2. Deux fleuves se jettent dans l'océan Atlantique,
ce sont :

a. le Rhône   **b.** la Garonne   **c.** la Loire

3. Un fleuve va du nord au sud, c'est :

a. la Seine   **b.** le Rhône   **c.** la Garonne

▶ **Et dans votre pays, quelles sont les principales
montagnes, les fleuves, etc. ?
Votre pays est à côté de quels pays, de quelles
mers ?**

2 Le climat

En France, le climat est très varié.

Les principaux types de climat sont :
le climat océanique : humide, doux avec des pluies fréquentes ;
le climat méditerranéen : chaud et sec en été ;
un climat de transition : les pluies diminuent, l'hiver est plus froid, l'été est plus chaud ;
le climat montagnard : continental, chaud en été, froid en hiver, pluie et neige.

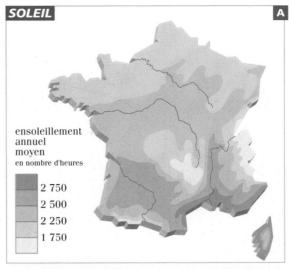

SOLEIL   A

ensoleillement
annuel
moyen
en nombre d'heures

- 2 750
- 2 500
- 2 250
- 1 750

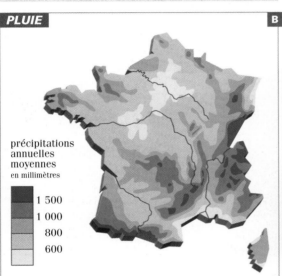

PLUIE   B

précipitations
annuelles
moyennes
en millimètres

- 1 500
- 1 000
- 800
- 600

1 *2*
3

1. *Végétation méditerranéenne sur la Sainte Victoire.*
2. *Forêt de pins dans les Landes.*
3. *En montagne, dans les Alpes.*

OBSERVEZ – RÉPONDEZ

▶ **Regardez la carte A. Dans quelles régions le soleil brille le plus ? Classez les régions de la plus ensoleillée (+) à la moins ensoleillée (–).**

Nord, Nord-Est, Est, Sud-Est, Sud, Sud-Ouest, Ouest, Nord-Ouest.

▶ **Le soleil divise le territoire français d'est en ouest ou du nord au sud ?**

▶ **Regardez la carte B. Elle illustre la quantité de pluie qui tombe sur le territoire français. Classez les régions de la plus humide (+) à la moins humide (–).**

Nord, Nord-Est, Est, Sud-Est, Sud, Sud-Ouest, Ouest, Nord-Ouest.

civilisation

3 Les paysages

3
1 4
2

1. **En Normandie, dans le pays d'Auge.**
2. **Un port méditerranéen, Saint-Tropez.**
3. **Une station de ski dans les Alpes, Courchevel.**
4. **Un paysage du Jura, Baume-les-Dames.**

4 Mon pays, ton pays

OBSERVEZ – RÉPONDEZ

▶ Qu'est-ce que vous aimez ?
La mer ? la campagne ? la montagne ?

▶ Choisissez la photo du paysage
que vous préférez. Dites pourquoi
et comparez vos réponses.

**POUR PARTIR EN VACANCES
LES FRANÇAIS AIMENT**

la mer (46 %)

la campagne (23 %)

la montagne (14 %)

▶ À votre avis, pourquoi est-ce que les Français
préfèrent la mer ?

À VOUS DE JOUER ! Écrivez une présentation de votre pays ou de votre région.
Mon pays a la forme…

Partie 2
À MON AVIS...

Unité 5
La pause de midi

- Découvertes   48
- Boîte à outils   51
- Paroles en liberté
  « CHEZ MARTINE »   54

Unité 6
Sport et santé

- Découvertes   56
- Boîte à outils   59
- Paroles en liberté
  BONJOUR LA FORME !   62

Bilan   64

Unité 7
De toutes les couleurs

- Découvertes   66
- Boîte à outils   69
- Paroles en liberté
  C'EST LA MODE !   72

Unité 8
Un aller-retour

- Découvertes   74
- Boîte à outils   77
- Paroles en liberté
  VIVE LES VACANCES !   80

Civilisation
Couleurs   82

La pause de midi

Savoir-faire
• au restaurant
• inviter quelqu'un à la maison
• faire des propositions

Vocabulaire
• la quantité
• les repas

Grammaire
• *du, de la, de l', de, des*
• *pas de*
• les verbes *boire, venir, manger*
• l'interrogation avec *quel*
• *moi, toi, lui, elle...*
• *il y a*
• *on = nous*

 Qu'est-ce que vous mangez ?

VOUS AIMEZ

LE SALÉ ?   **LE SUCRÉ ?**

Vous mangez :

☐ du poisson   ☐ des gâteaux,
                                           ☐ du chocolat

☐ de la viande 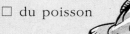   ☐ des fraises,
                                            ☐ des abricots

☐ du fromage 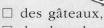   ☐ de la confiture

Vous ne mangez pas :

☐ de confiture   ☐ de citrons

Vous buvez de l'eau, mais aussi des jus de fruits, du vin, de la bière.

> Vous aimez le sucré.
> Vous mangez de la confiture, des gâteaux... et vous buvez de l'eau ! Vous ne mangez pas de citrons.

❶ **Lisez et remplissez le test.**

❷ **Qu'est-ce que vous mangez ?**
Je mange des gâteaux. *Je ne mange pas de viande.*
Je mange ... *Je ne mange pas ...*

❸ **Qu'est-ce que vous buvez ?**
Je bois de l'eau. *Je ne bois pas de vin.*
Je bois ... *Je ne bois pas ...*

② Au restaurant

Demander la carte

LA CLIENTE : Monsieur, monsieur, garçon !

LE SERVEUR : J'arrive !

LA CLIENTE : Je voudrais la carte, s'il vous plaît.

LE SERVEUR : Voilà, madame.

Commander

LA CLIENTE : Monsieur, s'il vous plaît !

LE SERVEUR : Oui, madame.

LA CLIENTE : Quel est le plat du jour ?

LE SERVEUR : Des moules avec des frites.

LA CLIENTE : C'est lourd ?

LE SERVEUR : Non, non.

LA CLIENTE : Très bien, je prends le plat du jour.

Demander l'addition

LA CLIENTE : Je voudrais l'addition, s'il vous plaît !

LE SERVEUR : Vous ne prenez pas de café ?

LA CLIENTE : Non, merci.

Protester

LE SERVEUR : Voilà l'addition.

LA CLIENTE : 60 francs ! 60 francs pour des moules et des frites froides, c'est cher !

Le Bistrot du Port

PLAT DU JOUR
60 F
moules frites

**MANGEZ LÉGER !
MENU EXPRESS
À 50 F
VIANDE FROIDE
ET SALADE**

Menu à 80 F

Hors-d'œuvre
crudités
ou
charcuterie
***

Plat principal
steak frites
ou
moules frites
***

Fromage
ou
Dessert
tarte chaude

**Je voudrais la carte / l'addition s'il vous plaît !
Quel est le plat du jour ?**

**④ Écoutez les dialogues.
Répondez aux questions.**

1. La cliente prend du café ?

2. Est-ce que la cliente mange des moules et des frites ?

3. Quel est le plat du jour ?

4. La cliente est contente ?

À VOUS ! **⑤ Qu'est-ce que vous dites pour…**

– appeler le serveur ?

– demander la carte ? l'addition ?

– commander ?

– demander un renseignement au serveur ?

Jouez la scène.

③ « Au Soleil de Provence »

❻ Lisez le document 3.
Repérez :

– les aspects positifs,
– les aspects négatifs,
– les propositions.

 ❼ Vous répondez à une enquête.

Écrivez trois petits textes sur le modèle du document. Faites des propositions.

AU SOLEIL DE PROVENCE

Inscrivez ici vos critiques et vos suggestions

Je ne mange pas de viande. Proposez un plat de légumes à midi !

La viande est bonne mais les frites sont froides !

Les plats sont bons, mais les vins sont chers. Changez la carte des vins !

> Les plats sont bons,
> mais les vins sont chers !

④ *Les invitations*

❽ Où et quand est-ce qu'Annette invite Mme Picard et Gérard ?

❾ Vous téléphonez pour inviter un ami ou une amie à dîner chez vous samedi.

À deux, imaginez la conversation.

– À quelle heure ?
– À quelle adresse ?
– Vous dites votre menu.
– Est-ce que votre ami / amie aime ça ?

> Viens dîner chez moi.
> Venez dîner à la maison.

Télécopie

Destinataire : Madame Picard
Expéditeur : Annette Lefloch

Madame,

Samedi, j'ai 20 ans. Venez dîner à la maison. J'invite aussi des amis de l'université.

Amitiés
Annette Lefloch

A Montmartre :
La place des Abbesses
Photo B.B.

*Gérard,
Samedi, j'ai 20 ans.
Viens dîner chez moi.
J'invite aussi des amis de l'université.
Bisou
Annette*

*Gérard Dupont
3, rue des Petit Ponts
75013 PARIS
FRANCE*

© Image'In - Tél. : (1) 43.49.15.50

7510102602

VOCABULAIRE

❶ **Lisez le texte.**

Repérez les nombres et les mots exprimant la quantité.

50 tonnes pour un seul homme

En une vie, nous mangeons 50 tonnes d'aliments, en 87 600 repas. Cela représente 10 tonnes de légumes, 900 kilos de sucre, près de 2 000 kilos de fromage, 17 000 œufs, 6 bœufs, 16 porcs, 21 000 baguettes de pain... Plus la confiture, les fruits... Et on boit aussi !

❷ **Qu'est-ce qu'il y a sur les tables ?**

Dans le restaurant, il y a une grande salle.

Dans la salle, il y a cinq tables. Sur la table 1, il y a une assiette, une fourchette, une cuillère, une nappe, un couteau et une serviette.

Qu'est-ce qu'il y a sur les tables 2, 3, 4 et 5 ?

Continuez...

❸ **La quantité**

100 grammes	de viande	1 verre	d'eau
200 g	de poisson	2 verres	de lait
300 g	de légumes	3 verres	de vin
400 g	de fruits	1 litre	de jus de
		fruits	
500 g	de fromage	2 litres	de bière
1 kilo	d'abricots		
2 kg	de riz	1 tasse	de café
3 kg	de pommes de	2 tasses	de thé
	terre		

Et vous ?

– Quelle quantité d'aliments est-ce que vous mangez par jour ?
– Quelle quantité de boissons est-ce que vous buvez ?
– Et par semaine, par mois, par an...?

❹ **Associez des mots.**

Trouvez les contraires des mots suivants.
Ce sont des mots pour apprécier un plat ou un repas.

lourd	froid
bon marché	bon
chaud	*léger*
mauvais	cher

❺ **Vous mangez à quelle heure ?**

En France, on prend le petit déjeuner de 7 h à 9 h, on déjeune entre midi (12 h) et 14 h et on dîne entre 19 h et 20 h. Et chez vous ?

une serviette
une fourchette
une nappe
une cuillère un couteau

LA QUANTITÉ INDÉTERMINÉE

• Les articles partitifs **du**, **de la**, **de l'**, **des**

Je mange **du** pain.   Je mange **de la** viande.

Je bois **des** jus de fruits.   Je bois **de l'**eau.

LA QUANTITÉ « ZÉRO »

Il mange **du** pain.   Il ne mange pas **de** pain.

Il mange **de la** viande.   Il ne mange pas **de** viande.

Il boit **de l'**eau.   Il ne boit pas **d'**eau.

Il boit **des** jus de fruits.   Il ne boit pas **de** jus de fruits.

• Après un verbe à la forme négative, on emploie la préposition **de**, **d'**, avant le nom.

❷ **Complétez avec l'article partitif ou la préposition de.**

1. Annie est sportive.

Elle ne boit pas … vin, pas … bière.

Elle boit … eau et … jus de fruits.

Elle ne mange pas … porc, pas … gâteaux.

Elle mange … légumes et … fruits.

2. Aline n'aime pas le sucré.

Qu'est-ce qu'elle ne mange pas ? Qu'est-ce qu'elle ne boit pas ?

L'INTERROGATION AVEC QUEL

	masculin	féminin
singulier	**Quel** est le plat du jour ?	**Quelle** est ta boisson préférée ?
pluriel	**Quels** fruits sont sucrés ?	**Quelles** activités est-ce que tu aimes ?

❶ **Complétez avec du, de la, de l', des.**

1. Il adore manger.

Au petit déjeuner, il boit … chocolat, … lait ou … café sucré. Il mange … œufs, … pain avec … beurre et … confiture. À midi, il va au restaurant : il prend … viande avec … frites, … fromage et … fruits, … ananas avec … crème. Il boit … vin.

Le soir, il dîne chez lui : il mange … charcuterie, … fromage et … gâteaux. Il boit … bière.

2. Vous mangez léger.

Qu'est-ce que vous prenez :

– au petit déjeuner ?

– à midi ?

– au dîner ?

Au petit déjeuner, je bois …

3. Vous invitez des amis à déjeuner.

Quel est votre menu ?

Comme hors-d'œuvre : *des crudités, du… , de la...*

Comme plat principal : …

Comme dessert : …

Comme boisson : …

4. Dimanche, vous êtes quatre pour le déjeuner.

Quelle quantité est-ce que vous prenez ?

Pour le hors-d'œuvre, je prends 300 grammes de fromage, un kilo de tomates...

Pour le plat principal, …

❸ ▄▄▄ **Écoutez et complétez avec quel, quelle, quels, quelles.**

– Pardon, monsieur. C'est pour une enquête.

– Oui ?

– Première question : … sont vos aliments préférés ?

– J'aime le poisson, les fruits de mer, j'adore les moules !

– … est votre boisson préférée ?

– C'est la bière.

– … bière ?

– La bière allemande.

– … est votre repas préféré ?

– C'est le dîner, mais j'aime le petit déjeuner aussi.

– Vous dînez à … heure ?

– À sept heures, sept heures et demie.

– Vous avez … âge ?

– Euh !

– … est votre profession ?

– Pilote.

– Merci, monsieur. Bonne journée !

GRAMMAIRE

LES PRONOMS MOI, TOI, LUI, ELLE

Je suis à la maison ➜ chez **moi**	nous ➜ chez **nous**
Tu es à la maison ➜ chez **toi**	vous ➜ chez **vous**
Il est à la maison ➜ chez **lui**	ils ➜ chez **eux**
Elle est à la maison ➜ chez **elle**	elles ➜ chez **elles**

• Après une préposition, on emploie un pronom tonique :
Elle vient sans sa fille mais avec son fils.
➜ *Elle vient sans* **elle** *mais avec* **lui.**

• On emploie aussi les pronoms toniques pour insister ou pour marquer l'opposition :
Moi, *je travaille. Et* **lui**, *il va au cinéma.*

CONJUGAISON : MANGER, BOIRE, VENIR

manger	**boire**	**venir**
Je mang**e**	Je boi**s**	Je vien**s**
Tu mang**es**	Tu boi**s**	Tu vien**s**
Il / elle mang**e**	Il / elle boi**t**	Il / elle vien**t**
Nous mang**eons**	Nous buv**ons**	Nous ven**ons**
Vous mang**ez**	Vous buv**ez**	Vous ven**ez**
Ils / elles mang**ent**	Ils / elles boiv**ent**	Ils / elles vienn**ent**

Voyager se conjugue comme **manger**.
Je mange ➜ *nous mang***eons**
Je voyage ➜ *nous voyag***eons**

❻ **Complétez avec des formes de manger, boire et venir.**

1. Je vais au cinéma. Tu … avec moi ?
2. Nous avons un match dimanche : nous ne … pas de vin et nous … des plats légers.
3. Mes parents … dîner. Ils ne … pas de viande, ils ne … pas de vin.
4. Qu'est-ce que vous … au petit déjeuner, du thé ou du café ?
5. Je … du chocolat avec du lait et je … du pain avec du beurre et de la confiture.
6. Et toi, tu … du chocolat aussi ? Est-ce que tu … des fruits au petit déjeuner ?
7. Anne, … dîner à la maison jeudi avec ton mari.
8. Nous allons à l'université. Vous … avec nous ?

❹ **Transformez les phrases.**

Je voyage sans mon mari. ➜ *Je voyage sans lui.*

1. Je dîne chez mes amis.
2. À midi, je déjeune avec ma fille.
3. Dimanche, je vais chez mon père.
4. Il travaille pour madame Richard.
5. Pierre dîne avec ses amies.

❺ **Lisez le texte. Sur le même modèle, imaginez la semaine d'un(e) ami(e).**

Lundi, je dîne chez moi. Mardi, j'ai rendez-vous avec Claire à 18 heures et je dîne avec elle. Mercredi, je vais chez mes parents et je dîne avec eux. Jeudi, je déjeune avec Pierre au restaurant. Vendredi, je travaille avec Henri et je déjeune avec lui, chez lui.

Lundi, mon ami(e)...

LE PRONOM ON

– Vous venez ? **On** va boire un café.
– Non. Nous, **on** va au cinéma.

❼ **Au restaurant, qu'est-ce qu'on fait ?**

Appeler le serveur. ➜ *On appelle le serveur.*

1. Commander.
2. Demander l'addition.
3. Parler des plats.
4. Parler de sports, de cinéma…

« CHEZ MARTINE »
CAFÉ-RESTAURANT

DIALOGUE A

Nous sommes à Toulouse, dans un petit café-restaurant du centre-ville : « Chez Martine ».

MARTINE : Michel, s'il te plaît ! Un café et l'addition pour la cinq.

MICHEL : Tout de suite, madame Cazenave !

MARTINE : Tiens, voilà les sportifs ! Alors, messieurs, en forme ?

PREMIER SPORTIF : Toujours ! Qu'est-ce qu'on mange aujourd'hui ?

MARTINE : Comme plat du jour, il y a du rôti de veau, des épinards et des frites. J'ai aussi du cassoulet.

DEUXIÈME SPORTIF : Non, non. J'aimerais le plat du jour, et toi ?

PREMIER SPORTIF : Moi aussi, mais pas de frites !

MARTINE : Et qu'est-ce que vous buvez ? deux demis ?

PREMIER SPORTIF : Non, pas d'alcool, de l'eau. On a un match dimanche.

MARTINE : Toujours le rugby !

DIALOGUE B

« Chez Martine », à l'heure du thé.

MARTINE : Voilà votre jus d'orange, Sophie. Vous prenez du gâteau ?

MME MARCEAU : Mm ! le gâteau est délicieux, Sophie.

SOPHIE : Et ma ligne, madame Marceau !

MARTINE : Mais vous êtes mince comme un fil !

CÉLINE : Maman !

MARTINE : Qu'est-ce qu'il y a, Céline, je n'ai pas le temps !

CÉLINE : Je vais chez Virginie.

MARTINE : Encore ? Ah non ! Et tes devoirs ?

CÉLINE : Maman, s'il te plaît !

MME MARCEAU : Ah, les adolescentes !

MICHEL : Madame Cazenave, téléphone !

MARTINE : J'arrive.
Allô ! Allô ! Allô !... *(Elle raccroche.)*
Personne ! C'est bizarre.

Écoutez

❶ Dialogue A : Vrai ou faux ?

1. On est dans un restaurant.
2. Les sportifs prennent le plat du jour.
3. Ils ne boivent pas d'eau.
4. Michel est un client.
5. Le café et l'addition sont pour la table 5.

❷ Dialogue B : Devinez.

1. Qui est madame Marceau ?
2. Comment est le gâteau ?
3. Qui est mince comme un fil ?
4. Céline fait ses devoirs ?
5. Qui est au téléphone ?

❸ Qu'est-ce qui va ensemble ?

▼ 1. *Les deux sportifs ne boivent pas d'alcool.*
2. Sophie est mince comme un fil.
3. Madame Marceau commande du gâteau.
4. Céline ne fait pas ses devoirs.
5. Martine travaille.

a. Elle n'a pas le temps.
▲ b. *Ils ont un match dimanche.*
c. Elle va chez Virginie.
d. Il est délicieux.
e. Elle ne mange pas de gâteau.

Observez et répétez

▶ **Les sons [i] [y] [u]**

4 Écoutez et classez les aliments.

	[i]	[y]	[u]
sucre		*sucre*	
riz	RIZ		
confiture			
jus de fruits			
poulet			poulet
moule			
yaourt			
cassoulet			
citron			

5 Jouez.

A dit : « Je vais au supermarché et je prends du sucre. »

B répète et complète : « Je vais au supermarché et je prends du sucre et du riz. »

C répète et complète : « Je vais au supermarché et je prends du sucre, du riz et de la confiture. »

Continuez...

▶ **Les mélodies**

6 Écoutez les appréciations et trouvez l'intrus.

1. Mm ! le gâteau, il est délicieux !

2. Les frites ? Je n'aime pas les frites froides !

3. Mm ! votre cassoulet, il est... génial !

4. Le rôti de veau ? Mm ! formidable !

Vous déjeunez chez Martine. Appréciez les plats.

Exprimez-vous

À VOUS ! — **7** L'invitation

1. Vous organisez une fête. Chaque participant apporte une spécialité sucrée ou salée. Faites la liste des hors-d'œuvre, des plats, des desserts et des boissons.

Mercedes est espagnole. Elle apporte une paella. Pour une paella, vous prenez du riz, du poulet, des moules, des haricots verts.

2. Vous invitez des amis à dîner, mais

A ne mange pas de viande,

B déteste le poisson,

C, le sportif, mange léger.

Avec un(e) ami(e), vous imaginez des menus et vous discutez.

3. Écrivez une carte ou un fax pour inviter un(e) ami(e).

Savoir-faire
- dire qu'on est malade, s'adresser à un médecin
- ordonner, conseiller

Vocabulaire
- le corps humain
- les sports
- la quantité

Grammaire
- les verbes *faire* et *dire*
- passé composé avec *avoir*
- interrogation *combien de*
- pronom *en*
- *il faut* + infinitif

Sport et santé

1 *Ça ne va pas !*

1. – Bonjour. Comment ça va ?
   – Mal ! Hier, j'ai fait de la marche. Et aujourd'hui, j'ai mal aux jambes.
2. – Salut, ça va ?
   – Non, ça ne va pas. J'ai mal au cœur. J'ai mangé trop de gâteaux hier.
3. – Bonjour, madame.
   – Qu'est-ce que vous dites ? Mais vous n'avez pas de voix ! VOICE
   – Excusez-moi, mais j'ai mal à la gorge. Hier, j'ai traversé la ville sous la pluie.

J'ai fait de la marche.
J'ai mangé trop de gâteaux.
J'ai traversé la ville…

❶ Oh là là ! Ça ne va pas !

J'ai mal…

Continuez.

❷ Écoutez.
C'est dans quel dialogue ?

Elle a mangé trop de gâteaux.
Elle a fait de la marche.
Elle a traversé la ville sous la pluie.

❸ Associez.

Aujourd'hui,
1. j'ai mal à la gorge,
2. j'ai mal au nez,
3. j'ai mal à l'estomac,
4. j'ai mal à la tête,
5. j'ai mal aux jambes,
6. *j'ai mal au cœur,*

Hier,
a. j'ai bu trop de café.
b. j'ai fait de la boxe.
c. j'ai travaillé toute la journée.
d. *j'ai mangé trop de chocolat.*
e. j'ai marché sous la pluie.
f. j'ai fait du vélo pendant cinq heures.

Chez le médecin

LE MÉDECIN : Bonjour, monsieur.
LE MALADE : Bonjour, docteur.
LE MÉDECIN : Asseyez-vous.
LE MÉDECIN : Alors…
LE MALADE : Je ne me sens pas bien. J'ai mal à la gorge,
j'ai mal à la tête et j'ai de la fièvre.
LE MÉDECIN : Ouvrez la bouche. Faites ah !
LE MALADE : Ah ! Aaah !
LE MÉDECIN : Bien. Ce n'est pas grave. C'est la grippe…
Euh… Restez chez vous…
Voilà. Prenez deux comprimés avant les repas.
LE MALADE : Combien de comprimés, docteur ?
LE MÉDECIN : Vous en prenez deux à midi et deux le soir.
LE MALADE : Merci, docteur.

Vous en prenez deux à midi.

4 Écoutez le dialogue et choisissez les bonnes réponses.

1. Le malade dit : « Bonjour, monsieur. » …
« Bonjour, monsieur
le docteur. » …
« Bonjour, docteur. » …
« Je n'ai pas faim. » …
« J'ai la grippe. » …
« J'ai de la fièvre. » …

2. Le médecin dit : « Comment allez-vous ? » …
« Vous avez mal où ? » …
« C'est la grippe. » …

5 Écrivez quatre petits dialogues comme dans l'exemple.

Deux avant les repas ->
– *Prenez deux comprimés avant les repas.*
– *Pardon, j'en prends combien ?*
– *Vous en prenez deux avant les repas.*

1. Trois le soir.
2. Un au déjeuner, deux au dîner.
3. Un le matin.
4. Un après les repas.

Un message

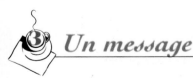

Francine,
Je suis malade. Hier soir, j'ai
mangé beaucoup de fromage et trop
de gâteaux. J'ai mal au ventre et
à l'estomac. J'ai un peu de fièvre.
Je suis chez le médecin.
Bisous
Michel

À VOUS ! **6** Michel est chez le médecin.
À deux, jouez le dialogue.

7 Hier, vous avez invité des collègues chez vous. Complétez.

	un peu de	beaucoup de	trop de
Qu'est-ce que vous avez mangé ?	…	…	*viande*
Qu'est-ce que vous avez bu ?	…	*café*	*vin*

À VOUS ! **8** Aujourd'hui, vous êtes malade.
Vous écrivez un message à vos collègues : vous n'allez pas travailler.

④ *Il faut faire du sport !*

Quel sport pour quel âge ?

Vous avez moins de 40 ans

- Faites du sport : tous les sports sont bons pour vous.
Vous pouvez faire du football ou du tennis, de la marche ou de la natation.

Vous avez entre 50 et 60 ans

- Vous pouvez pratiquer tous les sports, mais il faut consulter votre médecin.

Vous avez entre 40 et 50 ans

- Vous pouvez faire de la natation, du ski, de la marche, du vélo.
Vous pouvez aussi faire du tennis, mais faites attention : il faut avoir une bonne technique.

Vous avez plus de 60 ans

- Vous pouvez faire de la natation, de la marche et du vélo, de la gymnastique et de la danse.

> Vous pouvez faire du football.
> Il faut consulter votre médecin.

❾ Lisez le texte et repérez les mots que vous connaissez.

❿ Et vous, quels sports est-ce que vous faites ? Et vos amis ?

Je fais du... , de la..., de l'... , des...
Jacques fait du...

⓫ Repérez les expressions utiles pour donner un conseil, puis conseillez :
Vous pouvez... Il faut... Faites...

Marc a 28 ans -> Faites du sport, Marc.
Vous pouvez faire du football et du tennis.

Continuez : *Annie a 32 ans ; Patrick a 64 ans ; Corinne a 52 ans ; Pierre a 40 ans.*

VOCABULAIRE

❶ Retrouvez les parties du corps.

O	R	E	I	L	L	E	S	A	N	E	Z	J
R	O	P	I	E	D	S	Y	E	U	X	O	A
A	L	A	B	A	O	T	E	T	E	U	E	M
C	O	U	R	J	G	O	R	G	E	D	P	B
A	I	L	A	T	I	M	A	R	F	O	I	E
D	I	E	S	U	M	A	I	N	S	S	O	S
V	E	N	T	R	E	C	H	E	V	E	U	X

LE CORPS HUMAIN

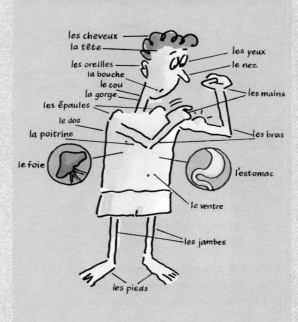

les cheveux — la tête — les oreilles — la bouche — le cou — la gorge — les épaules — le dos — la poitrine — le foie — les yeux — le nez — les mains — les bras — l'estomac — le ventre — les jambes — les pieds

LA QUANTITÉ

Je ne suis pas en forme :

    je ne mange pas
    assez de fruits,

    je bois un peu de vin,

    je ne bois pas beaucoup de lait,

    je mange assez de pain,

    je mange beaucoup de pâtes,

    et je prends trop de médicaments.

❷ Lisez le texte. Relevez et classez les expressions de quantité.

pas assez de   trop de

– ⟷ +

❸ Jacques fait un régime. Michel ne fait pas de régime. Qui parle ? Jacques ou Michel ?

1. J'adore faire un régime. ...

2. Je ne fais pas assez de sport. ...

3. Je ne mange pas assez de légumes. ...

4. Je mange peu de viande. ...

5. Je mange peu de sucre. ...

6. Je bois trop de café et de bière. ...

7. Je bois beaucoup d'eau. ...

8. Je ne suis pas en forme. ...

9. Je suis en forme. ...

❹ Choisissez les deux affirmations les plus importantes pour vous. Puis faites un classement ou une statistique dans votre groupe.

❏ On ne fait pas assez de sport.

❏ On mange trop de viande, mais pas assez de légumes.

❏ On ne boit pas assez d'eau.

❏ On prend trop de médicaments.

❏ On boit beaucoup de boissons sucrées.

❺ Qu'est-ce qu'il faut faire pour être en forme ? Complétez les listes.

il faut	il ne faut pas
faire du sport.	*manger trop de viande.*
manger beaucoup de légumes.	*...*
...	*...*

❻ Et vous, qu'est-ce que vous faites ?

Moi, je fais un peu de sport.

Je ne mange pas de viande / je mange trop de viande...

Continuez.

CONJUGAISON : FAIRE ET DIRE

présent de l'indicatif		impératif présent	
Je fai**s**	Je di**s**		
Tu fai**s**	Tu di**s**	Fai**s**	Di**s**
Il / elle fai**t**	Il / elle di**t**		
Nous fais**ons**	Nous dis**ons**	Fais**ons**	Dis**ons**
Vous fait**es**	Vous dit**es**	Fait**es**	Dit**es**
Ils / elles f**ont**	Ils / elles dis**ent**		

 Faisons se prononce [fəzõ].

 Le verbe **faire** a plusieurs emplois :
*Qu'est-ce que vous **faites** dans la vie ?*
*Il **fait** beau, il **fait** froid.*
*Je **fais** un exercice de français.*
***Faites** ah !*

• Quand le complément de **faire** désigne une activité, on emploie souvent **du**, **de la**, **de l'**, **des** :
*Je fais **de la** marche, **du** judo, **de la** peinture...*

❶ Complétez avec des formes de dire et de faire.

1. Qu'est-ce que vous (faire) dans la vie ? Je (faire) de l'informatique.
2. Pour dire bonjour à un médecin, vous (dire) « monsieur » ou « docteur » ?
3. Mes amis (faire) du sport : Alain (faire) du vélo, Céline et Catherine (faire) de la natation.
4. Ils (dire) « vous » à leurs parents.
5. Nous (faire) du tennis après le petit déjeuner.
6. Je (faire) toujours de la marche après le dîner.
7. Nous (dire) au revoir à nos amis.

LE PASSÉ COMPOSÉ AVEC AVOIR

forme affirmative	forme négative
J'**ai** travaill**é**	Je **n'**ai **pas** travaillé
Tu **as** travaill**é**	Tu **n'**as **pas** travaillé
Il / elle **a** travaill**é**	Il / elle **n'**a **pas** travaillé
Nous **avons** travaill**é**	Nous **n'**avons **pas** travaillé
Vous **avez** travaill**é**	Vous **n'**avez **pas** travaillé
Ils / elles **ont** travaill**é**	Ils / elles **n'**ont **pas** travaillé

• Le passé composé se forme avec un auxiliaire (généralement le verbe avoir) et le participe passé du verbe.

 • À la forme négative, **n' (ne)** se place avant **avoir** et **pas** se place après **avoir** :
*Je **n'**ai **pas** travaillé.*

LE PARTICIPE PASSÉ

Le participe passé des verbes en **-er** est régulier :

travaill **-er**	➜	travaill **-é**
préfér **-er**	➜	préfér **-é**
mang **-er**	➜	mang **-é**

Le participe passé d'autres verbes est irrégulier :

avoir	➜	**eu**
être	➜	**été**
dire	➜	**dit**
faire	➜	**fait**
boire	➜	**bu**
prendre	➜	**pris**
pleuvoir	➜	**plu**
il faut	➜	**il a fallu**

❷ Mettez les verbes entre parenthèses au passé composé.

Vous (prendre) le train de nuit. ➜ *Vous avez pris...*

1. Je suis malade : hier (marcher) sous la pluie.
2. Les enfants n'ont pas faim : ils (manger) trop de frites à midi.
3. Hier, il (pleuvoir) et aujourd'hui, il fait beau.
4. Nous (boire) trop de café hier soir.
5. Arlette (avoir) 20 ans hier.
6. Tu (faire) un bon voyage ?

❸ Mettez les verbes entre parenthèses au passé composé à la forme négative.

Je (marcher) sous la pluie.
➜ *Je n'ai pas marché sous la pluie.*

1. Il (pleuvoir)
2. Je (manger) trop de gâteaux.
3. Les enfants (être) malades.
4. Je (prendre) des médicaments.
5. Je (travailler).

LE PRONOM EN

En remplace le nom qui suit une expression de quantité.

1. **du, de la, de l', des**

   pas de

   *Tu bois **du** thé ? Oui, j'**en** bois.*

   *Elle mange **des** fruits ? Non, elle n'**en** mange pas.*

   *Nous n'avons **pas de** vin. Nous n'**en** avons pas.*

2. **beaucoup de, assez de,**
   un peu de, trop de

   *Je fais **beaucoup de** ski. J'**en** fais **beaucoup**.*

   *Vous faites **un peu de** sport ? Vous **en** faites **un peu** ?*

3. **un kilo, 300 grammes,**
   une tasse, un verre,
   un litre, une bouteille...

   *Je prends **un kilo** de pommes. J'**en** prends **un kilo**.*

   *Il boit **un litre** d'eau. Il **en** boit **un litre**.*

4. **un, une, deux, trois...**

   *J'ai **une** voiture. J'**en** ai **une**.*

   *J'ai **trois** sœurs. J'**en** ai **trois**.*

5. **Combien de... ?**

   *Je prends **combien de** comprimés ? J'**en** prends **combien** ?*

4 **Répondez comme dans l'exemple.**

Vous avez une voiture ?

➜ *Oui, j'en ai une.*

1. On prend du pain pour le dîner ?
2. Ta femme boit du jus d'orange au petit déjeuner ?
3. Tu prends deux comprimés avant les repas ?
4. Vous prenez un kilo de tomates ?
5. Vos enfants font de la natation ?

5 **Transformez comme dans l'exemple.**

Vous avez des amis ? (beaucoup)

➜ *Oui, j'en ai beaucoup.*

1. Votre fils prend des médicaments ? (trop)
2. Vos enfants mangent des pâtes ? (beaucoup)
3. Votre mari fait du sport ? (pas assez)
4. Vous faites de la peinture ? (un peu)
5. Vos parents boivent du café ? (trop)

BONJOUR LA FORME !

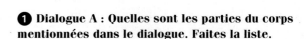

DIALOGUE A

Dans une salle de gymnastique. On entend de la musique disco.

LE MONITEUR : 5-6-7-8 ! Baissez les bras !

SOPHIE : Oh ! je suis fatiguée !

LE MONITEUR : Bon, hier on a travaillé les jambes, aujourd'hui on étire le dos.

VALÉRIE : C'est bientôt fini ?

LE MONITEUR : Courage ! Levez la tête, rentrez le ventre et souriez !

SOPHIE : Mais j'ai mal partout !

LE MONITEUR : Il faut souffrir pour être belle !

VALÉRIE : Hou ! j'ai trop mangé à midi ! J'ai mal à l'estomac !

LE MONITEUR : Mais c'est un hôpital ici, pas un cours de gym !

DIALOGUE B

Quelques instants plus tard, chez Martine.

MARTINE : Ben alors les petites, ça ne va pas ?

VALÉRIE : Oh là là ! on a fait trop d'exercices.

SOPHIE : Aïe ! je ne peux pas bouger !

MME MARCEAU : Il faut faire attention, mais le sport c'est bon pour la santé.

SOPHIE : Vous avez fait du sport, madame Marceau ?

MME MARCEAU : Du sport, mais j'en fais toujours !

VALÉRIE : Ah bon, quel sport ?

MME MARCEAU : J'ai 70 ans, je fais du judo et je suis en pleine forme !

SOPHIE : 70 ans !

VALÉRIE : Du judo !

MARTINE : Eh bien, chapeau madame Marceau ! Allô, oui c'est Martine, oui je vais bien ! comment ? qui ? un ami ? bon… oui… oui… oui… au revoir ! (*À Mme Marceau*) C'est très bizarre !

Écoutez

❶ **Dialogue A : Quelles sont les parties du corps mentionnées dans le dialogue. Faites la liste.**

❷ **Qu'est-ce qui va ensemble ?**

1. étirer   a. la tête
2. lever   b. le dos
3. rentrer   c. les bras
4. baisser   d. le ventre

❸ **Le moniteur dit : « Mais c'est un hôpital ici ! » Pourquoi ? Il y a trois explications dans le texte.**

❹ **Dialogue B : Vrai ou faux ?**

1. Valérie et Sophie ont fait trop d'exercices.
2. Madame Marceau fait du judo.
3. Madame Marceau a soixante-cinq ans.
4. Le sport n'est pas bon pour la santé.
5. Madame Marceau est en pleine forme.

Observez et répétez

▶ **Les sons [e] et [ə]** 📼

❺ Écoutez le moniteur et classez les mots dans le tableau.

	[e]	[ə]
– Marchez !	*Marchez*	...
– Levez les bras !	...	...
– Étirez votre dos !	...	...
– Montez votre genou droit !	...	...
– Baissez une épaule !	...	...
– Ne regardez pas vos pieds !	...	...
– Est-ce que vous aimez jouer ?	...	...

▶ **Les mélodies** 📼

❻ Écoutez la cassette et repérez les petits mots qui expriment la douleur :

Ah ! – Oh là là ! – Aïe ! – Hou ! – Mm !

❼ Dites que vous avez mal :

1. à la tête ;

2. aux pieds ;

3. à l'estomac.

Exprimez-vous

À VOUS ! **❽** Céline est malade. À deux, jouez la scène. Céline a mal à la tête. Sa mère n'est pas contente. Elle donne des conseils à sa fille.

– *Céline ne fait pas de sport.*

– *Elle ne fait pas de gymnastique.*

– *Elle ne marche pas.*

– *Elle écoute toujours de la musique.*

– *Elle mange trop sucré.*

– ...

À VOUS ! **❾** Sophie et Valérie sont en voyage. Elles écrivent une carte postale à Martine. Imaginez un texte, puis dictez la carte à votre voisin(e).

– *Elles marchent beaucoup.*

– *Il fait chaud.*

– *Elles boivent des litres d'eau.*

– *Elles sont en forme.*

– *Hier, elles ont fait du tennis.*

– *L'hôtel est formidable.*

– *Les restaurants ne sont pas chers.*

– ...

❶ Complétez par les pronoms toniques moi, toi, etc.

1. Pierre a beaucoup d'amis. Il va chez … le dimanche. Sa femme n'aime pas sortir ; elle ne vient pas avec … .

2. Est-ce que Mme Martin est là ? J'ai une lettre pour … .

3. Je t'aime ! Je voudrais être avec … .

4. J'ai fini mon travail à 8 heures et vous avez fini à 10 heures. J'ai fini avant … .

5. Nous allons au cinéma ce soir. Est-ce que tu viens avec … ?

6. … tu aimes le sucré, … je préfère le salé.

❷ Voici des réponses. Trouvez les questions.

1. J'en ai trois.

2. Oui, il en fait beaucoup.

3. Elle en prend deux par jour.

4. J'en ai acheté 1 kg.

5. On en boit au petit déjeuner.

6. Il y en a au supermarché.

❸ Complétez par des articles (défini, indéfini ou partitif).

Le dimanche, les Duval déjeunent toujours chez eux. M. Duval adore faire … cuisine. Il prépare … menu spécial pour sa femme et ses enfants : … fruits de mer, … poulet au curry, … salade verte, … fromage et pour finir … belle tarte aux fraises. … parents boivent … vin et … enfants … eau ou … Coca-Cola.

❹ Vous invitez des amis à déjeuner. Quel est votre menu ?

❺ Écrivez les phrases à la forme négative. Attention aux articles !

1. J'ai pris du café après le déjeuner.

2. Mathilde a faim.

3. Les enfants aiment le chocolat.

4. Elle est malade.

5. Nous faisons du sport.

6. Buvez de la bière !

7. Regarde la télévision !

8. Elle a acheté des fruits hier.

❻ Paul a fini de travailler à 17 h 30. Qu'est-ce qu'il a fait après ? Employez le passé composé.

Paul (rencontrer) Hervé au club de tennis à 18 heures. Ils (faire) une partie de tennis. Ils (jouer) longtemps. Ils (boire) une bière au bar du tennis. Ils (regarder) les joueurs de tennis. Paul (téléphoner) à deux amies. Il (donner) rendez-vous à Brigitte et Camille au restaurant le Voltaire. Les quatre copains (manger) au restaurant et ils (passer) une bonne soirée.

❼ Écrivez les verbes entre parenthèses au temps correct.

1. Vous voulez aller place de la Victoire ? (prendre) la rue à gauche !

2. Hier nous (voir) un film génial à la télévision.

3. (ne pas aller) au cours ! Tu es trop malade.

4. Hier matin, M. Martin (prendre) sa voiture pour aller au bureau.

5. (venir) chez moi ! (ne pas aller) à l'hôtel ! J'ai un grand appartement.

6. – Vous (faire) de la musique ? – Oui, un peu de guitare.

7. Les enfants (ne pas boire) d'alcool.

8. L'été, beaucoup de Français (prendre) l'avion et (aller) à l'étranger.

9. Pendant le printemps 1996, on (ne pas avoir) beaucoup de soleil à Paris et il (pleuvoir) souvent.

10. Les deux filles Durand (s'appeler) Agathe et Rose.

11. Les Espagnols (dire) « adiós », les Français « au revoir ».

❽ Formez des phrases avec son, sa, ses, leur ou leurs devant le nom.

1. Madame Duval voyage avec … mari.

2. Ils vont au café avec … copains.

3. Pour aller à Lyon, ils prennent … voiture.

4. Elle habite chez … sœur.

5. Pierre téléphone souvent à … amis.

6. Elles parlent à … voisine.

❾ Écrivez les nombres suivants.

99 – 23 – 14 – 87 – 7 – 65 – 73 – 41 – 80 – 71

⑩ Écrivez l'heure comme dans l'exemple.

13 h 15 ➜ *treize heures quinze ou une heure et quart*

16 h 30	3 h 45	12 h
17 h 15	8 h 55	
24 h	20 h 30.	

⑪ Quelle est la météo ?

1. en juillet à Madrid
2. en août à Rio de Janeiro
3. en février à Québec
4. en novembre à Reims
5. en mai à Nice
6. en juin à Stockholm

⑫ Décrivez une personne de votre famille (son âge, sa profession, ses goûts, sa ville…).

Ma sœur a vingt-quatre ans, elle est mariée, elle a deux enfants…

⑬ Monsieur Leblond est malade. Il est chez le docteur. Complétez leur conversation.

M. LEBLOND : Bonjour, docteur.

LE DOCTEUR : … ! Vos nom, prénom, âge et adresse s'il vous plaît.

M. LEBLOND : …

LE DOCTEUR : Quel est votre problème ?

M. LEBLOND : … au dos et aux jambes.

LE DOCTEUR : … ?

M. LEBLOND : Oui, beaucoup et hier … tennis avec mon fils pendant 4 heures.

LE DOCTEUR : … ?

M. LEBLOND : 19 ans.

LE DOCTEUR : M. Leblond, vous êtes trop … pour jouer avec un jeune homme de 19 ans. Voilà des comprimés. Vous … prenez trois par jour. Buvez … et mangez …, faites … de sport et regardez … la télé !

Savoir-faire
- conseiller
- donner son opinion
- acheter
- se repérer dans un espace intérieur

Vocabulaire
- les couleurs
- les vêtements
- l'orientation dans l'espace

Grammaire
- les démonstratifs : *ce, cet, cette, ces*
- les quantificateurs : *beaucoup, très, trop, assez*
- *je pense que*
- les verbes *acheter, payer, finir, choisir*
- les nombres ordinaux

De toutes les couleurs

Des goûts et des couleurs

Le noir est à la mode et on porte beaucoup de noir cette année.

C'est très joli le noir, mais il y a beaucoup d'autres couleurs :

le blanc

le bleu

le vert

le jaune

l'orange

le marron

le rouge

● Vous êtes brune ou brun ?
Choisissez le jaune ou le rouge.

● Vous êtes rousse ou roux ?
Vous pouvez porter toutes les couleurs.

● Vous avez les cheveux blonds ou châtains ?
Préférez les bleus et les verts.

Trouvez votre style.
Faites des essais devant votre glace !
Choisir des vêtements, c'est un plaisir.

Notre conseil :
Associez des couleurs très opposées,
le jaune et le noir, ou le rouge et le vert,
et non pas des couleurs très voisines,
le rouge et l'orange ou le vert et le bleu...
mais vous êtes libre !

❶ Lisez le texte et repérez les mots que vous comprenez.

❷ Repérez les noms de couleurs. Comparez avec votre langue.

❸ Quelles sont les couleurs conseillées pour les bruns, les blonds, les roux ? Quelles couleurs est-ce que vous portez ?

Le plaisir de choisir 🎞

Je ne suis pas d'accord !
Pour moi, choisir un
vêtement, ce n'est
pas un plaisir.

À mon avis, toutes les
couleurs à la mode
sont belles.

Je suis brune et je pense
que je peux porter toutes
les couleurs.

❹ Cherchez les expressions utiles pour dire votre opinion.

> pour moi…
> à mon avis…
> je pense que…
> je ne suis pas d'accord…

À VOUS ! ➤ **❺ Vous êtes d'accord ou pas ?**
**En groupe, discutez les deux
opinions suivantes, puis classez les arguments
dans un petit tableau :**

	Pour	Contre
C'est très joli, le noir.	…	…
Choisir des vêtements, c'est un plaisir.	…	…

**❻ Écrivez un petit texte pour exprimer
vos opinions sur les couleurs à la mode :**
J'aime…, je déteste…, je préfère…, je pense que…,
à mon avis…, etc.

Dans un grand magasin 🎞

LA CLIENTE 1 : Pardon, je cherche le rayon de
l'alimentation.

L'HÔTESSE : L'alimentation, c'est au sous-sol.
Prenez l'escalier devant vous.

LA CLIENTE 2 : Le rayon des vêtements pour femme,
s'il vous plaît ?

L'HÔTESSE : C'est au premier étage, madame.
L'escalier est là, en face de la sortie.

LA CLIENTE 3 : Excusez-moi, je ne trouve pas
les chaussures pour enfants.

L'HÔTESSE : C'est là, à côté de l'entrée, à gauche.

LA CLIENTE 3 : Merci bien.

LA CLIENTE 4 : Mademoiselle, le rayon sports,
s'il vous plaît.

L'HÔTESSE : C'est au deuxième étage. Vous avez
l'escalier derrière vous.

LA CLIENTE 4 : Merci.

> devant vous…
> en face de la sortie…
> à côté de l'entrée…
> à gauche…
> derrière vous…

❼ 🎞 Écoutez le dialogue. Vrai ou faux ?

1. Le rayon pour femme est au sous-sol.   …

2. Le rayon sports est au deuxième étage.   …

3. Le rayon de l'alimentation est au
premier étage.   …

4. Les chaussures pour enfants sont
à côté de l'entrée, à gauche.   …

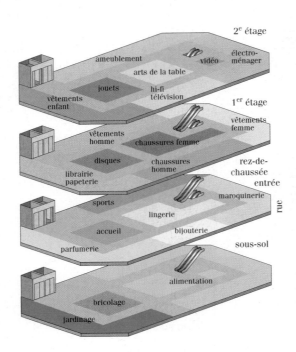

2e étage

ameublement   vidéo   électro-ménager

arts de la table

jouets   hi-fi télévision   1er étage

vêtements enfant

vêtements homme   chaussures femme   vêtements femme

disques   chaussures homme   rez-de-chaussée

librairie papeterie   entrée

sports   maroquinerie

lingerie   rue

accueil   bijouterie

parfumerie   sous-sol

alimentation

bricolage

jardinage

❽ Regardez le plan du grand magasin. Où est le rayon sports ? Le rayon alimentation ? Le rayon parfumerie ? Le rayon chaussures ?

❾ Repérez dans le dialogue p. 67, les expressions utiles pour demander un renseignement.

À VOUS ! **❿ Regardez le plan du magasin. Une dame est au rayon parfumerie. Elle cherche le rayon chaussures. À deux, jouez la scène.**

④ N'achetez pas sans essayer

LA CLIENTE :	Hier, j'ai acheté cette veste, mais elle est trop grande. J'aimerais en essayer une plus petite.
LA VENDEUSE :	Bien sûr, madame. Quelle est votre taille ?
LA CLIENTE :	Je fais du 40.
LA VENDEUSE :	Voilà un 40. La cabine est à gauche.
	…
	Ça va ?
LA CLIENTE :	Non, c'est trop large. Vous avez un 38 ?
LA VENDEUSE :	Oui, voilà un 38.
	Ah, c'est parfait ! Ces vestes sont très jolies.
LA CLIENTE :	C'est ma taille, mais ce rouge ne me va pas.
LA VENDEUSE :	Essayez le jaune. Vous êtes brune et, à mon avis, le jaune vous va bien. Et cet été, le jaune est à la mode.
LA CLIENTE :	Elle coûte combien ?
LA VENDEUSE :	1 200 francs.
LA CLIENTE :	Mm… Elle me plaît…

J'ai acheté cette veste.
Ces vestes sont très jolies.
Ce rouge ne me va pas.
Cet été, le jaune est à la mode.

⓫ Écoutez et retrouvez la question de la cliente.

1. Pour essayer une veste.
2. Pour demander sa taille.
3. Pour demander le prix.

⓬ Quel est le conseil de la vendeuse ?

À VOUS ! **⓭ Un homme va dans un grand magasin pour acheter un blouson. Une vendeuse le conseille. Préparez, puis jouez la scène.**

LES VÊTEMENTS

POUR L'HOMME

la veste · la cravate · le manteau · le pantalon · la chemise · le pull · les chaussures · l'imperméable · les chaussettes

POUR LA FEMME

le tee shirt · le collant · le blouson · la robe · le jean · la jupe · le chemisier · le tailleur

---

① Quels vêtements est-ce que vous portez au travail ? Et chez vous ?

TAILLE ET POINTURE

– Quelle est votre taille ?   – Quelle est votre pointure ?
– Je fais du 40.   – Je fais du 37.

② Et vous, quelle est votre taille pour une veste, pour un pantalon / une jupe, pour une chemise / un chemisier ?
Quelle est votre pointure ?

À VOUS! **③** À deux, préparez deux dialogues comme dans l'exemple, puis jouez la scène.

– *Je prends ce pantalon. Il coûte combien ?*
– *400 francs. Vous payez comment ?*
– *En espèces.*

POUR DEMANDER LE PRIX ET POUR PAYER

– Ça coûte combien ?
– Ce blouson coûte combien ?
– Quel est le prix de ce blouson ?

– Vous payez comment ?
en espèces,
par carte bancaire,
par chèque.

POUR INDIQUER LE LIEU

devant   derrière   à côté de   sur / dessus

sous / dessous   dans   en face de   entre

④ Regardez les dessins. Où est le client ?

Unité 7

Boîte à outils

L'ADJECTIF DÉMONSTRATIF : CE, CETTE, CES

	masculin	féminin
singulier	ce (cet)	cette
	ce pull	cette veste
	cet homme, cet aliment	cette orange
pluriel	ces	ces
	ces pulls	ces vestes
	ces hommes, ces aliments	ces oranges

 Au masculin, devant une **voyelle** ou un **h** muet, **ce** devient **cet**.

❶ Complétez avec des adjectifs démonstratifs.

1. – Tu aimes … pull avec … jupe ?

– Non, je préfère la jupe noire.

2. – … chaussures coûtent combien, s'il vous plaît ?

– 520 francs.

3. – Qu'est-ce que je mets … après-midi ?

– Mets ta robe bleue.

4. – Qu'est-ce que tu fais … soir ?

– Je travaille !

CONJUGAISON : CHOISIR

	indicatif		impératif
	présent	passé composé	présent
	Je chois**is**	J'ai chois**i**	
	Tu chois**is**	Tu as chois**i**	Chois**is**
	Il / elle chois**it**	Il / elle a chois**i**	
	Nous choisi**ssons**	Nous avons chois**i**	Choisi**ssons**
	Vous choisi**ssez**	Vous avez chois**i**	Choisi**ssez**
	Ils / elles choisi**ssent**	Ils / elles ont chois**i**	

 Les verbes en **-ir** du type **choisir** changent de radical au pluriel :

Je **chois**is ➜ nous **choisi**ssons.

Je **fin**is ➜ nous **fini**ssons.

❷ Complétez avec la forme correcte de choisir ou de finir.

1. Madame, vous (finir) le fromage ? Vous prenez un dessert ? Voici la carte, (choisir).

2. Qu'est-ce que tu (choisir), la jupe ou le pantalon ?

3. Nous (finir) à 7 heures. Viens dîner à 8 heures.

4. Mes amis (choisir) toujours des vêtements noirs.

5. À quelle heure est-ce que tu (finir) ton travail ?

CONJUGAISON : ACHETER, PAYER

indicatif présent		impératif présent	
J'achèt**e**	Je pai**e**		
Tu achèt**es**	Tu pai**es**	Achèt**e**	Pai**e**
Il / elle achèt**e**	Il / elle pai**e**		
Nous achet**ons**	Nous pay**ons**	Achet**ons**	Pay**ons**
Vous achet**ez**	Vous pay**ez**	Achet**ez**	Pay**ez**
Ils / elles achèt**ent**	Ils / elles pai**ent**		

participe passé

achet**é**   pay**é**

 Acheter prend un accent grave quand on n'entend pas la terminaison :

*J'ach**è**te ; nous ach**e**tons.*

 Payer s'écrit avec **i** quand on n'entend pas la terminaison :

*Je pa**i**e ; nous pay**ons**.*

• **Essayer** se conjugue comme payer.

❸ Complétez avec la bonne forme du verbe entre parenthèses et répondez aux questions.

1. – On (acheter) de la viande pour le dîner ?

– Oui, nous en (acheter).

2. – Ils (acheter) leurs vêtements dans un grand magasin ?

– Non, ils (préférer) un petit magasin.

3. – Monsieur, vous (payer) comment ?

– Je (payer) en espèces.

4. Nous (acheter) nos chemises en Angleterre. Nous (payer) par carte bancaire.

5. Je (essayer) cette robe. Elle ne me va pas bien !

LA PHRASE SUBORDONNÉE

C'est une phrase en deux parties, une proposition principale et une proposition subordonnée.

• Pour exprimer son opinion, on peut utiliser **penser que** + une phrase subordonnée :

Je pense que ce pantalon est trop cher.

Ma femme pense que je mange trop.

❹ Donnez votre avis sur les opinions suivantes. Utilisez je pense que.

Tu écoutes trop tes amis.

➜ *Je pense que tu écoutes trop tes amis.*

1. Ces vêtements sont chers.

2. On ne travaille pas assez.

3. On prend trop de comprimés.

4. La télé est géniale.

5. La mode est horrible.

GRAMMAIRE

❺ 🔲🔲🔲 **Notez l'ordre d'arrivée des coureurs.**

France

Jacques Denis : 3ᵉ (troisième)

François Rivière : …

Gilles Delaud : …

Italie

Giuseppe Peretti : …

Leonardo Mancuso : …

Marco Mattoni : …

Allemagne

Gerd Müller : …

Franz Kunze : …

Albert Graf : …

LES NOMBRES ORDINAUX

1ᵉʳ, 1ʳᵉ	premier, première
2ᵉ	deuxième (ou second, seconde)
3ᵉ	troisième
4ᵉ	quatrième
5ᵉ	cinquième
6ᵉ	sixième
20ᵉ	vingtième
21ᵉ	vingt et unième
22ᵉ	vingt-deuxième
…	dernier, dernière

 Le masculin et le féminin sont identiques sauf dans trois cas :

premier, **première** ;

dernier, **dernière** ;

second, **seconde** [səgõ, səgõd].

DES MOTS POUR APPRÉCIER : ASSEZ, BEAUCOUP / TRÈS, TROP

avec un verbe	avec un adjectif
J'aime **beaucoup** ce rouge.	Ce rouge est **très** beau.
On mange **assez**.	Le judo est **assez** difficile.
Je travaille **trop**.	La veste est **trop** large.
Je **ne** bois **pas assez**.	Le café **n'**est **pas assez** chaud.

• On emploie **beaucoup** avec un verbe, on emploie **très** avec un adjectif.

 Au passé composé, **assez**, **beaucoup**, **trop** se placent entre l'auxiliaire et le participe passé : J'ai **assez** mangé ; Je n'ai pas **trop** travaillé.

LE PRONOM PERSONNEL

Je peux porter cette couleur.

➡ Cette couleur **me** va bien.

Tu portes ce pantalon au travail.

➡ Ce pantalon **te** va bien.

Vous pouvez acheter cette veste.

➡ Cette veste **vous** va bien.

Elle prend ce pull.

➡ Ce pull **lui** va bien.

Il achète ces chaussures.

➡ Ces chaussures **lui** vont bien.

• Le masculin et le féminin ont la même forme.

 À la forme négative, le pronom se place entre **ne** et le verbe : Ces couleurs ne **lui** vont pas bien.

❻ Complétez avec trop, assez, beaucoup ou très.

1. J'aime bien ces pantalons, mais le 38 est … petit. Je voudrais un 40.

2. Non merci, pas de sucre ! Le café est … sucré.

3. Katya est suédoise : elle a les cheveux … blonds.

4. Je ne peux pas boire ce thé : il est … chaud.

5. Ça va très bien : j'adore voyager et je voyage … .

6. Cette voiture de sport n'est pas … grande pour une famille avec deux enfants.

7. Attention ! Vous travaillez … .

❼ Complétez avec me, te, vous ou lui.

J'ai acheté un pantalon. Je pense qu'il me va bien.

1. Toi, tu ne portes pas de pantalon, mais cette jupe … va bien.

2. Ma sœur est grande et tous les vêtements … vont bien.

3. Jacques, l'ami de ma sœur, travaille dans un bureau et il porte des blousons. À mon avis, les blousons ne … vont pas bien.

4. Vous portez toujours des robes, madame. Cette robe rouge … va très bien.

C'EST LA MODE !

DIALOGUE A

Sophie est vendeuse dans une boutique de mode pour hommes.

LE CLIENT : Bonjour ! Je peux essayer cette veste ?

SOPHIE : Oui, la cabine est derrière vous.

LE CLIENT : Je n'aime pas la couleur.

SOPHIE : Moi, je pense que le marron vous va bien !

LE CLIENT : Oui, mais je préfère le bleu.

SOPHIE : En bleu, je n'ai pas votre taille.

LE CLIENT : Je peux essayer ce blouson ?

SOPHIE : Bien sûr ! Alors ?

LE CLIENT : À mon avis, il est trop court !

SOPHIE : Mais c'est la mode !

LE CLIENT : J'aime bien ce pantalon, il est à combien ?

SOPHIE : 850 francs !

LE CLIENT : Quoi ! 850 francs, c'est cher !

SOPHIE : Mais c'est une belle qualité !

LE CLIENT : Oh ! il est deux heures, je dois retourner au bureau.

SOPHIE : Vous n'essayez pas le pantalon ?

LE CLIENT : Non merci ! Au revoir, j'ai passé un bon moment !

DIALOGUE B

C'est la fin de la journée, chez Martine.

SOPHIE : (*Elle entre.*) Oh j'en ai par-dessus la tête !

MARTINE : Allez, asseyez-vous, Sophie.

SOPHIE : Les clients essaient tout et ils n'achètent rien.

MME MARCEAU : À mon avis, c'est trop cher !

LE CLIENT : Eh oui, les gens n'ont pas d'argent !

MARTINE : Hé ! Céline, où est-ce que tu vas avec cette robe noire ?

CÉLINE : Elle me va bien, non ?

MARTINE : Mais elle est trop serrée !

CÉLINE : C'est la mode ! Je sors avec Mathieu.

MARTINE : Mais je ne suis pas d'accord, tu sors tous les soirs.

LE CLIENT : Dites donc, madame Cazenave, votre Céline, c'est une jolie fille maintenant !

MICHEL : Madame Cazenave, téléphone !

MME MARCEAU : C'est encore lui ? L'inconnu ?

SOPHIE : Je pense que oui ! Allô ! oui… oui… une surprise, jeudi ? Au Paris-Lyon Palace ? C'est qui ? comment ? Pierre !

Écoutez

❶ Dialogue A : Le client essaie deux vêtements : un blouson et une veste. Dans quel ordre ?

Le premier vêtement, c'est… Le second, c'est…

❷ Trouvez le vêtement.

1. Je n'ai pas votre taille.

2. Ça coûte 850 francs.

3. C'est trop court.

4. Je n'aime pas la couleur.

a. Un pantalon.

b. Une veste marron.

c. Un blouson.

d. Une veste bleue.

❸ Vrai ou faux ?

1. Le client essaie la veste, mais il achète le pantalon.

2. Le client essaie le pantalon et passe un bon moment.

3. Le client n'essaie pas le pantalon : il retourne au bureau.

❹ Dialogue B : Trouvez la bonne réponse.

1. Chez Sophie :

    a. les clients achètent mais n'essaient pas ;

    b. les clients essaient mais n'achètent pas.

2. Martine pense que :

    a. la robe est trop serrée ;

    b. la robe n'est pas à la mode.

3. Les clients n'achètent rien :

    a. les vêtements sont trop chers ;

    b. les couleurs ne sont pas jolies.

Observez et répétez

▶ **Les sons [s] et [z]** 📼

5 Écoutez et classez les noms de vêtements.

	[s]	[z]
une veste	*veste*	…
un pantalon de sport	…	…
un blouson		
une chemise		
un chemisier		
des chaussettes		
des chaussures		

▶ **La liaison [z]** 📼

Il est deux‿heures.

Ils‿essaient des pantalons.

Elles‿achètent des collants.

Les‿amis de mes‿amis sont mes‿amis.

On fait la liaison entre les mots.

▶ **Les mélodies** 📼

6 Pour donner votre avis.

Moi, je préfère le bleu.

À mon avis, c'est trop serré.

Pour moi, c'est très court.

Exprimez-vous

À VOUS ! ⚡ **7** Vous êtes invité(e) à une grande fête.

1. Qu'est-ce que vous pouvez mettre ? Vous discutez avec un(e) ami(e). À deux, jouez la scène.

2. Vous écrivez à un(e) ami(e) français(e) pour décrire vos vêtements de fête.

Un aller-retour

Savoir-faire
- comprendre les annonces à la gare
- prendre le train
- parler des vacances
- exprimer ses goûts

Vocabulaire
- les activités de vacances
- le vocabulaire du temps
  *souvent,
  rarement, tous les
  jours, la semaine /
  l'année dernière,
  en retard,
  en avance,
  à l'heure....*

Grammaire
- le passé composé avec *être*
- les verbes *partir* et *descendre vouloir, pouvoir, devoir*
- emploi de *alors*
- les adjectifs

① À la gare de Toulouse

« Toulouse, ici Toulouse,
tous les voyageurs descendent du train.

Correspondance pour Montauban,
départ 11 h 13, quai n° 2, voie C,
correspondance pour Carcassonne,
départ 11 h 29, quai n° 4, voie B.
Toulouse, ici Toulouse. Terminus.

Tous les voyageurs descendent du train.

La correspondance pour Montauban part
du quai n° 2, voie C, départ 11 h 13,
la correspondance pour Carcassonne
part du quai n° 4, voie B, départ 11 h 29. »

❶ ▪▪▪ Écoutez le texte, puis répondez aux questions.

1. À quelle heure part le train pour Montauban ?

2. De quel quai part le train pour Montauban ?

3. À quelle heure est-ce qu'il y a une correspondance pour Carcassonne ?

4. Sur quelle voie part le train pour Carcassonne ?

Tous les voyageurs descendent du train. Correspondance pour Carcassonne. Départ 11 h 29, quai n° 4, voie B.

❷ Lisez le texte et repérez les expressions nécessaires pour comprendre les informations dans une gare.

Avant le départ 📼

Aux renseignements, à la gare de Toulouse

UN VOYAGEUR :   Je voudrais les heures de train pour La Rochelle.

UN EMPLOYÉ :   Vous voulez partir quand ?

UN VOYAGEUR :   Le 17 juin, dans l'après-midi.

UN EMPLOYÉ :   Vous pouvez prendre le TGV de 13 h 51, mais vous devez changer
à Bordeaux. Vous arrivez à la Rochelle à 19 h 13.

UN VOYAGEUR :   Merci bien. Et pour le retour, je voudrais voyager le 30, dans l'après-midi.

UN EMPLOYÉ :   17 h, 18 h, 19 h... Ah, il y a un train direct La Rochelle-Toulouse, départ
de la Rochelle à 19 h 06, arrivée à Toulouse à 0 h 23.

UN VOYAGEUR :   C'est très bien. Merci beaucoup.

Au guichet

LE VOYAGEUR :   Je voudrais un billet aller-retour pour la Rochelle, s'il vous plaît.
Je prends le TGV de 13 h 51, et je pars le 17 juin.

L'EMPLOYÉ :   Vous devez changer à Bordeaux.

LE VOYAGEUR :   C'est ça.

L'EMPLOYÉ :   Première ou seconde classe ?

LE VOYAGEUR :   Seconde.

L'EMPLOYÉ :   Et pour le retour ?

LE VOYAGEUR :   Je voudrais rentrer le 30 juin. Il y a un train
à 19 h 06 La Rochelle-Toulouse.

> Je voudrais les heures
> de train...
> Vous voulez partir quand ?
> Vous pouvez prendre le TGV...
> Vous devez changer à...

❸ 📼 **Écoutez. Vrai ou faux ?**

1. Le client veut aller à Toulouse.   ...

2. Il veut partir le 22 juin.   ...

3. Il veut acheter un billet de première classe.   ...

4. Il y a un train direct La Rochelle-Toulouse.   ...

5. Il prend un aller-retour.   ...

❹ **Qui emploie ces formes ? Le voyageur ou l'employé ?**

Je voudrais...

Vous voulez...

Vous pouvez...

Vous devez...

 ❺ **Vous êtes à la gare de Toulouse.
Au guichet, jouez la scène.**

Utilisez les informations suivantes :

– aller simple pour Genève

– départ de Toulouse : 22 h 59

– arrivée à Genève : 8 h 20

– prix du billet seconde classe : 373 F

– prix du billet première classe : 550 F

③ *Retour de vacances*

– Alors, Nadine, ces vacances ?

– Ah, j'ai passé des vacances magnifiques ! Je suis allée à La Rochelle en train
et je suis restée quatre jours à l'hôtel.

– Tu n'es pas allée chez ton frère ?

– Non. Ensuite, mes amis anglais sont venus. Nous sommes partis pour Biarritz
en voiture, et nous avons fait du camping.

– Génial ! Et en juin, les campings sont calmes et bon marché !

❻ **Classez les formes du passé composé :**

Avec avoir	Avec être
J'ai passé	*Je suis allée*
…	…

❼ **Mettez les verbes suivants à la bonne place :
est allée, est partie, sont venus, est restée.**

Béatrice … à Paris en avion. Elle … une semaine à
l'hôtel. Ensuite, ses amis belges … en voiture.
Béatrice … avec eux pour Lyon.

④ *Enquête : vos vacances*

· *La revue* **Tout m'intéresse** *fait
une enquête sur les vacances*

QU'EST-CE QUE VOUS AIMEZ FAIRE EN VACANCES ?

● J'habite dans une petite ville. Je ne sors pas
souvent. Je ne fais pas de sport.
Alors, en vacances, j'aime rencontrer des gens,
faire du ski en hiver, aller à la plage en été.

● À midi, je mange tous les jours un
sandwich. Alors, pour moi, les vacances, c'est
aller au restaurant, bien manger et bien boire.

● Je travaille beaucoup, je vais rarement au
cinéma ou au concert. Alors, les vacances,
pour moi, c'est dormir, rencontrer des amis et
sortir avec eux.

● J'ai 70 ans. Je ne travaille plus. Alors, je suis
toujours en vacances ! J'aime voyager, visiter
des musées.

VOILÀ LE RÉSULTAT DE L'ENQUÊTE.

(Les réponses sont classées par ordre d'importance.)

1. Rencontrer des gens
2. Faire du sport
3. Bien manger, bien boire
4. Dormir
5. Lire
6. Être amoureux
7. Visiter des expositions

❽ **Classez les expressions du plus au moins.**

souvent, tous les jours, rarement, toujours, ne … plus

❾ **Dans votre groupe, un participant joue le rôle
du journaliste. Les autres répondent à
ses questions et justifient leurs réponses.**

– *Qu'est-ce que vous aimez faire en vacances ?*

– *Je… . Alors en vacances, je …*

Continuez.

> Je ne sors pas souvent.
> Alors, en vacances, j'aime
> rencontrer des gens.

VOCABULAIRE

LES LOISIRS

Qu'est-ce que vous faites pendant vos vacances ?

- Vous aimez les vacances tranquilles ?
  - Vous allez au restaurant.
  - Vous dormez.
  - Vous allez à la plage.

- Vous aimez les vacances culturelles ?
  - Vous faites des excursions.
  - Vous rencontrez des gens.
  - Vous visitez des musées, des châteaux, des églises et des expositions.

- Vous aimez les vacances sportives ?
  - Vous faites de la randonnée à pied, à cheval, à vélo.
  - Vous nagez.
  - Vous faites du tennis.

❶ **Quel est votre type de vacances ?** Faites une enquête dans votre groupe et classez les résultats.

❷ **Associez les mots de la même famille.**

le voyage	la rencontre	acheter	la sortie
le visiteur	partir	entrer	la visite
sortir	visiter	arriver	l'acheteur
l'arrivée	l'achat	rencontrer	le départ
voyager	l'entrée	le voyageur	

LE TEMPS

Vous pouvez utiliser les expressions suivantes pour indiquer

le passé	**le présent**
hier, samedi	aujourd'hui
le week-end dernier	ce week-end
la semaine dernière	cette semaine
le mois dernier	ce mois(-ci)
l'année dernière	cette année

LA FRÉQUENCE

Il ne travaille pas ; il travaille rarement / souvent ; il travaille tous les jours / toutes les semaines / tous les mois ; il travaille toujours.

❸ **Qu'est-ce qui va ensemble ?**

Il est 20 h 15.	*Le film commence à 20 h.*	*Je suis en retard.*
Il est 9 h.	J'ai rendez-vous à 9 h.	Je suis en avance.
		Je suis en retard.
Il est 20 h.	Nous dînons à 19 h 30.	Je suis à l'heure.
Il est 14 h.	Mon train part à 15 h.	

❹ **Est-ce que vous arrivez à l'heure ? en avance ? en retard ? à vos rendez-vous, à votre cours de français, à votre travail ?**

GRAMMAIRE

CONJUGAISON : PARTIR, DESCENDRE

indicatif présent		impératif présent		participe passé	
Je par**s**	Je descend**s**			part**i**	descend**u**
Tu par**s**	Tu descend**s**	Par**s**	Descend**s**		
Il / elle par**t**	Il / elle descend				
Nous part**ons**	Nous descend**ons**	Part**ons**	Descend**ons**		
Vous part**ez**	Vous descend**ez**	Part**ez**	Descend**ez**		
Ils / elles part**ent**	Ils / elles descend**ent**				

• **Sortir** se conjugue comme **partir** : *Je sors … nous sortons.*

❶ Complétez avec la forme correcte du verbe entre parenthèses.

1. – Où est-ce que vous (descendre) ?
– Je (descendre) au terminus.
2. – Le train pour Paris (partir) à quelle heure ?
– À quatre heures.
3. – Vous (partir) quand ?
– Ma femme et moi, nous (partir) samedi, et les enfants (partir) dimanche.
4. Pour les vacances, nous (descendre) dans le sud.
5. – Cette année, tu (partir) en vacances avec Jean ?
– Non, je (partir) seule.

CONJUGAISON : VOULOIR, POUVOIR, DEVOIR

indicatif présent

Je veu**x**	Je peu**x**	Je doi**s**
Tu veu**x**	Tu peu**x**	tu doi**s**
Il / elle veu**t**	Il / elle peu**t**	Il / elle doi**t**
Nous voul**ons**	Nous pouv**ons**	Nous dev**ons**
Vous voul**ez**	Vous pouv**ez**	Vous dev**ez**
Ils / elles veul**ent**	Ils / elles peuv**ent**	Ils / elles doiv**ent**

participe passé

voul**u**	p**u**	d**û**

• Ces trois verbes sont souvent suivis de l'infinitif :
*Je **veux** aller au cinéma. Je ne **peux** pas sortir.*
*Je **dois** travailler.*

 On emploie **je voudrais** pour demander poliment quelque chose :
*Mademoiselle, **je voudrais** un café, s'il vous plaît.*

LE PASSÉ COMPOSÉ AVEC ÊTRE

forme affirmative	forme négative
Je **suis** all**é(e)**	Je **ne** suis **pas** allé(e)
Tu **es** all**é(e)**	Tu **n'**es **pas** allé(e)
Il **est** all**é**	Il **n'**est **pas** allé
Elle **est** all**ée**	Elle **n'**est **pas** allée
Nous **sommes** all**é(e)s**	Nous **ne** sommes **pas** allé(e)s
Vous **êtes** all**é(e)s**	Vous **n'**êtes **pas** allé(e)s
Ils **sont** all**és**	Ils **ne** sont **pas** allés
Elles **sont** all**ées**	Elles **ne** sont **pas** allées

• Les verbes qui indiquent un changement de lieu : **aller**, **rentrer**, **partir**, **sortir**, **descendre**, etc. ainsi que le verbe **rester** forment le passé composé avec être.

 Le participe passé s'accorde avec le sujet :
– Il prend un **e** au féminin singulier :
*Elle est parti**e**.*
– Il prend un **s** au masculin pluriel :
*Les voyageur**s** sont descendu**s** du train.*
– Il prend **es** au féminin pluriel :
*Ma femme et ma fille sont sorti**es**.*

 Après le **vous** de politesse singulier, le participe passé ne prend pas de **s** :
*Monsieur, vous êtes arriv**é** !*
*Madame, vous êtes arriv**ée** !*

❷ Mettez les verbes entre parenthèses au passé composé.

La jeune femme (arriver) à la gare de Toulouse à 18 h. Elle (descendre) du train, elle (aller) dans un café et elle (téléphoner). À 18 h 18, un homme (arriver) dans une voiture rouge. L'homme (descendre) de la voiture. La femme (sortir) du café. Et ils (partir).

L'ADJECTIF QUALIFICATIF

• Le masculin et le féminin de l'adjectif

En général, l'adjectif féminin prend la terminaison **e**.

On distingue trois cas.
Le masculin et le féminin sont :

semblables à l'oral et à l'écrit	semblables à l'oral, différents à l'écrit	différents à l'oral et à l'écrit
magnifique	direct, directe	petit, petite
horrible	joli, jolie	grand, grande
tranquille	génial, géniale	beau, belle

• Les adjectifs de couleur

nom de couleur		adjectif de couleur	nom de couleur		adjectif de couleur
le blanc	→	blanc, blanche	le jaune	→	jaune
le vert	→	vert, verte	le rouge	→	rouge
le noir	→	noir, noire	l'orange	→	orange
le bleu	→	bleu, bleue	le marron	→	marron

Les adjectifs de couleur se placent toujours après le nom : *Une voiture* **bleue**, *un pull* **vert**.

 Marron et orange sont invariables :
Une chaussure **marron**, *des chaussures* **marron**.

• La place de l'adjectif

En général, l'adjectif se place derrière le nom :
Du fromage **français**, *un homme* **bizarre**, *la ville* **voisine**.

Exceptions :

Beau, bon, joli, mauvais, petit, grand et quelques autres adjectifs se placent avant le nom :
Un **petit** *magasin, une* **mauvaise** *heure, du* **bon** *vin.*

 Au masculin, devant une **voyelle** ou un **h** muet, **beau** devient **bel** : *Un* **bel** *enfant, un* **bel** *homme.*

❸ Qu'est-ce qui va ensemble ?

1. Je veux faire un voyage magnifique.
2. Ils veulent inviter leurs collègues au restaurant.
3. Vous voulez faire du sport pendant les vacances ?
4. Nous voulons aller à Bruxelles.

a. Ils peuvent aller chez Martine, c'est bon et pas cher, ou au Grand Palace, mais c'est cher.
b. Vous pouvez prendre l'avion du matin ou le train de nuit.
c. Tu peux aller au Canada ou en France !
d. Vous pouvez faire de la marche, du vélo ou du tennis.

❹ Complétez comme dans l'exemple.

un hiver froid – une année froide.

1. un été chaud – une semaine …
2. un fromage salé – une viande …
3. un pull rouge – une jupe …
4. un infirmier belge – une infirmière …
5. un étudiant canadien – une étudiante …
6. un pantalon marron – une chaussette …
7. un bel appartement – une … maison
8. un beau bureau – une … voiture

VIVE LES VACANCES !

DIALOGUE A

Madame Marceau veut faire un voyage !

Mme Marceau :	Monsieur ! j'aimerais faire un voyage, mais, pas trop cher !
L'employé :	Très bien ! Nous avons des voyages organisés en car.
Mme Marceau :	En car ? Mais je déteste les voyages en car.
L'employé :	Et une croisière ? En juillet, c'est assez tranquille !
Mme Marceau :	Une croisière ! Oh non, c'est ennuyeux !
L'employé :	Bon, bon !
Mme Marceau :	Écoutez monsieur, moi j'aime les vacances sportives !
L'employé :	Et bien, heu, nous avons un club de vacances sur la Côte d'Azur !
Mme Marceau :	Un club, mais quelle horreur ! Non ! Je voudrais faire une randonnée !
L'employé :	Une randonnée ?
Mme Marceau :	Oui ! à pied, à cheval, à vélo…
L'employé :	Mais madame, ici c'est une agence de voyages pour le troisième âge !
Mme Marceau :	Ah ! Ce n'est pas « Pays d'aventures » ? Oh ! Excusez-moi ! Au revoir, monsieur !
L'employé :	Je rêve !

DIALOGUE B

« Chez Martine ».

Martine :	Bravo ! messieurs ! combien ?
Le sportif :	18 à 6 !
La cliente :	Bien joué ! Dites ! vous avez vu madame Marceau ?
Michel :	Mais elle est partie au bout du monde !
Martine :	Et moi aussi, je prends des vacances ! Demain, je pars pour Paris.
La cliente :	Oh ! vous aussi ?
Martine :	Écoutez ! L'inconnu du téléphone… Je pense que c'est un ami d'enfance, un original.
La cliente :	Ah bon ?
Martine :	Il prépare une surprise, il m'a donné rendez-vous dans un pa-la-ce.
Tous :	Un palace ?
Martine :	Alors ce soir, j'offre la tournée. Hé ! Michel, musique s'il te plaît ! Et santé !
Tous :	Santé ! Santé !

Écoutez

❶ Dialogue A : Trouvez la bonne réponse.

Madame Marceau est :

a. dans une maison pour des gens du « troisième âge » ;

b. dans une gare ;

c. dans une agence de voyages.

❷ Retrouvez l'ordre.

L'agence fait trois propositions à madame Marceau. Dans quel ordre ?

a. un club de vacances ;

b. un voyage organisé en car ;

c. une croisière.

❸ Quelle est sa réaction ?

1. Madame Marceau pense que…, c'est trop ennuyeux.

2. Elle pense que…, c'est horrible.

3. Elle déteste…

❹ Dialogue B : Répondez aux questions.

1. Est-ce que les sportifs ont fait un bon match ?

2. Est-ce que madame Marceau est « Chez Martine » ?

3. Où est-ce que Martine veut aller ?

4. Où est-ce qu'elle a rendez-vous ?

5. Qui a donné rendez-vous à Martine ?

Observez et répétez

▶ **Les sons [e] et [ɛ]** ···

❺ Repérez les [e] et les [ɛ] dans les slogans suivants :

Vous êtes fatigué ? Alors voyagez en TGV !
Vous aimez la mer, partez en croisière !
Les randonnées à pied, c'est bon pour la santé !
Les amoureux de la mer ont rendez-vous à
La Rochelle !

❻ Inventez des slogans sur le même modèle.

Vous pouvez utiliser : *bon marché, voyage organisé, rencontrer, cher, pas cher...*

▶ **Les mélodies** ···

❼ Écoutez et répétez.

J'aime les vacances sportives, alors je fais de la randonnée.
Je pars en vacances, alors j'offre la tournée.
Je déteste l'avion, alors je voyage en train.
La voix monte sur « alors ».

❽ Et vous ?

Qu'est-ce que vous faites ? Qu'est-ce que vous aimez ? Utilisez « alors » dans votre réponse.

Exprimez-vous

À VOUS ! ⚡ **❾ Bon voyage !**

1. Vous êtes à l'agence Arc-en-ciel.
Vous choisissez un voyage. À deux, jouez la scène entre l'employé et le client.

2. Vous rédigez à votre tour des annonces de voyage.

● **15 jours en Corse**
à l'hôtel Miramar : 3 200 francs

● **Les Alpes à vélo**
(en petits groupes)
une semaine : 1 200 francs

● **Croisière en Méditerranée**
sur le « Mers du Sud »
une semaine : 6 200 francs
trois restaurants, piscine, concerts, cinéma, disco

ARC-EN-CIEL
VOYAGES
15, rue de Metz
31000 Toulouse

Couleurs

Les rues, comme les paysages, changent d'un pays à l'autre. Les formes et les couleurs des maisons, des boutiques, des cafés, les marchés, « l'écrit » de la rue créent une atmosphère particulière : une rue de ville japonaise ou américaine est différente d'une rue de Lille, Paris ou Nice. Pourquoi ?

■ 1 Couleurs des villes

1. Nice. Les couleurs de ce vieux quartier sont caractéristiques du Sud de la France.

2. Lille. Les maisons du Nord ont des toits hauts et inclinés à cause du climat (pluie, neige). L'architecture caractérise ce quartier historique (façades des maisons).

3. Paris, boulevard Haussmann. Ce quartier de Paris est un quartier bourgeois de la fin du XIXe siècle : les maisons sont en pierre, elles ont le même nombre d'étages et des mansardes (chambres sous les toits). Les colonnes Morris, avec les affiches des spectacles, sont typiques de Paris.

4. Les grands magasins, comme le Printemps, à Paris, les Galeries Lafayette, La Samaritaine, etc. sont nés à la fin du XIXe siècle.

OBSERVEZ – RÉPONDEZ

▶ **Quelles sont les couleurs dominantes de chaque photo ?**

▶ **Photo 1**

1. Quels détails font penser à un climat chaud ?
a. les fenêtres   c. les toits plats
b. le linge à l'extérieur

2. Comment sont les façades des maisons ?
a. est-ce qu'elles sont décorées ?
b. est-ce que les balcons sont tous aux mêmes étages ?

3. Selon vous, c'est un quartier :
a. bourgeois ou populaire ?
b. ancien ou moderne ?

▶ **Photo 2**

1. Les trois façades sont différentes. Quel est le détail commun ?

2. Les toits des maisons sont en pente ou plats ?

3. Selon vous, c'est un quartier historique ou moderne ?

▶ **Photo 3**

1. Combien d'étages ont les maisons ?

2. À quels étages sont les balcons ?

3. De quelle couleur est la colonne à gauche de la photo ?

▶ **Photo 4**

Qu'est-ce qu'on peut faire en janvier dans ce grand magasin ?

2 Histoire des rues

Les noms des rues « parlent » : de l'histoire d'un pays, de ses rapports avec les autres pays, de ses hommes célèbres…

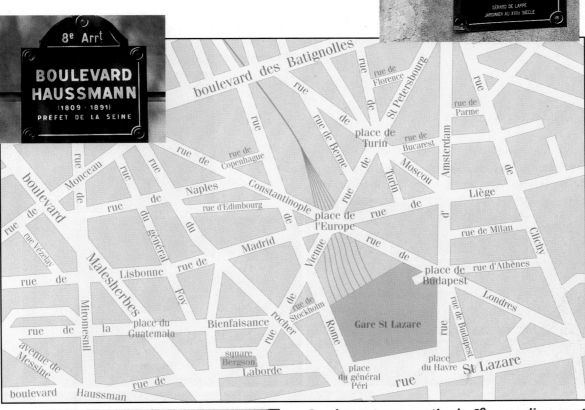

Ce plan est une partie du 8e arrondissement de Paris construit après 1830 autour de la gare Saint-Lazare.

*Ce plan est une partie du 8**e** arrondissement de Paris construit après 1830 autour de la gare Saint-Lazare.*

Les plaques des rues.
À Paris, elles sont bleues avec le nom de la rue en blanc.

OBSERVEZ – RÉPONDEZ

▶ **Relevez sur le plan :**

1. les noms des villes d'Europe ;
2. le nom de la place au centre.

▶ Dans votre ville, est-ce qu'il y a des rues avec des noms de capitales, de musiciens, de peintres… ?

▶ **Que signifie l'abréviation Arrt. sur les plaques ?**

L'arrondissement est une division administrative des grandes villes (Paris a 20 arrondissements, Lyon 9, Marseille 16). Le numéro de l'arrondissement correspond aux derniers chiffres du code postal.

75018 : 75 = département de Paris,
     18 = 18^e arrondissement de la ville de Paris.

69006 : 69 = département du Rhône,
     6 = 6^e arrondissement de la ville de Lyon.

À VOUS DE JOUER ! **Faites l'enveloppe pour écrire à :**

– Monsieur Thibault Duchêne ; il habite à Paris, dans le 13e arrondissement, au 129 de l'avenue d'Italie.

– Mademoiselle Francine Albertin ; elle habite à Lyon, dans le 3e arrondissement, au 37 de la rue Servient.

■ 3 Couleurs des rues

Brasserie à Saint-Cloud.

Dans une brasserie, on peut boire et manger presque à toute heure.
On trouve des sandwiches, mais aussi des plats chauds.
Dans une brasserie, on peut aussi acheter des cigarettes (tabac),
des timbres, des cartes téléphoniques, jouer aux courses de chevaux
et à d'autres jeux.

À la pause de midi, dans une grande ville, on peut prendre
un repas rapide dans un restaurant ou une brasserie.

2

1

3

Dans toutes les villes de France,
il y a des marchés à l'extérieur,
sur des places et dans les rues.

4

OBSERVEZ – RÉPONDEZ

▶ **Photo 1**

1. Quel est le nom de la brasserie ?

2. Quels sont les noms des jeux ?

3. Qu'est-ce qu'il y a à côté de la brasserie ?

▶ **Photo 2**

Qu'est-ce qu'on peut manger ? À quelle heure ?

▶ **Photo 3**

Qu'est-ce que le client peut manger pour 59 F ?

▶ **Dans quelle brasserie est-ce qu'on parle japonais ?**

▶ **Photo 4**

1. Quels légumes est-ce que vous reconnaissez ?

2. Quels sont les prix des concombres, des tomates, des haricots verts ?

3. Est-ce qu'on trouve les mêmes légumes sur les marchés de votre pays ?

Partie 3
Dis Pourquoi...

Unité 9
Au travail !

– Découvertes   86
– Boîte à outils   89
– Paroles en liberté
  IL Y A TOUJOURS UNE SOLUTION !   92

Unité 10
En famille

– Découvertes   94
– Boîte à outils   97
– Paroles en liberté
  LE PROJET DE NATHALIE   100

Bilan   102

Unité 11
Autour d'un verre

– Découvertes   104
– Boîte à outils   107
– Paroles en liberté
  UN DE PERDU... DIX DE RETROUVÉS ! 110

Unité 12
Embouteillages

– Découvertes   112
– Boîte à outils   115
– Paroles en liberté
  ÇA ROULE !   118

Civilisation
Rythmes de vie   120

Au travail !

Savoir-faire
- comprendre la cause d'un événement dans un texte écrit
- demander et donner des informations à partir d'une annonce professionnelle

Vocabulaire
- l'expérience professionnelle
- le parcours professionnel

Grammaire
- l'interrogation avec *pourquoi*
- le comparatif
- *à cause de, parce que*
- les prépositions de temps
- les prépositions devant un nom de pays

Portrait de la semaine

Dans les années 90, en France ou au Portugal, en Allemagne ou aux Pays-Bas, les salariés ont changé de métier plus que dans le passé. Pourquoi ?
La vie professionnelle a changé à cause du chômage : beaucoup d'entreprises ferment parce qu'il n'y a pas assez de travail.

Pascal, 30 ans, a été basketteur professionnel. Il a travaillé dans un grand magasin comme responsable du rayon sports. En 1994, il a perdu son emploi. Pour retrouver du travail, il a envoyé des CV et il est allé à des rendez-vous. Pendant son chômage, il a toujours circulé dans Paris à vélo: un VTT[1] est plus économique qu'une voiture !

Toutes les réponses à ses demandes d'emploi ont été négatives, mais il a eu une idée : il a créé la première agence de coursiers cyclistes professionnels. Ils sont aussi rapides que leurs concurrents motorisés. Ils ne sont pas en retard à cause des embouteillages ! Et ils sont beaucoup moins chers !

1. VTT : vélo tout terrain.

Toutes les réponses ont été négatives.
Il a eu une idée.
Ils sont aussi rapides que leurs concurrents et beaucoup moins chers.

❶ Choisissez la bonne réponse.

1. Dans les années 90,
il n'y a pas de chômage. ...
Il y a du chômage, alors beaucoup
de salariés ont changé de profession. ...
Il y a assez de travail pour tous les salariés. ...

2. Aujourd'hui, Pascal est responsable
d'un grand magasin. ...
d'un rayon de VTT. ...
d'une agence de coursiers. ...

3. Il est allé à ses rendez-vous
en VTT. ...
en voiture. ...
en train. ...

4. Avant son chômage, il a été
basketteur professionnel. ...
cycliste professionnel. ...
coursier professionnel. ...

❷ Ils ont été... Il a eu... Complétez les phrases avec (ils) ont été / (il) a eu.

1. Pascal a déposé dix CV et il ... trois rendez-vous.

2. Il a circulé en VTT, alors ... une idée.

3. Pascal et son ami sont allés à des rendez-vous et ils ... contents.

4. Ses collègues ... très gentils avec lui.

❸ Complétez comme dans l'exemple.

À Paris, les vélos sont (= rapide) que les voitures. Ils sont (– cher) et (+ économique).

→ À Paris, les vélos sont aussi rapides que les voitures. Ils sont moins chers et plus économiques.

1. Les vestes vertes sont (+ beau) que les bleues et elles sont (= cher).

2. Je suis (+ sportif) que mon mari.

3. Les enfants sont souvent (+ grand) que leurs parents.

4. Au printemps, les fruits sont (– sucré) qu'en été.

5. Souvent, le train est (= rapide) que l'avion.

Offre d'emploi

❹ Compréhension. Répondez aux questions.

1. Quel est le numéro de l'annonce ?

2. L'entreprise cherche un technicien pour quel service ?

3. Dans quelle ville est l'entreprise ?

4. Quelle est la durée du contrat ?

❺ Réécrivez l'annonce et utilisez des phrases complètes. Ajoutez les articles.

Une entreprise ...
C'est ...

> *ANNONCE N° 45*
>
> **On recherche...**
>
> **INFORMATICIENS**
> à Orléans
> P.M.E. (communication)
> *recherche*
> un technicien en informatique
> pour son service après-vente.
> Contrat à durée indéterminée

À l'ANPE

LE DEMANDEUR D'EMPLOI :	Je voudrais des informations sur l'annonce n° 45.
LE CONSEILLER ANPE :	Oui... *(Il interroge son ordinateur).* C'est votre premier emploi ?
LE DEMANDEUR D'EMPLOI :	Non. J'ai déjà une expérience professionnelle. J'ai travaillé à INFORMATIQUE CENTRE comme technicien pendant trois mois, de mars à juin.
LE CONSEILLER ANPE :	Et pourquoi est-ce que vous êtes parti ?
LE DEMANDEUR D'EMPLOI :	Parce que l'entreprise a fermé en juin, à cause de problèmes financiers.
LE CONSEILLER ANPE :	Vous avez travaillé jusqu'en juin. Vous êtes donc au chômage depuis deux mois. Quel âge avez-vous ?
LE DEMANDEUR D'EMPLOI :	28 ans.
LE CONSEILLER ANPE :	Vous parlez des langues étrangères ?
LE DEMANDEUR D'EMPLOI :	Oui, je parle assez bien l'anglais, et je comprends l'allemand.
LE CONSEILLER ANPE :	Vous aimez voyager ?
LE DEMANDEUR D'EMPLOI :	Oui, pourquoi ?
LE CONSEILLER ANPE :	L'annonce 45, c'est une entreprise de 10 salariés. Elle cherche un jeune de moins de trente ans, pour visiter ses clients en France et à l'étranger. Ça vous intéresse ?
LE DEMANDEUR D'EMPLOI :	Ça m'intéresse, bien sûr ! Quel est le salaire ?
LE CONSEILLER ANPE :	Entre 8 000 et 10 000 francs par mois, avec un treizième mois.
LE DEMANDEUR D'EMPLOI :	Bon. Qu'est-ce que je dois faire maintenant ?
LE CONSEILLER ANPE :	Il faut envoyer votre curriculum vitae à cette adresse : LOIRE COM. 25, rue de la République 45000 Orléans. Envoyez votre lettre à l'attention de monsieur Berger.

ANPE : Agence nationale pour l'emploi.

> ... parce que l'entreprise a fermé.
> ... à cause de problèmes financiers.

❻ 🔊 Écoutez le texte et répondez aux questions.

1. Le demandeur d'emploi a déjà travaillé ?

2. Il a quel âge ?

3. Est-ce qu'il aime voyager ?

4. Qu'est-ce qu'il doit envoyer à l'entreprise ?

❼ Qu'est-ce qui va ensemble ?

1. Pourquoi est-ce qu'il va à l'ANPE ?

2. Pourquoi est-ce qu'il est au chômage ?

3. Pourquoi est-ce qu'il veut travailler à LOIRE COM. ?

4. Pourquoi est-ce que son entreprise a fermé ?

a. Parce que son entreprise a fermé.

b. Parce qu'il cherche du travail.

c. À cause de problèmes financiers.

d. Parce qu'il aime voyager.

❽ Dans le dialogue, repérez les expressions de temps : déjà, pendant... Puis réutilisez ces expressions dans un dialogue de recherche d'emploi.

LA FORMATION ET LA VIE PROFESSIONNELLE

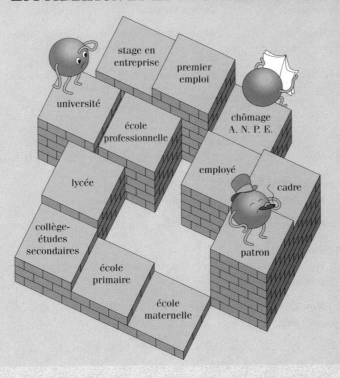

À VOUS ! ❶ **Votre entreprise cherche un architecte et un informaticien. Laure Leduc et Paul Doriat ont rendez-vous avec vous. Vous posez des questions.**

Quel est leur âge ? Où est-ce qu'ils habitent ? Quelle est leur formation ? leur expérience professionnelle ? etc.

Laure LEDUC

1, rue des Lilas, 45000 Orléans

née le 5 mars 1971 à Nancy
mariée, 1 enfant

• bac en 1988
• études d'architecte de 1989 à1994
  stage de 6 mois chez un architecte
  à Zurich en 1995
• Responsable de projet chez A.R.T.
  de 1995 à 1996

À la recherche d'un emploi depuis
janvier 1997

Langues : allemand, anglais

❷ **Relisez le CV de Laure Leduc et de Paul Doriat et écrivez votre CV.**

PAUL DORIAT

12, rue Vincent, 78250 Meulan
né le 28 avril 1970 à Paris
célibataire

– Formation de technicien
informaticien chez INFORMATIX
de 1987 à 1991

– Voyages en Allemagne, en Grèce
et au Canada pour INFORMATIX
(service après-vente) jusqu'en décembre 1994

– De 1995 à 1996 : responsable du
service informatique chez BOULARD

– À la recherche d'un emploi
d'informaticien, en France ou
à l'étranger

Langues : anglais

LES PRÉPOSITIONS DEVANT LES NOMS DE PAYS

	masculin singulier	féminin singulier	pluriel
	le Canada, le Japon,	la France, l'Italie,	les États-Unis, les Pays-Bas.
Je suis, je vais	**au** au Canada, au Japon,	**en** en France, en Italie,	**aux** aux États-Unis, aux Pays-Bas.
Je viens	**du** du Canada, du Japon,	**de / d'** de France, d'Italie,	**des** des États-Unis, des Pays-Bas.
Je pars	**pour le** pour le Canada, pour le Japon,	**pour la / pour l'** pour la France, pour l'Italie,	**pour les** pour les États-Unis, pour les Pays-Bas.

La majorité des noms de pays sont féminins.

• Pour répondre à la question **où ?**, on emploie **en** : – *Vous habitez où ?* – *J'habite **en** Autriche.*

• Pour répondre à la question **d'où ?**, on emploie **de** ou **d'** : – *Vous venez d'où ?* – *Je viens **d'**Autriche.*

Avec les noms de pays masculins :

• pour répondre à la question **où ?**, on emploie **au** devant un nom masculin singulier et **aux** devant un nom pluriel :
*Nous travaillons **au** Maroc. Ils sont **aux** Pays-Bas.*

• pour répondre à la question **d'où ?**, on emploie **du** devant un nom masculin singulier et **des** devant un nom pluriel :
*Je viens **du** Portugal. Elles viennent **des** États-Unis.*

• Après le verbe **partir**, on emploie la préposition **pour** suivie de l'article **le, la, l', les** :
*Vous partez **pour le** Luxembourg, **la** Belgique, **l'**Allemagne, **les** Pays-Bas.*

---

❶ Complétez avec la bonne préposition.

1. Mes parents habitent à Lausanne, … Suisse.

2. Ma sœur habite à Montréal, … Canada.

3. Je pars … Portugal. Après, je vais … Espagne.

4. Je travaille … Suède depuis 6 mois.

5. – Vous venez … États-Unis ?

– Non, je viens … Canada.

L'EXPRESSION DE LA CAUSE

Les salariés changent souvent de profession. **Pourquoi ?**
Pourquoi est-ce que *les salariés changent souvent de profession ?*

À cause *du chômage.*
Parce qu'il n'y a pas assez de travail.*

• À la question : **Pourquoi ?**

           Pourquoi est-ce que… ?

On répond avec **à cause de**, **parce que**.

À cause de est suivi d'un nom.
Parce que est suivi d'une proposition subordonnée.

❷ Trouvez des questions pour les réponses suivantes. Employez pourquoi est-ce que ?

– *Parce que je n'aime pas le sucre.* ➜ *Pourquoi est-ce que vous ne prenez pas de dessert ?*

1. Parce qu'il est au chômage.

2. Parce qu'ils sont malades.

3. Parce que nous sommes dimanche.

4. Parce qu'il a faim.

❸ Répondez aux questions. Employez parce que ou à cause de.

– *Pourquoi est-ce que les jeunes achètent souvent des vêtements noirs ?*
➜ *Parce qu'ils aiment le noir. / À cause de la mode.*

1. Pourquoi est-ce que vous êtes en retard ?

2. Pourquoi est-ce qu'on envoie un CV ?

3. Pourquoi est-ce qu'ils font du sport ?

4. Pourquoi est-ce qu'elle ne boit pas de café ?

LA COMPARAISON

• Avec un adjectif

Alain est **plus grand que** Philippe.	+	→	plus que
Philippe est **moins grand qu'**Alain.	–	→	moins que
Alain est **aussi grand que** Daniel.	=	→	aussi que

 Le comparatif de **bon** est irrégulier :

*Les pommes sont **meilleures** que les poires.*

*Les poires sont **moins / aussi bonnes** que les pommes.*

• Avec un verbe

Béatrice travaille **plus que** Catherine.	+	→	plus que
Catherine travaille **moins que** Béatrice.	–	→	moins que
Béatrice travaille **autant que** Valérie.	=	→	autant que

4 Comparez les deux hôtels. Employez les adjectifs cher, calme, grand.

HÔTEL DES LACS

CHAMBRES DE 450F À 860F

RAPPELEZ-VOUS !

Comment on enchaîne des idées :

• Pour exprimer l'opposition : **mais**

*Il pleut, **mais** il fait de la marche.*

• Pour exprimer la cause : **parce que**

*Elle va souvent à l'opéra **parce qu'elle** aime la musique.*

• Pour exprimer la conséquence : **alors** ou **donc**

*J'ai faim, **alors** je mange.*

*J'ai soif **donc** je bois.*

• Pour exprimer le but : **pour**

*J'ai pris un taxi **pour** arriver à l'heure.*

6 Construisez des phrases comme dans l'exemple.

Nous / travailler / vous (–)

→ *Nous travaillons moins que vous.*

1. Cette année / pleuvoir / l'année dernière (–)

2. Tu / boire / moi (=)

3. Alain / manger / sa sœur (+)

4. Je / voyager / ma femme (=)

5. Tu / sortir / tes amis (–)

7 Trouvez le mot de liaison.

Claire a trouvé un grand appartement

... elle veut être à côté de son travail.

... pouvoir inviter ses amis plus souvent.

... elle est très contente.

... il coûte très cher.

HÔTEL DES PALMIERS
450F
600F

HÔTEL DES PALM

5 Comparez les deux personnages. Employez les adjectifs beau, petit, sympathique.

IL Y A TOUJOURS UNE SOLUTION !

DIALOGUE A

Dans une banlieue de Paris. Joseph Sanson, chauffeur de taxi, est prêt à partir.

UN CLIENT : *(Par le taxiphone.)* Pouvez-vous me conduire rapidement à la gare d'Austerlitz, s'il vous plaît ! J'habite 7, rue de la République.

JOSEPH : Tout de suite, monsieur, j'arrive.

PATRICK : *(Par la fenêtre.)* Dis papa, tu peux me conduire au jazz club ?

JOSEPH : Si tu veux, mais je suis pressé.

PATRICK : J'arrive, mais je cherche mon saxo. Voilà !

ANGÈLE : *(Par la fenêtre.)* Joseph ! n'oublie pas de prendre le pain.

JOSEPH : D'accord ! Qu'est-ce que tu fais au club ?

PATRICK : On répète pour le concert de samedi soir.

JOSEPH : Bon ! Voilà ton club. Salut fiston.

PATRICK : Salut papa, bonne journée !

JOSEPH : Hé ! n'oublie pas, la musique, c'est le sel de la vie !

PATRICK : *(Moqueur.)* Eh toi n'oublie pas… le pain !

DIALOGUE B

Antoine, un copain de Patrick est devant la porte du Jazz Club « Nouvel Orléans ».

PATRICK : Hé ! Antoine, qu'est-ce que tu fais là ?

ANTOINE : Je t'attends, je peux te parler cinq minutes ?

PATRICK : Bien sûr, viens au club, je suis seul.

ANTOINE : Merci ! t'es sympa !

PATRICK : Alors ?

ANTOINE : Ben, je suis au chômage. Je ne trouve pas de travail.

PATRICK : Qu'est-ce que tu as fait ?

ANTOINE : Tout ! J'ai répondu à des annonces, j'ai écrit des lettres, je suis allé à des rendez-vous.

PATRICK : Et pourquoi ça n'a pas marché ?

ANTOINE : À cause de mon âge et parce que je n'ai pas beaucoup d'expérience.

PATRICK : À cause de ton âge ?

ANTOINE : Oui, je suis trop jeune !

PATRICK : Trop jeune ! Bon ben écoute, j'ai une idée.

ANTOINE : Ah oui ?

PATRICK : On cherche un type à la caisse pour vendre les billets. Tu peux faire ça ?

ANTOINE : Avec un bac, je peux toujours essayer !

Écoutez

❶ Dialogue A : Vrai ou faux ?

1. Joseph est chauffeur de taxi.

2. Son client va à un club de jazz.

3. Patrick doit acheter du pain.

4. Patrick a un concert ce soir.

❷ Répondez aux questions.

1. Pourquoi est-ce que Patrick prend son saxophone ?

2. Pourquoi est-ce qu'il répète ?

3. Pourquoi est-ce que Joseph va à la gare d'Austerlitz ?

❸ Dialogue B : Qu'est-ce qui va ensemble ?

1. Antoine veut rencontrer Patrick.

2. Patrick invite Antoine au club.

3. Patrick est sympa.

4. Antoine ne trouve pas de travail.

5. Patrick propose un travail à Antoine.

a. parce qu'il est trop jeune.

b. parce que le club cherche un caissier.

c. parce qu'il veut parler à son ami.

d. parce qu'il est seul.

e. parce qu'il écoute son ami.

Observez et répétez

▶ **Les sons [o] et [ɔ]**

❹ **Écoutez et repérez les sons [o] et [ɔ].**

Pour son orchestre, Patrick a besoin des instruments suivants :

	[o]	[ɔ]
un alto	*alto*	…
un cor	…	…
un saxo	…	…
un piano	…	…
un accordéon	…	…
un orgue	…	…

▶ **Les mélodies**

❺ **Écoutez et répétez.**

Je ne trouve pas de travail à cause de mon âge.

– À cause de ton âge ?

Je ne pars pas en vacances à cause de mon stage.

– À cause de ton stage ?

Pour exprimer l'étonnement, la voix monte.

À VOUS ! ❻ **Trouvez la phrase puis lisez à deux le dialogue à haute voix.**

1 …
– À cause de ton travail ?
2. …
– À cause de ta santé ?
3. …
– À cause de la pluie ?
4. …
– À cause des embouteillages ?

Exprimez-vous

À VOUS ! ❼ **Un journaliste de « Radio Tour Eiffel » interviewe Joseph et son fils sur leur vie professionnelle, leurs loisirs, leur famille. Préparez les questions et les réponses, puis jouez la scène.**

À VOUS ! ❽ **Patrick cherche du travail pour l'été.**

Il prépare son CV (*identité, études, expérience professionnelle, loisirs…*).

En famille

Savoir-faire
- comprendre un texte informatif écrit
- donner / comprendre des explications dans un échange oral
- donner son emploi du temps quotidien

Vocabulaire
- jouer à / faire de
- les contraires : adjectifs et verbes

Grammaire
- les pronoms personnels : *le, la, l', les*
- la comparaison
- le pronom *en* dans la comparaison
- verbes + infinitif avec *à*, *de*, ou sans préposition

Familles, je vous aime !

Le nombre des divorces augmente, le nombre des mariages diminue, mais on continue à aimer la famille. 58 % des Français pensent qu'elle est plus importante que l'amour. Les rapports entre parents et enfants changent. Aujourd'hui, les parents ne peuvent plus dire à leurs enfants « c'est comme ça, et c'est tout ». Ils veulent créer une relation de confiance, alors ils passent plus de temps avec eux.

Pour passer plus de temps avec sa petite fille de 6 ans, Annie a choisi de travailler chez elle. Elle est divorcée et elle vit seule avec la petite Sandra. Jusqu'à 8 heures du matin, Annie est la maman de Sandra. Elle prépare le petit déjeuner pour sa fille, l'habille et l'accompagne à l'école. Le soir, elle va la chercher, mais de 9 heures à 17 heures, devant son ordinateur, Annie travaille chez elle pour une compagnie d'assurances. Le mercredi, Sandra ne va pas à l'école. C'est « le jour de son père » : elle le rencontre le mercredi après-midi et aussi en fin de semaine. Annie doit souvent travailler pendant l'été ; les vacances, Sandra les passe avec son père ou chez ses grands-parents.

Sa fille, elle l'habille et l'accompagne…
elle va la chercher…
son père, elle le rencontre…
les vacances, elle les passe…

1 **Un journaliste pose des questions à Annie. Imaginez ses réponses.**

1. Vous êtes mariée ?

2. Vous avez des enfants ?

3. Votre fille s'appelle comment ?

4. Vous travaillez où ?

5. Qu'est-ce que vous faites le matin ?

6. Sandra rencontre son père quand ?

2 **Qu'est-ce qui va ensemble ?**

1. Éléonore veut divorcer.

2. Je suis avec ma petite sœur.

3. Nos parents partent en vacances.

4. Daniel a essayé une belle veste.

a. Je l'accompagne à l'école.

b. Jean l'aime toujours.

c. Il l'achète.

d. On les accompagne à la gare.

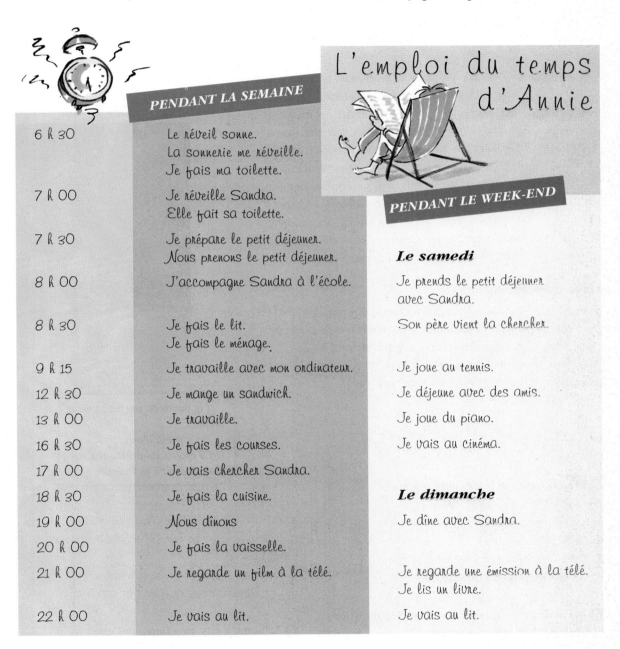

L'emploi du temps d'Annie

PENDANT LA SEMAINE

6 h 30	Le réveil sonne. La sonnerie me réveille. Je fais ma toilette.
7 h 00	Je réveille Sandra. Elle fait sa toilette.
7 h 30	Je prépare le petit déjeuner. Nous prenons le petit déjeuner.
8 h 00	J'accompagne Sandra à l'école.
8 h 30	Je fais le lit. Je fais le ménage.
9 h 15	Je travaille avec mon ordinateur.
12 h 30	Je mange un sandwich.
13 h 00	Je travaille.
16 h 30	Je fais les courses.
17 h 00	Je vais chercher Sandra.
18 h 30	Je fais la cuisine.
19 h 00	Nous dînons
20 h 00	Je fais la vaisselle.
21 h 00	Je regarde un film à la télé.
22 h 00	Je vais au lit.

PENDANT LE WEEK-END

Le samedi

Je prends le petit déjeuner avec Sandra.

Son père vient la chercher.

Je joue au tennis.

Je déjeune avec des amis.

Je joue du piano.

Je vais au cinéma.

Le dimanche

Je dîne avec Sandra.

Je regarde une émission à la télé.
Je lis un livre.

Je vais au lit.

3 **Regardez l'emploi du temps d'Annie et répondez aux questions.**

1. À quelle heure est-ce qu'elle prend son petit déjeuner pendant la semaine ? et le week-end ?

2. Qu'est-ce qu'elle fait à 16 h 30 ? à 18 h 30 ? à 20 h 00 ?

3. Qu'est-ce qu'elle fait comme sport ? comme musique ?

Découvertes

② Le théâtre et la vie 💬

*Armand Gatti, le metteur en scène, monte des pièces
avec des acteurs non professionnels.
Les acteurs sont des jeunes ou des personnes plus âgées sans emploi.
Ils ont répondu à une petite annonce du metteur en scène.
Ensuite, ils ont passé des auditions et ils ont fait un stage d'un mois.*

Pendant le stage

LE JOURNALISTE : Vous travaillez comment ?

L'ACTEUR 1 : On parle, on raconte et on joue notre vie.

LE JOURNALISTE : C'est difficile ?

L'ACTEUR 1 : Assez. En ce moment, j'ai envie de partir de la maison,
mais mes parents pensent que je suis
trop jeune. Chez moi, l'atmosphère est mauvaise, et ici,
je dois revivre cette situation sur la scène, alors…

L'ACTRICE 1 : Ce n'est pas facile et j'ai souvent envie d'arrêter.
J'en ai envie, mais je suis trop fière. Alors je continue.

LE JOURNALISTE : Et vous, qu'est-ce que vous pensez de votre travail ici ?

L'ACTRICE 2 : C'est parfois difficile, mais c'est très intéressant.
On a plus de temps qu'à la maison pour parler
de nos problèmes. Quand on joue une de ses pièces
au festival d'Avignon, en France, c'est un succès !

Après la représentation

LE JOURNALISTE : Est-ce que la pièce a changé vos rapports avec vos parents ?

UN ACTEUR : Oui, on a parlé d'eux. C'est une preuve d'amour.

UNE ACTRICE : Nous parlons de nous et de nos problèmes :
on a moins de difficultés sur la scène qu'à la maison.

UN ACTEUR : Et nos parents nous comprennent.

> **… j'ai envie de partir… j'en ai envie…
> … on a parlé d'eux.
> On a moins de difficultés sur la scène qu'à la maison.**

❹ 💬 **Écoutez le texte, puis répondez
aux questions.**

1. Qui est Armand Gatti ?
2. Qui sont les acteurs ?
3. Qu'est-ce qu'ils font pendant le stage ?
4. Où est-ce qu'on a joué la pièce ?

❺ **« J'ai envie de… mais… ». Lisez les questions
et choisissez la bonne réponse.**

1. Tu as envie de jouer et de parler de ta famille ?
2. Vous avez envie de regarder le film ce soir à la télévision ?
3. Est-ce que vous avez envie de faire du théâtre ?
4. Est-ce que vous avez envie de partir en vacances ?

a. Oui, mais je pense que c'est très difficile.
b. Oui, mais je pense que j'ai encore beaucoup de travail ce soir.
c. Oui, mais je pense que je suis trop jeune.
d. Oui, mais je pense qu'il fait trop mauvais.

❻ **Répondez aux questions de l'exercice 5
comme dans l'exemple.**

Tu as envie de jouer et de parler de ta famille ?
→ *(a) Oui, j'en ai envie, mais je pense que c'est très difficile.*

VOCABULAIRE

ACTIVITÉS

Le sport, le jeu

JOUER

au, à la, à l', aux

Je joue au tennis,
à la balle

Les instruments de musique

du, de la, de l' des

Je joue du piano
de la trompette

Le rôle (scène, théâtre, etc.)

pas de préposition

Je joue dans une pièce de théâtre
le rôle d'Annie
la scène avec mon voisin

FAIRE

du, de la, de l', des

Je fais du tennis
de la natation

du, de la, de l', des

Je fais du piano
de la trompette

pas de préposition

Je fais le ménage
ma toilette

---

❶ Sport, musique, travail à la maison… Utilisez le tableau ci-dessus. Faites des phrases avec jouer et faire. Attention aux prépositions.

Je fais la vaisselle.

…

❷ Quel est votre emploi du temps pendant la semaine ? Et pendant le week-end ? Réutilisez les expressions de la page 95.

❸ Trouvez les contraires des verbes et des adjectifs suivants

arrêter	→ *continuer*
travailler	horrible
être marié	difficile
aimer	diminuer
entrer	salé
augmenter	détester
arriver	dernier
grand	lourd
noir	bon
facile	être divorcé
léger	cher
bon marché	petit
mauvais	blanc
magnifique	jouer
sucré	sortir
premier	partir

LE PRONOM PERSONNEL SUJET ET COMPLÉMENT DIRECT

• Un pronom personnel remplace un groupe nominal. Ce groupe peut être un sujet ou un complément.

Le sport intéresse mon frère. ➡ *Le sport l'intéresse.*

l' remplace un complément direct (*mon frère*), c'est-à-dire un complément sans préposition.

je	**me / m'**	Jacques **m'**invite au restaurant.
tu	**te / t'**	Ton ami **te** regarde.
nous	**nous**	Les invités **nous** attendent.
vous	**vous**	Les enfants **vous** écoutent.
il	**le, l'**	Sandrine regarde Jacques. Elle **le** regarde.
elle	**la, l'**	Jacques aime Sandrine. Il **l'**aime.
ils	**les**	Les enfants partent. On **les** accompagne à la gare.
elles	**les**	Mes sœurs arrivent ce soir. Je l**es** attends.

 Devant une voyelle, **me** devient **m'**, **te** devient **t'** et **le, la** deviennent **l'**.

LA PLACE DU PRONOM PERSONNEL COMPLÉMENT DIRECT

• En général, **le pronom personnel complément direct** se place **avant le verbe** :

– *Vous prenez cette robe ?* – *Oui, je **la** prends.*

• Au passé composé, **le pronom complément direct** se place **avant l'auxiliaire** :

– *Vous avez fini votre travail ?* – *Oui, je **l'**ai fini.*

• À la forme négative, **ne** se place **avant le pronom**,
pas se place **après le verbe au présent**
et **après l'auxiliaire au passé composé** :

– *Vous prenez cette robe ?* – *Non, je **ne la** prends **pas**.*

– *Vous avez fini votre travail ?* – *Non, je **ne l'**ai **pas** fini.*

• Au passé composé conjugué avec avoir, **le participe passé**
s'accorde avec le pronom complément direct
quand il est placé **avant** le verbe :

– *Où est-ce que tu as acheté cette veste ?* – *Je **l'**ai acheté**e** dans une petite boutique.*

– *Vous avez fini vos exercices ?* – *Non, je ne **les** ai pas fin**is**.*

---

❶ Remplacez les expressions soulignées par un pronom.

– *Il appelle souvent ses amis ? – Oui, il appelle <u>ses amis</u> tous les jours.* ➡ *Oui, il les appelle tous les jours.*

1. – Vous prenez le train pour aller en vacances ?

– Oui, je prends <u>le train</u>.

2. – Vous avez regardé la télé hier soir ?

– Oui, j'ai regardé <u>la télé</u> après le dîner.

3. – Tu aimes le français ? – J'adore <u>le français</u> !

4. – Et les Français ? – J'adore <u>les Français</u> aussi.

5. – Tu as fini ton travail ? – Oui, j'ai fini <u>mon travail</u>.

6. – Vous avez essayé ces chaussures ?

– Non, je n'ai pas essayé <u>ces chaussures</u>.

❷ Complétez avec un pronom comme dans le modèle.

Chérie, j'aime (tu). ➡ *Chérie, je t'aime.*

1. Est-ce que le sport intéresse (vous) ?

2. Tu accompagnes (je) au cinéma ?

3. Vous n'invitez pas (nous) pour vos 20 ans ?

4. Bernard, vous aimez (je) ?

5. – Vous détestez (il) ? – Non, je ne déteste pas (il), mais je préfère Alain.

6. – Vous invitez (elle) au restaurant ?

– Non, je n'invite pas (elle).

GRAMMAIRE

LA COMPARAISON, L'EXPRESSION DE LA QUANTITÉ

+ plus de ... que

*Michel a **plus de** travail **que** Xavier.*

– moins de ... que

*Xavier a **moins de** travail **que** Michel.*

= autant de ... que

*Michel a **autant de** travail **que** Marc.*

• **Plus de, moins de, autant de** sont des expressions de quantité comme **beaucoup de** ou **peu de**.
Elle peuvent s'employer avec le pronom **en**.
*Les ouvriers ont du travail mais Michel **en** a **plus que** Xavier.*

LES VERBES SUIVIS D'UN INFINITIF

Beaucoup de verbes peuvent être suivis d'un infinitif :

• **sans préposition**

vouloir	pouvoir	détester	aimer
devoir	falloir	adorer	

J'aime voyager. Je veux partir en vacances.

• **avec la préposition à**

continuer à

Je continue à faire du théâtre.

• **avec la préposition de**

choisir de	finir de	arrêter de	continuer de

J'arrête de jouer. Elle finit de travailler à 17 heures.

❹ **À, de ou pas de préposition ? Complétez.**

1. Je déteste ... travailler le dimanche.
2. Cette année, j'ai choisi ... passer mes vacances à la mer.
3. J'ai 66 ans. J'ai arrêté ... travailler l'année dernière.
4. Je dois continuer... faire mes exercices de français.
5. Est-ce que je peux ... essayer cette robe, s'il vous plaît ?
6. J'aime ... jouer au tennis, j'adore ... marcher, mais je déteste ... faire du ski.
7. – On peut manger ? – Oui, j'ai fini ... préparer le dîner.

❸ **Transformez comme dans l'exemple.**

Robert a des problèmes (+ / André)
➜ *Robert a plus de problèmes qu'André.*

1. Les Français boivent de la bière (– / les Allemands)
2. Je prends de la salade (= / mon voisin)
3. Nous avons eu de la pluie pendant nos vacances (– / l'année dernière)
4. Les Italiens mangent des légumes (+ / les Français)

LE PROJET DE NATHALIE

DIALOGUE A

Nathalie Sanson, la fille de Joseph, expose son projet à un conseiller municipal.

LE CONSEILLER : Eh bien mademoiselle, je vous écoute.

NATHALIE : Voilà. Je suis en train de terminer une école de théâtre.

LE CONSEILLER : Mais c'est très bien !

NATHALIE : Et j'aimerais monter une pièce avec les enfants de la cité.

LE CONSEILLER : Je pense que c'est une excellente idée.

NATHALIE : Vous comprenez, ces enfants, ils sont souvent seuls à la maison.

LE CONSEILLER : Eh oui, je sais, je sais.

NATHALIE : Ils traînent dans le quartier, il faut les occuper.

LE CONSEILLER : Bravo, mademoiselle, je suis d'accord avec vous, mais excusez-moi, j'ai un autre rendez-vous. Au revoir, mademoiselle.

NATHALIE : Mais monsieur, mon spectacle, je ne peux pas le monter sans argent !

DIALOGUE B

Joseph et sa fille Nathalie rentrent à la maison en taxi. Joseph chante son air favori.

JOSEPH : Alors, tu as vu ton conseiller ? Qu'est-ce qu'il dit ?

NATHALIE : Il pense que le projet est bon.

JOSEPH : Et alors ? Il t'aide ?

NATHALIE : Je ne sais pas, il y a moins d'argent cette année pour la culture.

JOSEPH : Pff… c'est toujours la même chose. Ils sont en train de dépenser des millions pour…

NATHALIE : Écoute-moi bien, papa, l'argent je le trouve et ma pièce, je la monte.

JOSEPH : Tu as raison ma fille, dans la vie il faut du courage et des idées.
(Tout à coup, on entend par le taxiphone :)
Bonjour Joseph. C'est moi, Pierre. Est-ce que tu chantes toujours autant ? Allez à bientôt ! Je te recontacte.

NATHALIE : Pierre ? C'est qui ?

JOSEPH : Aucune idée. Il m'a déjà contacté hier.

NATHALIE : Mais il te connaît : tu chantes tout le temps !

JOSEPH : Eh oui, la vie est belle…

Écoutez

❶ Dialogue A : Donnez la bonne réponse.

1. Nathalie veut :
- **a.** monter une pièce de théâtre avec des enfants ;
- **b.** aller au théâtre avec des enfants ;
- **c.** ouvrir une école de théâtre pour des enfants.

2. Les enfants de la cité :
- **a.** n'ont pas d'activités culturelles ;
- **b.** font du sport dans le quartier ;
- **c.** restent à la maison.

3. Le conseiller :
- **a.** pense que le projet est bon et donne de l'argent ;
- **b.** trouve l'idée excellente et propose un autre rendez-vous ;
- **c.** est d'accord avec Nathalie, mais il ne donne pas d'argent.

❷ Dialogue B : Répondez aux questions.

1. Pourquoi est-ce que le conseiller ne donne pas d'argent à Nathalie ?

2. Pourquoi est-ce que Joseph dit à sa fille : « Tu as raison » ?

3. Pourquoi est-ce que Nathalie pense que Pierre connaît Joseph ?

Observez et répétez

▶ **Les sons [ã] et [õ]** 🔲🔲

❸ Combien coûte le projet de Nathalie ? Classez les francs dans la bonne colonne.

	[ã]	[õ]
quatre cents	…	…
quarante mille	…	…
onze mille	…	…
trente	…	…
un million	…	…

▶ **Les mélodies** 🔲🔲

❹ Écoutez, répétez et observez la place des mots.

L'argent, je le trouve !

La pièce, je la monte !

Ce vélo, je l'achète !

❺ Parlez comme Nathalie.

1. Vous voulez jouer le premier rôle.

2. Vous voulez faire les courses.

3. Ça y est ! vous achetez le vélo rouge.

Exprimez-vous

À VOUS ! **❻ À deux, jouez la scène entre Nathalie et le conseiller municipal.**

Il ne peut pas donner d'argent parce que la ville doit construire des parkings, acheter des livres pour le club du troisième âge, donner de l'argent au club de tennis, etc. Nathalie pense que le travail avec les enfants est plus important.

À VOUS ! **❼ Organisez un mini débat en classe. Formez des groupes et préparez vos arguments par écrit.**

La ville veut construire des parkings et les gens ne sont pas d'accord :

– un groupe de femmes demande plus d'écoles ;

– un groupe de jeunes demande un centre sportif ;

– un autre groupe demande un centre de loisirs.

❶ Mettez les phrases au singulier.

1. Nous n'aimons pas ces couleurs.

2. Ces magasins ont des rayons de sport.

3. Ces hommes sont des informaticiens.

4. Comment s'appellent ces enfants ?

❷ Complétez par un article défini ou un adjectif démonstratif.

1. Les jeunes aiment beaucoup … vestes de sport.

2. … veste vous va très bien.

3. – Quelle est votre saison préférée ? – C'est … été.

4. … été nous allons en Italie.

5. … hôpital est spécialisé dans la médecine des enfants.

6. Il est très malade ; il est à … hôpital.

7. Goûte … melon ! Il est délicieux.

8. … melons sont des fruits du sud de la France.

❸ Répondez en employant des pronoms personnels.

1. – Alors, madame, vous prenez cette jupe ?
– Non, …

2. – Vos enfants regardent souvent la télévision ?
– Oui, …

3. – Vous avez fait ces photos ? – Oui, …

4. – Vous avez vu le film Les Visiteurs ? – Non, …

5. – Vous étudiez le français depuis longtemps ?
– Non, …

❹ Complétez.

Géraldine a un copain. Il s'appelle Yves. Elle … aime ! Elle … a rencontré en vacances à Chamonix. Yves adore le ski. Il … fait beaucoup. Géraldine a pris des photos d'Yves et elle … a mises dans un album. Elle … regarde souvent. Elle … a plus de 50 !

❺ Mettez les verbes entre parenthèses au présent, puis au passé composé.

1. Philippe (prendre) une photo.

2. Nous (ne pas pouvoir) venir.

3. Je (partir) à 18 heures.

4. Elle (devoir) changer de voiture.

5. Ils (rester) jusqu'à dimanche.

6. Elle (ne pas mettre) de veste.

7. Les Dupont (vouloir) visiter le musée.

❻ Faites le portrait de Suzanne Delay et employez des verbes comme être, travailler, partir, revenir, rester, etc., au passé composé.

1960 à 1967 – Études de japonais à la Sorbonne et à l'Université de Tokyo.

1968 à 1981 – Interprète à l'Unesco à Paris.

1970 – Rencontre de Xavier, journaliste.

1982 à 1984 – Voyages (Japon, Europe et États-Unis).

1985 – Retour à Paris.

1986 – Pas de travail.

1986 à 1996 – Professeur à l'École d'Interprète.

1997 – Retraite.

Elle a étudié le japonais à la Sorbonne…

❼ Continuez les phrases.

1. Annie travaille chez elle parce que…

2. Elle a acheté un ordinateur pour…

3. Claire a eu un quatrième enfant, alors…

4. Son mari et elle voudraient changer de maison mais…

❽ Voici des réponses. Trouvez les questions.

1. Oui, je fais du tennis et de la natation.

2. Le tailleur bleu ? 1 500 F.

3. Il est trois heures et quart.

4. En espèces ou par chèque. Comme vous voulez !

5. On a dépensé 300 F pour trois menus.

6. Oui, elle en joue très bien.

❾ Formez des phrases et employez aussi, plus, moins ou autant.

la tour Eiffel
l'Empire State Building
à New York

les vacances de ski
les vacances à la mer

Juliette : 1,72 mètre
Agnès : 1,60 mètre

le train – l'avion

les Léger, 4 enfants : 3 filles et 1 garçon

❿ Commentez les phrases suivantes et employez trop, assez, peu ou très.

Cette voiture coûte 200 000 F. → *Elle est très chère.*

1. Ma copine est blonde, mince et élégante.

2. Il travaille tous les jours jusqu'à minuit.

3. Élizabeth prend seulement un café le matin, un sandwich à midi et un potage le soir.

4. J'ai 350 F sur moi et le billet de train pour Lyon coûte 400 F.

5. Vous m'avez donné une paire de chaussures pointure 43. Je fais du 41.

⓫ Donnez votre opinion sur les thèmes suivants. Employez je pense que, je préfère, à mon avis, etc.

1. le sport et la santé

2. la couleur noire pour les vêtements

3. apprendre une langue étrangère

4. prendre beaucoup de médicaments

5. les femmes et le travail

⓬ Écrivez le contraire des mots soulignés.

1. J'habite au premier étage.

2. M. Clément voyage beaucoup. Il prend souvent l'avion.

3. Ces chaussures sont chères.

4. Il a mis son manteau.

5. Cette dame est âgée.

6. Je voudrais un billet aller pour Brest.

7. Elle est arrivée en avance.

8. Le chat dort sur la chaise.

9. Elle a continué de travailler.

les Roy, 4 enfants : 2 filles et 2 garçons

UNITÉ 11

Savoir-faire

- comprendre et analyser un fait de société dans un texte écrit
- comprendre / exprimer le but
- exprimer l'appréciation
- demander / donner / refuser des conseils

Vocabulaire

- *quelqu'un / quelque chose*
- *ne...personne / ne...rien*
- mots pour exprimer son opinion

Grammaire

- les pronoms personnels : *lui, leur*
- les verbes *plaire, écrire, vivre* et *envoyer*
- le futur proche : *aller* + infinitif
- le superlatif de l'adjectif

Autour d'un verre

 ### La fin du bistrot ?

Il y a cinquante ans, le bistrot ou le café était un lieu de rencontres, de rendez-vous, de discussions… Et aujourd'hui ?

Plus de 6 millions de Français vivent seuls. À Paris, presque un adulte sur deux.

Personne ne peut expliquer ce phénomène. C'est peut-être à cause de la disparition des bistrots. Ils ont été pendant longtemps des lieux de rencontres, mais à l'heure actuelle 4 000 cafés ferment tous les ans en France. Pourquoi ? Peut-être parce qu'à cause de la télé on ne sort pas beaucoup le soir, parce que les bistrots ne sont pas à la mode ou parce qu'on ne peut pas boire d'alcool et rentrer après à la maison en voiture… En province, aujourd'hui, on ne donne pas souvent rendez-vous à quelqu'un dans un café. Est-ce qu'on peut faire quelque chose pour les bistrots ? Non, on ne peut rien faire. Un café sans clients ne gagne pas d'argent et il doit fermer.

❶ Lisez le texte. Vrai ou faux ?

1. Moins de 6 millions de Français vivent seuls.
2. 4 000 cafés ferment tous les ans en France.
3. Les bistrots sont à la mode.
4. En France, on peut boire de l'alcool et prendre sa voiture après.
5. Un bistrot sans clients doit fermer.

> **On peut faire quelque chose pour les bistrots ?**
> – Non, on ne peut rien faire.
> – Quelqu'un peut dire pourquoi ?
> – Non, personne.

❷ Cherchez dans le texte :

– une information,

– une explication.

Un adulte sur deux vit seul (information).

C'est peut-être à cause de la disparition des bistrots (explication).

❸ Complétez avec le contraire.

J'aime tout le monde mais personne ne m'aime !

1. Tu as quelque chose ? Non, je n'ai …

2. Tu as rencontré quelqu'un aujourd'hui ? Non, je n'ai rencontré …

3. Alors tu as fait … ? Non, je n'ai … fait.

Au « *Petit bistrot* » : le rendez-vous des lycéens

LE CLIENT :	Pourquoi est-ce que vous venez ici ?
BRUNO :	C'est le café le plus sympa de la ville. Alors, à la sortie du lycée, on vient directement ici pour discuter entre nous.
ARTHUR :	Il y a un menu spécial lycéen, c'est super.
ARLETTE :	Moi, je vais souvent à la cantine, mais le menu ne me plaît pas toujours, alors je viens ici. Ils ont les meilleurs sandwichs d'Orléans.
CHRISTIAN :	Nous, on vient pour boire un café après le repas. La serveuse est une copine. On discute avec elle.
FRANÇOISE :	Et le patron nous aime bien. Alors on parle de nos problèmes.

À Orléans, les 1 300 élèves du lycée Voltaire ont le choix entre plusieurs cafés. L'année dernière, ils ont organisé le concours du café le plus « jeune » du quartier. Les lycéens ont choisi le « Petit bistrot ».

Myriam, la serveuse du « Petit bistrot », est la fille du patron. Son père a créé le café pour les élèves du lycée. Le café ouvre à 8 heures (pour le petit déjeuner) et ferme à 19 heures. Avant le départ en vacances d'été, Myriam et son père organisent toujours une petite fête pour leurs clients : c'est la fête la moins chère de l'année pour les jeunes parce qu'ils ne paient pas les boissons sans alcool !

C'est le café le plus sympa.
Ils ont les meilleurs sandwichs.
Le café le plus jeune.
C'est la fête la moins chère.

❹ Écoutez les dialogues, lisez le texte et répondez aux questions.

1. Est-ce qu'il y a un seul café à côté du lycée Voltaire à Orléans ?

2. Qu'est-ce que les lycéens pensent du « Petit bistrot » ?

3. Qui est Myriam ?

4. Quand est-ce que le « Petit bistrot » organise une fête ?

5. Est-ce que cette fête est chère pour les lycéens ?

6. Est-ce qu'il y a un deuxième café aussi sympa que le « Petit bistrot » à Orléans ?

7. Est-ce que les sandwichs des autres cafés sont aussi bons que les sandwichs du « Petit bistrot » ?

8. Est-ce qu'il y a une autre fête aussi bon marché que la fête avant les vacances d'été ?

❺ Faites la liste de tous les avantages du « Petit bistrot »

C'est le café le plus sympa de la ville…

Qu'est-ce que je dois faire ?

Bruno et Christian sont à la terrasse d'un café.

BRUNO : Voilà... euh... Je voudrais te parler de Sandrine...

CHRISTIAN : Sandrine, Ah ! la petite brune ? Elle te plaît ?

BRUNO : Oui... Je pense que je suis tombé amoureux.

CHRISTIAN : Eh bien, elle est là. C'est très simple :
tu vas à sa table et tu lui dis : « Sandrine, je t'aime. »

BRUNO : Tu es fou ! Elle va rigoler !

CHRISTIAN : Tu vas lui envoyer un petit mot ce soir ou demain et
tu l'invites au café ou au ciné.

BRUNO : Tu parles ! Je n'ai pas envie de lui écrire un mot :
elle va le montrer à ses copines...

CHRISTIAN : Qu'est-ce que tu veux ? Continue à la
regarder et ne dis rien.

BRUNO : Je suis très timide, moi. Écoute, tu es mon ami...
Tu ne peux pas ...

CHRISTIAN : Eh Sandrine, tu peux venir ?

BRUNO : Non, Christian, non !

CHRISTIAN : Bruno veut te parler !

SANDRINE : J'arrive...

CHRISTIAN : Bon, je vais vous laisser. Salut !

BRUNO : Tu exagères !

CHRISTIAN : Maintenant, c'est tout ou rien.
Bonne chance !

> Elle va rigoler.
> Tu vas lui envoyer.
> Elle va le montrer.
> Je vais vous laisser.

❻ Choisissez la bonne réponse.

1. Sandrine est amoureuse de Bruno.
Bruno est amoureux de Sandrine.
Christian est amoureux de Sandrine.

2. Bruno va à la table de Sandrine.
Sandrine va à la table de Bruno.
Christian va à la table de Sandrine.

3. Bruno écrit à Sandrine.
Sandrine écrit à ses copines.
Bruno ne veut pas écrire.

❼ Qui est-ce ?

Je voudrais te parler de Sandrine.
Te remplace Christian.

– Elle te plaît ?

– Tu lui dis : « Je t'aime ».

– Tu vas lui envoyer un petit mot.

– Bruno veut te parler !

– Je n'ai pas envie de lui écrire.

❽ Transformez les phrases, comme dans l'exemple :

Je pars demain ➜ *Je vais partir demain.*

1. L'avion arrive à 18 heures.
2. Demain, je sors avec mon amie Bérénice.
3. Pendant mes vacances d'été, je voyage.
4. Le prix des voitures augmente en septembre.
5. Nous achetons une voiture en juillet ou en août.
6. Vous dînez à quelle heure ?

❶ Répondez aux questions par une phrase négative.

1. Vous avez trouvé quelque chose ?
2. Vous avez rencontré quelqu'un ?
3. Est-ce que quelque chose vous plaît ?
4. Est-ce qu'elle aime quelqu'un ?

❷ Lisez les réponses et trouvez les questions.

1. Non, personne n'a pris le train de 17 heures.
2. Non, Alain n'a rien compris.
3. Oui, j'ai tout compris.
4. Non merci, je ne mange rien.

❸ Répondez aux questions de l'enquête ci-dessous. Puis comparez les réponses et donnez les résultats. Ensuite, faites le portrait de l'étudiant moyen de votre groupe.

L'étudiant moyen de notre groupe est une étudiante. Elle va rarement au restaurant, etc.

Enquête

1 Vous allez au restaurant		**3** Au restaurant, vous buvez	
tous les jours.	❏	du café ou du thé.	❏
souvent.	❏	de l'eau minérale.	❏
assez souvent.	❏	des jus de fruits.	❏
rarement.	❏	d'autres boissons.	❏
Vous n'allez pas au restaurant.	❏		
		4 Au restaurant, vous parlez	
2 Vous allez au restaurant		de tout et de rien.	❏
pour discuter avec des amis.	❏	de vous.	❏
pour bien manger.	❏	du travail.	❏
pour sortir de chez vous.	❏	de sport.	❏
		de politique.	❏

LE PRONOM PERSONNEL COMPLÉMENT INDIRECT

• Le pronom complément indirect remplace généralement un groupe nominal précédé de la préposition **à**.

*Arlette parle **à** son mari.* ➜ *Elle **lui** parle.*
*Ce pantalon plaît **à** sa femme.* ➜ *Il **lui** plaît.*

je	**me / m'**	Il **me** téléphone.
tu	**te / t'**	Je **te** parle.
il	**lui**	J'aime Arthur. Je **lui** écris.
elle	**lui**	Éléonore est mon amie. Je **lui** téléphone.
nous	**nous**	Cette veste **nous** plaît.
vous	**vous**	Cette veste **vous** va bien.
ils	**leur**	Les enfants sont partis. On **leur** téléphone.
elles	**leur**	Leurs filles sont en vacances. Ils **leur** écrivent.

 À la première et à la deuxième personne du singulier et du pluriel, le pronom complément indirect a les mêmes formes que le pronom complément direct.
Seules les troisièmes personnes changent : **lui** au singulier et **leur** au pluriel.

LA PLACE DU PRONOM PERSONNEL COMPLÉMENT INDIRECT

• En général, le **pronom complément indirect** se place **avant le verbe**, comme le pronom direct.
– *Cette robe plaît à votre fille ? – Oui, elle **lui** plaît.*
– *Vous avez parlé à votre ami ? – Oui, je **lui** ai parlé.*
*Je vais écrire à Sandrine. Je vais **lui** envoyer un petit mot.*

• Après les prépositions **de**, **avec**, **sans**, **pour**, **chez**, etc., on emploie les formes suivantes :

je	Il habite chez **moi**.
tu	Annie parle de **toi**.
il	J'ai trouvé du travail pour **lui**.
elle	Nous avons parlé d'**elle**.
nous	Les enfants sortent avec **nous**.
vous	Il va partir avec **vous**.
ils	Tu travailles avec **eux** ?
elles	Ils sont partis sans **elles**.

• On emploie aussi les pronoms toniques après le **que** de la comparaison :
*Nous avons autant de problèmes qu'**eux**.*

❶ Qu'est-ce que je dois faire ? Donnez des conseils comme dans l'exemple.

Je voudrais rencontrer Françoise, mais je suis trop timide. Tu … (envoyer) un petit mot.
➜ *Tu lui envoies un petit mot.*

1. Je voudrais prendre un rendez-vous chez le médecin. Tu … (téléphoner).
2. Je voudrais dire merci à mes amis français. Tu … (écrire un petit mot).
3. Je voudrais parler à Coralie. Tu … (parler au dîner).
4. Je voudrais travailler chez Informatix. Vous … (envoyer votre CV).

J'ai trouvé du travail pour lui !

❷ 🔊 Écoutez et choisissez la bonne réponse.

1. chez eux
    avec eux
    pour eux

2. sans eux
    pour eux
    avec eux

3. avec elles
    d'elle
    d'elles

4. après elle
    avec elle
    après elles

5. avec lui
    pour lui
    chez lui

❸ Complétez avec des pronoms personnels.

1. – Cette veste … va très bien, madame. Vous … prenez ? – Non merci, cette veste ne … plaît pas.
2. – Tu as envie de déjeuner avec … au restaurant aujourd'hui ? – C'est une bonne idée, mais je … invite.
3. – Madame, vous pouvez regarder. Est-ce que quelque chose … plaît ? Cette robe ? Vous pouvez … essayer, les cabines sont derrière … .
4. – Tu habites chez tes parents ? – Non, je n'habite pas chez … ; j'ai une chambre chez une amie.
5. – Rien n'est facile ! Je suis amoureux de Corinne. Je … écris tous les jours, je … téléphone, mais je ne … intéresse pas. Qu'est-ce que je dois faire ?

LE FUTUR PROCHE

forme affirmative	forme négative
Je vais partir	Je ne vais pas partir
Tu vas partir	Tu ne vas pas partir
Il / elle va partir	Il / elle ne va pas partir
Nous allons partir	Nous n'allons pas partir
Vous allez partir	Vous n'allez pas partir
Ils / elles vont partir	Ils / elles ne vont pas partir

• Le futur proche se forme avec l'auxiliaire **aller** et l'infinitif du verbe.

À la forme négative, **ne / n'** se place avant **aller** et **pas** se place après.

– *Cette robe va plaire à Céline ? – Oui, elle va lui plaire. – Non, elle **ne** va **pas** lui plaire.*
– *Nous allons regarder le film à la télé ? – Oui, nous allons le regarder. – Non, nous **n'**allons **pas** le regarder.*

La construction **aller + infinitif** exprime aussi le mouvement.

*Je **vais chercher** mon ami à la gare.*
(futur proche : *Je vais aller chercher mon ami à la gare.*)
*Je **vais faire** les courses.*
(futur proche : *Je vais aller faire les courses.*)

LE SUPERLATIF DE L'ADJECTIF

*Ce café est **le plus** jeune de la ville.*
*Cette veste marron est **la moins** chère.*
*Ces chaussures marron sont **les plus** grandes du magasin.*
*Les chaussettes noires sont **les plus** chères.*

• Le superlatif se forme avec l'article défini suivi de **plus** ou de **moins** et éventuellement de la préposition **de**.

Le superlatif de bon est **le / la / les meilleur(es)**.
*On trouve **les meilleurs** sandwiches d'Orléans au Petit Bistrot.*

Elle va lui plaire !

④ Qu'est-ce qu'ils vont faire ? Reliez les éléments qui vont ensemble.

1. Pour être en pleine forme,
2. Pour discuter avec le metteur en scène,
3. Pour trouver du travail,
4. Pour sortir du chômage,
5. Pour remplir votre fiche,
6. Pour jouer dans la pièce,

a. vous allez prendre un rendez-vous avec lui.
b. tu vas faire un régime.
c. mon voisin va créer une entreprise.
d. je vais envoyer des CV.
e. vous allez faire un stage de théâtre.
f. vous allez répondre aux questions.

⑤ Complétez avec le verbe aller. Distinguez le futur (F) et l'expression du mouvement (M).

1. Les Duval … partir en vacances.
2. Ils … prendre le train demain.
3. Madame Bertrand … chercher ses enfants tous les jours à l'école.
4. Ce soir, on … regarder le match de foot à la télé.
5. Je … faire les courses.
6. Demain, nous … aller au théâtre.

Et vous, qu'est-ce que vous allez faire ce soir ? et demain ?

⑥ Faites des phrases comme dans l'exemple.
grande, Marie ? (petite / famille)
➔ *Mais c'est la personne la plus petite de la famille.*

1. bon marché, ce restaurant ? (cher / ville)
2. léger, ce plat ? (lourd / menu)
3. pas sympa, cette serveuse ? (sympa / restaurant)
4. horrible, cette veste ? (belle / magasin)
5. mauvais, le film ? (bon / semaine)

UN DE PERDU...
DIX DE RETROUVÉS !

DIALOGUE A

« Chez Gaston ».

NATHALIE : Salut Juliette !

JULIETTE : Mmm !

NATHALIE : Ça ne va pas aujourd'hui ?

JULIETTE : Oh ! c'est rien. *(Elle fond en larmes…)*
C'est à cause de Vincent.

NATHALIE : Encore !

JULIETTE : Il est jaloux et possessif.

NATHALIE : C'est parce qu'il est très amoureux.
Vous avez discuté ?

JULIETTE : Oui ! mais il n'écoute jamais !
J'ai envie d'arrêter.

NATHALIE : C'est toujours la même chose. Ah ! j'ai une idée.
(Juliette renifle, se mouche.)

NATHALIE : Karim invite des copains samedi soir.

JULIETTE : Pourquoi ?

NATHALIE : Pour faire la fête : il a enfin trouvé du boulot.
Viens avec nous !

JULIETTE : Oh ! Karim ! Nathalie, tu es la plus sympa
des copines !

NATHALIE : Eh ! ben, tu vois : un de perdu, dix de
retrouvés !

DIALOGUE B

Nathalie répète la pièce avec les enfants de la cité.

NATHALIE : Allez les enfants, en scène ! On va répéter la fin.

ALINE : Qu'est-ce qu'il joue bien, Jonas !

SAMI : Oh oui, c'est le plus fort !

NATHALIE : Anaïs ! Est-ce que vous avez vu Anaïs ?

LES ENFANTS : Non ! Anaïs ! A-na-ïs !

JONAS : Bon, je vais aller voir au centre commercial.

NATHALIE : Et moi, je vais passer au poste de police.
(Deux heures plus tard, chez « Gaston ».)

NATHALIE : Bonjour ! Quelqu'un a vu Anaïs ?

UN CLIENT : Non, pourquoi ?

NATHALIE : Elle a disparu, je suis inquiète !

JULIETTE : Et ses parents ? Tu leur as parlé ?

NATHALIE : Ils ne sont jamais là.

JONAS : On l'a retrouvée !

NATHALIE : Où ça ?

JONAS : Au supermarché, au rayon des bandes
dessinées !

Écoutez

❶ Dialogue A : Vrai ou faux ?

1. Juliette est serveuse.

2. Vincent est amoureux de Nathalie.

3. Juliette veut rester avec Vincent.

4. Karim invite des copains samedi soir.

5. Nathalie invite Juliette chez Karim.

❷ Dialogue B : Qu'est-ce qui va ensemble ?

1. Nathalie

2. Anaïs

3. Jonas

4. Les parents d'Anaïs

a. C'est un très bon acteur.

b. Tout le monde la cherche.

c. Il va au centre commercial.

d. Ils ne sont jamais à la maison.

e. Elle va au commissariat de police.

f. Elle est au rayon des bandes dessinées.

Observez et répétez

▶ **Les sons [ɛ̃] et [ã]** 📼

3 Classez les adjectifs.

	[ɛ̃]	[ã]
Nathalie, c'est la plus sympa.	…	…
Sami, c'est le plus gentil.	…	…
Jonas, c'est le plus grand.	…	…
Vincent, c'est le plus intéressant.	…	…
Juliette, c'est la plus inquiète.	…	…
Patrick, c'est le plus simple.	…	…
Karim, c'est le plus malin.	…	…
Qui est le plus châtain ?	…	…

▶ **Les mélodies** 📼

4 Écoutez et répétez.

– Qu'est-ce qu'il joue bien, Jonas !
– Oui, c'est le plus fort.
– Qu'est-ce qu'elle est gentille, Nathalie !
– Oui, c'est la plus sympa des copines.
– Qu'est-ce qu'il est sympa, ce bistrot !
– Oui, c'est le moins cher du quartier.

À VOUS ! **5** À deux, imaginez d'autres exclamations.

Exprimez-vous

À VOUS ! **6** Lisez ces annonces.
Puis écrivez une annonce pour vous présenter.

– Dame sympathique, 35 ans, grande, brune, sans emploi, aimerait rencontrer homme gentil, 45-55 ans, grand et sportif, bonne profession pour belle vie à deux.

– Homme, 32 ans, divorcé, un enfant de cinq ans, ingénieur, très sportif cherche jolie femme de 30 ans et gentille maman pour vivre à trois.

 À VOUS ! **7** Nathalie téléphone aux parents d'Anaïs. À deux, imaginez le dialogue et jouez la scène.

Embouteillages

Savoir-faire
• comprendre et rédiger un texte informatif
• S'excuser dans une situation formelle et se justifier

Vocabulaire
• les bâtiments d'une ville
• expression de la chronologie
• expressions pour s'excuser

Grammaire
• le futur simple
• la négation
• l'interrogation : préposition + qui
• le verbe *savoir*

 ## *Demain, on roulera encore en voiture !*

ILS BOUGENT,
ILS BOUGENT LES FRANÇAIS.

La France a toujours su innover dans les transports : hier, avec le Concorde et le TGV, aujourd'hui avec les nouveaux tramways. Mais la voiture reste le moyen de transport préféré des Français ! Il faut limiter la circulation dans les villes à cause de la pollution et des embouteillages. La voiture aussi doit évoluer. Dans les prochaines années, elle sera moins polluante et plus « intelligente ». Elle aura sans doute un moteur électrique, et aussi un ordinateur capable de donner des informations sur les embouteillages à son chauffeur.

**Demain, on roulera...
elle sera...
elle aura...
La France a toujours su innover...**

❶ Lisez le texte. Vrai ou faux ?

1. Le moyen de transport préféré des Français, c'est la voiture.
2. Il n'y a pas beaucoup de circulation dans les villes.
3. Il faut limiter la circulation à cause de la pollution.
4. Avec son ordinateur, la voiture de demain sera « intelligente ».

❷ C'est dans le texte. Complétez la colonne de droite :

Aujourd'hui,	Demain,
on roule en voiture,	on roulera encore en voiture.
la voiture est très polluante,	la voiture… moins polluante.
elle a un moteur polluant,	elle… un moteur électrique.
la radio donne des informations sur les embouteillages,	l'ordinateur … des informations au chauffeur.

Quand la province donne le bon exemple…

RENNES Priorité aux piétons !

Les touristes sont tranquilles : ils peuvent visiter la ville à pied. La municipalité a interdit le centre-ville aux voitures : elle a créé des places de parking et développé les transports en commun. Bientôt, le visiteur fatigué pourra prendre le nouveau métro moderne, silencieux et non polluant. Pour les plus sportifs, la ville de Rennes a créé des pistes cyclables.

Le centre-ville est interdit aux voitures…
Le visiteur fatigué pourra prendre…

LA ROCHELLE On roule à l'électricité !

Le tramway ne pollue pas, mais il roule à heures fixes et ne va pas partout. La voiture est plus pratique, mais elle pollue ! La municipalité de La Rochelle a trouvé la solution : elle met des voitures électriques à la disposition des visiteurs.

❸ Qu'est-ce que les deux municipalités ont fait pour limiter la pollution dans le centre-ville ?

– Rennes a …
– La Rochelle …

❹ Rédigez un petit texte comme dans l'exemple pour donner des informations sur votre ville.

« Dans ma ville, il y a beaucoup de circulation. Le soir, à 17 heures, il y a des embouteillages partout. Au centre-ville, il n'y a pas assez de places de parking. Il n'y a pas beaucoup de pistes cyclables… »

Découvertes

③ Je suis désolée !

LA SECRÉTAIRE :	Bonjour, madame. Vous avez rendez-vous avec qui ?
MME GIRAUD :	Bonjour, madame, j'ai rendez-vous avec le directeur technique, monsieur Meyer.
LA SECRÉTAIRE :	Vous êtes madame… ?
MME GIRAUD :	Yvette Giraud. Je suis en retard, je suis désolée.
LA SECRÉTAIRE :	Monsieur le directeur a attendu une dizaine de minutes, puis il est sorti. Il sera de retour dans une heure, une heure et demie.
MME GIRAUD :	Est-ce qu'il pourra me recevoir ?
LA SECRÉTAIRE :	Je ne sais pas. Il doit recevoir des clients à 11 h 30.
MME GIRAUD :	Vraiment, je suis très ennuyée. J'ai pris un taxi, mais ce matin, il y a des embouteillages partout.
LA SECRÉTAIRE :	Je sais bien. La circulation dans le centre-ville est impossible.
MME GIRAUD :	À qui est-ce que je peux parler ? C'est pour le moteur électrique de notre nouvelle voiture, la Z 22. J'ai des plans, j'ai des photos…
LA SECRÉTAIRE :	Attendez… Pour qui sont les plans et les photos ?
MME GIRAUD :	Pour monsieur Meyer.
LA SECRÉTAIRE :	J'appelle un de ses ingénieurs, monsieur Ménard.
MME GIRAUD :	Merci.

⑤ Écoutez le dialogue et choisissez la bonne réponse.

1. Mme Giraud a rendez-vous avec
  un ingénieur, M. Ménard.
  le directeur technique, M. Meyer.
  la secrétaire.

2. Mme Giraud arrive à son rendez-vous
  en avance.
  à l'heure.
  en retard.

3. Le directeur technique est
  dans son bureau.
  sorti.
  au café.

4. Mme Giraud veut
  faire des photos.
  parler du moteur électrique
  d'une nouvelle voiture.
  acheter une voiture électrique.

> Vous avez rendez-vous avec qui ?
> À qui est-ce que je peux parler ?
> Pour qui sont les plans ?

⑥ Trouvez les questions.

J'ai rendez-vous avec le directeur.

➜ *Avec qui est-ce que vous avez rendez-vous ?*

1. J'ai parlé au directeur technique.

2. J'ai travaillé pour mon professeur.

3. Nous avons voyagé avec nos collègues.

4. Il téléphone à ses clients.

⑦ Repérez les excuses de Mme Giraud.

À VOUS ! **⑧ Vous arrivez en retard** (au travail, à votre cours de français, à un rendez-vous, etc.). À deux, préparez des excuses et expliquez la cause de votre retard. Jouez ensuite la scène.

VOCABULAIRE

UN QUARTIER

A	l'office du tourisme
B	l'université
C	le pont
D	l'école
E	la place
F	la mairie
G	l'avenue
H	la zone piétonne
I	la rue
J	le château
K	le parc
L	la poste
M	le carrefour
N	la gare
O	l'église
P	l'hôpital
Q	le musée
R	le chantier
S	la station de bus

boulangerie   fruits et légumes   librairie   vêtements   pharmacie

boucherie   poissonnerie   restaurant   chaussures

❶ **Regardez le plan. Où se trouvent :**
le carrefour, le musée, la mairie, l'école… ?

❷ **Repérez les magasins. Qu'est-ce qu'on y**
achète ?

LES MOTS DU FUTUR

C'est bientôt Noël.

Aujourd'hui, nous sommes le 15 décembre :

demain, nous serons le 16 décembre,

après-demain, nous serons le 17.

Dans une semaine, nous serons le 22 décembre,

et dans un mois nous serons le 15 janvier.

Ce sera déjà l'année prochaine.

À VOUS !   ❸ **Vous êtes à la gare. Vous voulez**
aller à l'Office du tourisme. Vous
demandez votre chemin à quelqu'un. À deux,
jouez la scène.

❹ **Vous le savez déjà ? Qu'est-ce que vous ferez…**

demain   dans un mois

après-demain   dans un an / une année

la semaine prochaine   dans 8 jours

le mois prochain   bientôt

l'année prochaine   lundi prochain

dans une semaine

Aller en vacances ; parler français ; faire un stage ;
être directeur ; avoir un enfant ; faire du théâtre ;
acheter une maison ; ne plus travailler ;
aller au cinéma.

❺ **Choisissez la phrase correcte. C'est utile !**

Quand vous êtes en colère, vous dites :

        Excuse-moi !

        Je suis désolé(e).

        Tu exagères !

Quand vous êtes en retard, vous dites :

        C'est impossible !

        Je vous prie de m'excuser.

        Il faut me recevoir.

GRAMMAIRE

CONJUGAISON : LE FUTUR SIMPLE

aimer	**finir**
J'aimer**ai**	Je finir**ai**
Tu aimer**as**	Tu finir**as**
Il / elle aimer**a**	Il / elle finir**a**
Nous aimer**ons**	Nous finir**ons**
Vous aimer**ez**	Vous finir**ez**
Ils / elles aimer**ont**	Ils / elles finir**ont**

• Tous les verbes, réguliers ou non, ont les mêmes terminaisons : **-ai**, **-as**, **-a**, **-ons**, **-ez**, **-ont**.

 Beaucoup de verbes ont un radical différent au futur, mais les terminaisons sont les mêmes que pour les verbes réguliers.

avoir	➜	j'aurai, tu auras, etc.
être	➜	je serai, tu seras, etc.
aller	➜	j'irai, tu iras, etc.
faire	➜	je ferai, tu feras, etc.
venir	➜	je viendrai, tu viendras, etc.
pouvoir	➜	je pourrai, tu pourras, etc.
vouloir	➜	je voudrai, tu voudras, etc.
devoir	➜	je devrai, tu devras, etc.
falloir (il faut)	➜	il faudra
pleuvoir (il pleut)	➜	il pleuvra
envoyer	➜	j'enverrai, tu enverras, etc.

L'EMPLOI DU FUTUR SIMPLE

• En général, on emploie le **futur simple** pour les événements à venir.

*Demain, il **fera** beau dans le nord de la France.*
*Dans 20 ans je ne **travaillerai** plus.*

❶ Mettez les verbes entre parenthèses au futur simple.

1. Dans une semaine, nous (être) en vacances.
2. Il y (avoir) ma famille et mes amis.
3. Nous (faire) beaucoup de cuisine.
4. Nous (aller) faire les courses dans la ville voisine.
5. Nos amis (partir) en promenade.
6. Il ne (pleuvoir) pas.
7. Et vous, au bureau, vous (attendre) mon retour.
8. Hélas, mes vacances (finir) le 31 août !

 À VOUS ! **❷ À deux, faites des projets. Utilisez je serai et les mots pour indiquer le futur.**

Aujourd'hui je suis ici. (à Paris) ➜ *L'année prochaine je serai à Paris.*

1. Cette semaine je travaille. (en vacances)
2. En ce moment, je n'ai pas de travail. (en stage)
3. Je commence à travailler lundi. (responsable de rayon)
4. Je fais des études. (employé de bureau)
5. Je pars en déplacement. (de retour)

CONJUGAISON : SAVOIR

	indicatif		impératif
présent	futur simple	passé composé	présent
Je sais	Je saurai	J'ai su	
Tu sais	Tu sauras	Tu as su	Sache
Il / elle sait	Il / elle saura	…	
Nous savons	Nous saurons		Sachons
Vous savez	Vous saurez		Sachez
Ils / elles savent	Ils / elles sauront		

 Attention à la construction du verbe savoir :
Je sais que tu viendras.
Je sais faire du ski.
Je sais l'anglais.
Je saurai parler français.

❸ Complétez avec des formes de savoir.

Je ne (passé composé) jamais le nom de mon voisin.
➜ *Je n'ai jamais su le nom de mon voisin.*

1. Demain, je le (futur proche).
2. Je (présent) que c'est un nom anglais. C'est tout.
3. Je travaille beaucoup : l'année prochaine, je (futur simple) le français.
4. Mes enfants ne (présent) pas encore écrire, mais ils (futur proche) bientôt compter.
5. – Vous (présent) son âge ? – Non, nous ne le (passé composé) jamais et nous ne le (futur simple) jamais.
6. Je suis désolé, mais je ne (présent) rien. Et toi, tu (présent) quelque chose ?

GRAMMAIRE

RAPPELEZ-VOUS : LA NÉGATION

forme interrogative	forme négative	
Hervé aime les fruits ?	Non, il **n'**aime **pas** les fruits.	ne … pas
Tu manges de la viande ?	Non, je **ne** mange **pas** de viande.	ne … pas de
Tu as écrit une lettre ?	Non, je **n'**ai **pas** écrit de lettre.	ne … pas de
Vous allez souvent au cinéma ?	Non, je **ne** vais **jamais** au cinéma.	ne … jamais
Il est toujours à l'heure ?	Non, il **n'**est **jamais** à l'heure.	ne … jamais
Vous travaillez encore à minuit ?	Non, à minuit, je **ne** travaille **plus**.	ne … plus
Vous avez déjà choisi ?	Non, je **n'**ai **pas encore** choisi.	ne … pas encore
Tu as tout compris ?	Non, je **n'**ai **rien** compris.	ne … rien
Tu as dit quelque chose ?	Non, je **n'**ai **rien** dit.	ne … rien
Tu as parlé à tout le monde ?	Non, je **n'**ai parlé à **personne**.	ne … personne
Quelqu'un a téléphoné ?	Non, **personne n'**a téléphoné.	personne ne …
Quelque chose est arrivé ?	Non, **rien** n'est arrivé.	rien ne …

❹ Construisez des phrases comme dans l'exemple. Utilisez le passé composé.

Écrire / nous / jamais ➜ *Nous n'avons jamais écrit.*

1. Vous / rencontrer / jamais Alain
2. Les enfants / manger / rien
3. Tu / danser / jamais
4. Vos amis / téléphoner / jamais
5. Mes parents / voyager / jamais
6. Nous / décider / rien
7. Vous / inviter / personne

❺ Répondez aux questions. Utilisez la forme négative.

Avez-vous écrit une lettre ? (pas)
Non, je n'ai pas écrit de lettre.
Tu as envoyé un petit mot à Sandrine ? (jamais)
Non, je n'ai jamais envoyé de petit mot à Sandrine.

1. Est-ce que tu as consulté un médecin ? (jamais)
2. Est-ce que tu as envoyé un CV ? (jamais)
3. Tu as préparé un dessert ? (pas)
4. Est-ce que les enfants ont raconté une histoire ? (pas)
5. Est-ce que Bruno a acheté un VTT ? (pas)

L'INTERROGATION AVEC QUI

– Qui est Mme Giraud ? – C'est une cliente.

– Qui a rendez-vous avec le directeur technique ?
– Mme Giraud.

– Mme Giraud a rencontré qui ? – M. Ménard.

– Mme Giraud a rendez-vous avec qui ?
– Avec qui Mme Giraud a rendez-vous ?
– Avec qui est-ce que Mme Giraud a rendez-vous ?
– Avec M. Meyer.

– Mme Giraud parle à qui ?
– À qui parle Mme Giraud ?
– À la secrétaire.

– Les photos sont pour qui ?
– Pour qui sont les photos ?
– Pour M. Meyer.

• On emploie le pronom interrogatif **qui** pour poser des questions sur une personne.

• **Qui** peut s'employer seul ou précédé des prépositions : à, de, avec, pour, etc.

❻ Reliez les éléments qui vont ensemble.

1. Vous êtes invités chez qui ?
2. Vous avez répondu à qui ?
3. Vous travaillez pour qui ?
4. Vous êtes sorti après qui ?

a. À un journaliste.
b. Chez des amis de mon frère.
c. Je suis sorti après mes collègues.
d. Pour une entreprise d'informatique.

ÇA ROULE !

LE DIRECTEUR : (*Au téléphone.*) Je suis désolé, cher monsieur, mais je ne pourrai pas vous recevoir la semaine prochaine, je serai à Tokyo.

ÉMILIE : Monsieur Dumont, le taxi vous attend ! Vous n'avez rien oublié ?

LE DIRECTEUR : Non ! À bientôt Émilie !

ÉMILIE : Bon voyage !
(*Il sort et monte dans le taxi.*)

LE DIRECTEUR : Vite, vite ! à l'aéroport Charles de Gaulle. Je suis pressé.

JOSEPH : Votre avion part dans combien de temps ?

LE DIRECTEUR : Dans deux heures.

JOSEPH : Ça va être difficile à cause des embouteillages.

LE DIRECTEUR : Je sais. Prenez le périphérique !

JOSEPH : Oui, mais je ne peux pas tourner à droite. Hé ho ! t'es pas un peu fou !

LE DIRECTEUR : Qu'est-ce que vous voulez, il y a trop de voitures !

JOSEPH : Tout à fait d'accord ! Vous savez, moi, le dimanche, je fais du vélo !

LE DIRECTEUR : Eh bien moi, monsieur, ma voiture, elle est au garage. Je me déplace seulement en avion !

Plus tard, à l'aéroport.

UNE CLIENTE : Vous êtes libre ?

JOSEPH : Oui. Vous allez où ?

LA CLIENTE : Au Paris-Lyon Palace, près de la gare de Lyon.

JOSEPH : Montez. Vous venez de loin ?

LA CLIENTE : Non, de Genève.

JOSEPH : Et vous avez apporté du chocolat ?

LA CLIENTE : (*Elle rit.*) Bien sûr, il y en a plein ma valise.

JOSEPH : Voilà, c'est ici ; ça fait 150 francs. Vous n'avez pas de monnaie ?

LA CLIENTE : Voilà, monsieur. (*La femme paie, sort du taxi et entre dans l'hôtel.*)

JOSEPH : Mais j'ai déjà vu cette femme !
(*Tout à coup, on entend dans le taxiphone :* Hé ! Joseph tu es là ? C'est Pierre ! Je te donne rendez-vous demain, au Paris-Lyon Palace, à 18 heures.)

JOSEPH : Un palace, moi ?

Écoutez

❶ Dialogue A : Répondez aux questions.

1. Qui est monsieur Dumont ? Imaginez sa profession.

2. Qui est Émilie ?

3. Où va monsieur Dumont ?

4. À votre avis, est-ce qu'il sera à l'heure à l'aéroport ? Pourquoi ?

5. Qu'est-ce que Joseph fait le dimanche ?

6. Est-ce que monsieur Dumont a une voiture ?

❷ Dialogue B : Répondez aux questions.

1. Où est-ce que la cliente de l'aéroport va ?

2. Elle vient d'où ?

3. Pourquoi est-ce que Joseph lui parle de chocolat ?

4. Est-ce que vous pensez qu'elle en a vraiment plein sa valise ?

5. Est-ce que Joseph connaît sa cliente ?

6. Où est-ce que Pierre donne rendez-vous à Joseph ?

Observez et répétez

▶ **Les sons [j], [ʒ] et [ʃ]** `[···]`

❸ **Monsieur et madame Dumont partent en voyage. Dans leur valise, ils mettent :**

	[j]	[ʒ]	[ʃ]
une jupe	…	*jupe*	…
un tailleur	…	…	…
des chaussures	…	…	…
une chemise	…	…	…
un gilet	…	…	…
un maillot de bain	…	…	…
des chaussettes	…	…	…
un pyjama	…	…	…

Classez les vêtements dans la bonne colonne.

▶ **Les mélodies** `[···]`

❹ **L'expression de la colère.**

– Vous êtes fou !

– Hé, ça va pas, non !

– Mais enfin, laissez-moi tranquille !

– Vous ne pouvez pas regarder devant vous !

– Tu ne peux pas faire attention !

❺ **Deux personnes sont en voiture.**

Le conducteur est en colère parce que :

– le passager lui donne des conseils ;

– le passager lui pose des questions.

À VOUS ! ⚡ **À deux, jouez la scène.**

Exprimez-vous

À VOUS ! ⚡ ❻ **Simulez la situation suivante : votre municipalité veut interdire la circulation des voitures dans le centre-ville. Tout le monde n'est pas d'accord.**

Contre :

– Les magasins auront moins de clients.

– Il n'y a pas assez de parkings près du centre-ville.

– La ville sera trop calme.

– …

Pour :

– Les gens seront tranquilles pour faire leurs courses.

– Les enfants ne devront plus faire attention à la circulation.

– Il y aura moins de pollution ; on pourra faire du vélo.

– …

Rythmes

1 Le calendrier

OBSERVEZ

▶ **Voici un calendrier français.**

L'année officielle commence en janvier et finit en décembre. Le dimanche est un jour férié (on ne travaille pas).

JANVIER

1	M	**JOUR DE L'AN** — 1
2	J	S. Basile ☾
3	V	Ste Geneviève
4	S	S. Odilon
5	D	**Epiphanie**
6	L	Ste Mélaine — 2
7	M	S. Raymond
8	M	S. Lucien
9	J	St Alix ☉
10	V	S. Guillaume
11	S	S. Paulin
12	D	Ste Tatiana
13	L	Ste Yvette — 3
14	M	Ste Nina
15	M	S. Rémi ☽
16	J	S. Marcel
17	V	Ste Roseline
18	S	Ste Prisca
19	D	S. Marius
20	L	S. Sébastien — 4
21	M	Ste Agnès
22	M	S. Vincent
23	J	S. Barnard
24	V	S. Fr. de Sales
25	S	Conv. S. Paul
26	D	Ste Paule
27	L	Ste Angèle ☾
28	M	S. Th. d'Aquin
29	M	S. Gildas
30	J	Ste Martine
31	V	Ste Marcelle ☾

FÉVRIER

1	S	Ste Ella
2	D	Présentation
3	L	S. Blaise — 6
4	M	Ste Véronique
5	M	Ste Agathe
6	J	S. Gaston
7	V	Ste Eugénie ☉
8	S	Ste Jacqueline
9	D	Ste Apolline
10	L	S. Arnaud — 7
11	M	**Mardi-Gras**
12	M	**Cendres**
13	J	Ste Béatrice
14	V	S. Valentin ☽
15	S	S. Claude
16	D	**Carême**
17	L	S. Alexis — 8
18	M	Ste Bernadette
19	M	S. Gabin
20	J	Ste Aimée
21	V	S. P.-Damien
22	S	Ste Isabelle ☾
23	D	S. Lazare
24	L	Ste Modeste — 9
25	M	S. Roméo
26	M	S. Nestor
27	J	Ste Honorine
28	V	S. Romain

MARS

1	S	S. Aubin
2	D	S. Charles le B. ☾
3	L	S. Guénolé — 10
4	M	S. Casimir
5	M	S. Olive
6	J	Ste Colette
7	V	Ste Félicité
8	S	S. Jean de Dieu
9	D	Ste Françoise ☉
10	L	S. Vivien — 11
11	M	Ste Rosine
12	M	Ste Justine
13	J	S. Rodrigue
14	V	Ste Mathilde
15	S	Ste Louise
16	D	Ste Bénédicte ☽
17	L	S. Patrice — 12
18	M	S. Cyrille
19	M	S. Joseph
20	J	**PRINTEMPS**
21	V	Ste Clémence
22	S	Ste Léa
23	D	**Rameaux**
24	L	Ste Cath. de Su. — 13 ☾
25	M	S. Humbert
26	M	Ste Larissa
27	J	S. Habib
28	V	S. Gontran
29	S	Ste Gwladys
30	D	**PÂQUES**
31	L	S. Benjamin ☾

AVRIL

1	M	S. Hugues — 14
2	M	Ste Sandrine
3	J	S. Richard
4	V	S. Isidore
5	S	Annonciation
6	D	S. Marcellin ☉
7	L	S. J.-B. d. l. Salle — 15
8	M	Ste Julie
9	M	S. Gautier
10	J	S. Fulbert
11	V	S. Stanislas
12	S	S. Jules
13	D	Ste Ida
14	L	S. Maxime — 16
15	M	S. Paterne
16	M	S. Benoît-Joseph
17	J	S. Anicet
18	V	S. Parfait
19	S	Ste Emma
20	D	Ste Odette
21	L	S. Anselme — 17
22	M	S. Alexandre
23	M	S. Georges
24	J	S. Fidèle
25	V	S. Marc
26	S	Ste Alida
27	D	**Jour du Souvenir**
28	L	Ste Valérie — 18
29	M	Ste Cath. de Si.
30	M	S. Robert ☾

MAI

1	J	**F. DU TRAVAIL**
2	V	S. Boris
3	S	SS. Phil., Jacques
4	D	S. Sylvain
5	L	Ste Judith — 19
6	M	Ste Prudence ☉
7	M	Ste Gisèle
8	J	**ASCENSION VICT. 45**
9	V	S. Pacôme
10	S	Ste Solange
11	D	**F. Jeanne d'Arc**
12	L	S. Achille — 20
13	M	Ste Rolande
14	M	S. Matthias
15	J	Ste Denise
16	V	S. Honoré
17	S	S. Pascal
18	D	**PENTECÔTE**
19	L	S. Yves — 21
20	M	S. Bernardin
21	M	S. Constantin
22	J	S. Émile
23	V	S. Didier
24	S	S. Donatien
25	D	**Fête des Mères**
26	L	S. Bérenger — 22
27	M	S. Augustin
28	M	S. Germain
29	J	S. Aymar
30	V	S. Ferdinand
31	S	Visitation

JUIN

1	D	**Fête-Dieu**
2	L	Ste Blandine — 23
3	M	S. Kévin
4	M	Ste Clotilde
5	J	S. Igor ☉
6	V	S. Norbert
7	S	S. Gilbert
8	D	S. Médard
9	L	Ste Diane — 24
10	M	S. Landry
11	M	S. Barnabé
12	J	S. Guy
13	V	S. Antoine de P.
14	S	S. Élisée
15	D	Ste Germaine
16	L	S. J.-F. Régis — 25
17	M	S. Hervé
18	M	S. Léonce
19	J	S. Romuald
20	V	S. Silvère
21	S	**ÉTÉ**
22	D	S. Alban
23	L	Ste Audrey — 26
24	M	S. Jean-Baptiste
25	M	S. Prosper
26	J	S. Anthelme
27	V	S. Fernand
28	S	S. Irénée
29	D	SS. Pierre, Paul
30	L	S. Martial — 27

JUILLET

1	M	S. Thierry
2	M	S. Martinien
3	J	S. Thomas
4	V	S. Florent ☉
5	S	S. Antoine
6	D	Ste Mariette
7	L	S. Raoul — 28
8	M	S. Thibaut
9	M	Ste Amandine
10	J	S. Ulrich
11	V	S. Benoît
12	S	S. Olivier ☽
13	D	SS. Henri, Joël
14	L	**F. NATIONALE**
15	M	S. Donald — 29
16	M	N.-D. Mt-Carmel
17	J	Ste Charlotte
18	V	S. Frédéric
19	S	S. Arsène
20	D	Ste Marina ☾
21	L	S. Victor — 30
22	M	Ste M.-Madeleine
23	M	Ste Brigitte
24	J	Ste Christine
25	V	S. Jacques
26	S	SS. Anne, Joach. ☾
27	D	Ste Nathalie
28	L	S. Samson — 31
29	M	Ste Marthe
30	M	Ste Juliette
31	J	S. Ignace de L.

AOÛT

1	V	S. Alphonse
2	S	S. Julien-Eymard
3	D	Ste Lydie ☉
4	L	S. J.-M. Vianney — 32
5	M	S. Abel
6	M	Transfiguration
7	J	S. Gaétan
8	V	S. Dominique
9	S	S. Amour
10	D	S. Laurent ☽
11	L	Ste Claire — 33
12	M	Ste Clarisse
13	M	S. Hippolyte
14	J	S. Evrard
15	V	**ASSOMPTION**
16	S	S. Armel
17	D	S. Hyacinthe
18	L	Ste Hélène — 34
19	M	S. Jean-Eudes
20	M	S. Bernard
21	J	S. Christophe
22	V	S. Fabrice
23	S	Ste Rose de Lima ☾
24	D	S. Barthélemy
25	L	S. Louis — 35
26	M	Ste Natacha
27	M	Ste Monique
28	J	S. Augustin
29	V	Ste Sabine
30	S	S. Fiacre
31	D	S. Aristide

SEPTEMBRE

1	L	S. Gilles — 36
2	M	Ste Ingrid
3	M	S. Grégoire
4	J	Ste Rosalie
5	V	Ste Raïssa
6	S	S. Bertrand
7	D	Ste Reine
8	L	Nativité N.-D. — 37
9	M	S. Alain
10	M	Ste Inès ☽
11	J	S. Adelphe
12	V	S. Apollinaire
13	S	S. Aimé
14	D	**La Sainte-Croix**
15	L	S. Roland — 38
16	M	Ste Edith ☾
17	M	S. Renaud
18	J	Ste Nadège
19	V	Ste Émilie
20	S	S. Davy
21	D	S. Matthieu
22	L	**AUTOMNE** — 39
23	M	S. Constant ☾
24	M	Ste Thècle
25	J	S. Hermann
26	V	SS. Côme, Damien
27	S	S. Vincent de Paul
28	D	S. Venceslas
29	L	S. Michel — 40
30	M	S. Jérôme

OCTOBRE

1	M	Ste Th. de l'E.-J. ☉
2	J	S. Léger
3	V	S. Gérard
4	S	S. Fr. d'Assise
5	D	Ste Fleur
6	L	S. Bruno — 41
7	M	S. Serge
8	M	Ste Pélagie
9	J	S. Denis ☽
10	V	S. Ghislain
11	S	S. Firmin
12	D	S. Wilfried
13	L	S. Géraud — 42
14	M	S. Juste
15	M	Ste Th. d'Avila
16	J	Ste Edwige ☾
17	V	S. Baudouin
18	S	S. Luc
19	D	S. René
20	L	Ste Adeline — 43
21	M	Ste Céline
22	M	Ste Élodie
23	J	S. Jean de C. ☾
24	V	S. Florentin
25	S	S. Crépin
26	D	S. Dimitri
27	L	Ste Émeline — 44
28	M	SS. Simon, Jude
29	M	Ste Narcisse
30	J	S. Bienvenue
31	V	S. Quentin ☉

NOVEMBRE

1	S	**TOUSSAINT**
2	D	**Défunts**
3	L	S. Hubert — 45
4	M	S. Charles
5	M	Ste Sylvie
6	J	Ste Bertille
7	V	Ste Carine ☽
8	S	S. Geoffroy
9	D	S. Théodore
10	L	S. Léon — 46
11	M	**ARMISTICE 1918**
12	M	S. Christian
13	J	S. Brice
14	V	S. Sidoine
15	S	S. Albert
16	D	Ste Marguerite ☾
17	L	Ste Élisabeth — 47
18	M	Ste Aude
19	M	S. Tanguy
20	J	S. Edmond
21	V	Prés. Marie
22	S	Ste Cécile ☾
23	D	S. Clément
24	L	Ste Flora — 48
25	M	Ste Catherine L.
26	M	Ste Delphine
27	J	S. Séverin
28	V	S. Jacques de la M.
29	S	S. Saturnin
30	D	**Avent**

DÉCEMBRE

1	L	Ste Florence — 49
2	M	Ste Viviane
3	M	S. Xavier
4	J	Ste Barbara
5	V	S. Gérald
6	S	S. Nicolas
7	D	S. Ambroise ☽
8	L	Imm. Concept. — 50
9	M	S. Pierre-Fourier
10	M	S. Romaric
11	J	S. Daniel
12	V	Ste J.-F. Chantal
13	S	Ste Lucie
14	D	Ste Odile ☾
15	L	Ste Ninon — 51
16	M	Ste Alice
17	M	S. Gaël
18	J	S. Gatien
19	V	S. Urbain
20	S	S. Abraham
21	D	**HIVER** ☾
22	L	S. Fr.-Xavière — 52
23	M	S. Armand
24	M	Ste Adèle
25	J	**NOËL**
26	V	S. Étienne
27	S	S. Jean
28	D	SS. Innocents
29	L	S. David ☉
30	M	S. Roger
31	M	S. Sylvestre

RÉPONDEZ

▶ **Et dans votre pays ?**
Quand commence et finit l'année officielle ?
Quel est le jour férié hebdomadaire ?

▶ **Regardez le calendrier, repérez et classez les fêtes.**

Fêtes religieuses :	*Noël…*
Fêtes commémoratives :	*14 juillet…*
Autres fêtes :	*(le) jour de l'an…*

▶ **Quel mois a beaucoup de fêtes ?**

▶ **Complétez le tableau avec les fêtes de votre pays.**

LES VACANCES SCOLAIRES

L'école et les vacances influencent beaucoup la vie collective.
En France, il y a trois zones géographiques pour les vacances scolaires.
Les dates de début et de fin de vacances sont différentes.
La rentrée des classes a lieu pour tout le monde début septembre.
Il y a des vacances :
– **en automne** : deux semaines fin octobre, début novembre ;
– **en hiver** : deux semaines à Noël, fin décembre, début janvier, et deux semaines, fin février, début mars ;
– **au printemps** : deux semaines en avril, mai ;
– **en été** : l'année scolaire se termine fin juin. Les grandes vacances commencent.

2 Les grandes manifestations culturelles et sportives

Le Festival international de cinéma de Cannes en mai.
Ce rendez-vous culturel et industriel a lieu tous les ans ; les grandes vedettes du monde entier viennent à Cannes. Monter les marches du palais du Cinéma, c'est le rêve de tous les jeunes espoirs du septième art !

Le tournoi de tennis de Roland-Garros en juin.
C'est une compétition internationale prestigieuse.
Elle a lieu à Paris, au stade Roland-Garros.

Le Tour de France en juillet.
Depuis 1903, c'est un événement sportif très populaire.

Toutes les fêtes ne sont pas dans le calendrier.

Aujourd'hui, on célèbre de nouveaux événements culturels comme la journée de la musique, en juin, les journées du patrimoine, en septembre.
Le palais de l'Élysée à Paris, résidence du président de la République française est ouvert au public une fois par an, à l'occasion de la journée du patrimoine.

RÉPONDEZ

▶ Quelles manifestations françaises sportives ou culturelles est-ce que vous connaissez ?

▶ Dans votre pays, quelles sont les manifestations sportives ou culturelles importantes ?

civilisation

3 Les gâteaux de fête

La bûche à Noël, *la galette des Rois à l'Épiphanie*,
les crêpes à la Chandeleur (le 2 février). Bon appétit !
À la Chandeleur, on célèbre la fin du mois le plus froid de l'année.
La crêpe représente le soleil, le bonheur, la prospérité.

VOICI UNE RECETTE DE CRÊPES.

INGRÉDIENTS
250 g de farine
2 œufs
0,5 l de lait
une pincée de sel
2 cuillères à soupe d'eau
facultatif : un verre de bière

PRÉPARATION

1. Mettez la farine avec un peu de sel dans un saladier.

4. Laissez reposer la pâte à crêpes 1 heure.

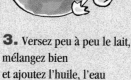

2. Faites un trou pour les œufs et cassez-les l'un après l'autre.

5. Et maintenant, pour être riche toute l'année, tenez une pièce d'or dans une main, faites cuire la pâte dans la poêle et faites sauter la crêpe !

3. Versez peu à peu le lait, mélangez bien et ajoutez l'huile, l'eau et le verre de bière (facultatif).

▶ **Écrivez la recette d'un gâteau traditionnel de votre pays. Ingrédients... Préparation...**

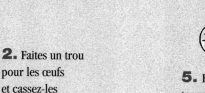 **À quels noms de mois correspondent ces dessins ?**

février

juillet

avril

novembre

Partie 4
Alors, raconte...

Unité 13
Souvenirs d'enfance
- Découvertes   124
- Boîte à outils   127
- Paroles en liberté
  AU PARIS-LYON PALACE   130

Unité 14
Histoires vraies
- Découvertes   132
- Boîte à outils   135
- Paroles en liberté
  SOUVENIRS...   138

Bilan   140

Unité 15
Une journée à Paris
- Découvertes   142
- Boîte à outils   145
- Paroles en liberté
  À TRAVERS PARIS...   148

Unité 16
Dénouement
- Découvertes   150
- Boîte à outils   153
- Paroles en liberté
  C'EST LA FÊTE !   156

Civilisation
Paris, capitale   158

Souvenirs d'enfance

Savoir-faire
- parler de soi : raconter des événements au passé et les situer dans le passé

Vocabulaire
- mots pour exprimer les sentiments

Grammaire
- l'imparfait
- l'opposition imparfait / passé composé
- *il y a*
- la subordonnée temporelle avec *quand*
- le verbe *connaître*

❶ C'était en été...

– Hélène… attendez. Vous dites Hélène. Oui, il y a 15 ans peut-être…
C'était en été. J'étudiais encore. Je passais mes vacances chez une tante.
Je faisais des promenades dans la campagne, j'écrivais, je lisais, je rêvais…
Je prenais ma guitare et jouais des airs à la mode. Mon oncle et ma tante travaillaient
et ils n'étaient presque jamais à la maison. J'étais donc souvent seul. Et il y avait Hélène.
C'était la fille des voisins, très belle, les cheveux et les yeux noirs. Nous avions le même âge.
Je pense que je l'aimais un peu… Mais elle et moi, nous étions très timides.
Elle s'appelait Hélène Aubertin…

– Eh bien Rémi, elle s'appelle toujours Hélène Aubertin.
Cher ami, vous étiez en vacances avec votre futur chef !
Elle commence lundi prochain.

> C'était l'été.
> J'étudiais.
> **Mon oncle et ma tante travaillaient.**
> **Nous avions le même âge.**
> **Vous étiez en vacances.**

❶ ▭ **Écoutez le dialogue.**

1. Qui est Hélène Aubertin ?
2. Qui parle ?
3. Où est-ce qu'il était il y a 15 ans ?

❷ **Décrivez les vacances de Rémi, utilisez l'imparfait.**

Il passait ses vacances chez une tante,
il faisait… **Continuez.**

Fanny Ardant, actrice

À 17 ans, je suis partie de chez moi. J'avais envie de jouer, mais au théâtre plus qu'au cinéma.

Pour gagner ma vie, je travaillais comme secrétaire du directeur du festival Mozart d'Aix-en-Provence. J'allais aux répétitions. Je pense à la répétition de *Don Juan*. Je voyais les ténors et j'écoutais leurs voix. Je pensais : « Un jour, je serai comme eux, sur la scène. » J'en étais sûre. La certitude des fous.

J'ai commencé à suivre des cours, et puis, il y a eu les premiers engagements. Maintenant, quand les jeunes viennent me demander des conseils, je leur dis : « Il faut aimer ce métier. Et il faut beaucoup travailler. »

Fanny Ardant avec le cinéaste François Truffaut.

Je suis partie... J'avais envie de jouer... Je travaillais... J'allais... Je voyais... J'écoutais... Je pensais... J'ai commencé à... Il y a eu...

❸ Lisez le texte et répondez aux questions.

1. À quel âge Fanny Ardant est partie de chez elle ?

2. Qu'est-ce qu'elle avait envie de faire ?

3. Pour qui est-ce qu'elle travaillait comme secrétaire ?

4. Qu'est-ce qu'elle faisait aux répétitions ?

5. Quel conseil est-ce qu'elle donne aujourd'hui aux jeunes ?

❹ Classez les verbes du texte qui indiquent le présent, le passé, le futur.

Présent	Passé	Futur
	Imparfait / Passé composé	

❺ Dans la colonne « passé » : quel temps indique un événement ou une action ? Quel temps indique une situation ou des circonstances ?

❻ Racontez la vie de Fanny Ardant.

À 17 ans, elle est partie de chez elle...

Continuez.

À VOUS ! ➤ **❼ Plaisir de la conversation : en groupe, parlez de vous, racontez votre vie (jeunesse, études, profession, etc.).**

③ *Rencontre*

RÉGINE : Alain !

ALAIN : Régine ! Quelle surprise !

RÉGINE : Tu habites toujours à Paris ?

ALAIN : Non, j'habite à Montpellier maintenant. Je suis à Paris pour mon travail.
Je viens assez souvent.

RÉGINE : Tu es journaliste, c'est ça ? Quand je t'ai connu à la fac,
tu rêvais d'être grand reporter.

ALAIN : Eh bien non ! J'ai commencé à faire du journalisme, mais
j'ai arrêté il y a deux ans. Je suis marié et je suis papa.

RÉGINE : Ah, tu es marié ?

ALAIN : Oui. Et ma femme est de Montpellier. Elle ne voulait pas quitter
sa région pour vivre à Paris. Alors, je suis parti là-bas.
On habite à la campagne, à 10 kilomètres du centre.

RÉGINE : À la campagne, toi ! Mais tu détestais la campagne !

ALAIN : Oui, c'est vrai. Mais je suis tombé amoureux de la région.

RÉGINE : Et de ta femme !

ALAIN : Tu connais le Midi ?

RÉGINE : Non, tu sais que je ne voyage pas.

ALAIN : Et toi, qu'est-ce que tu fais ?

RÉGINE : Tu me connais. Je n'ai pas changé.
Je suis toujours libraire et célibataire.

**Quand je t'ai connu à la fac,
tu rêvais d'être reporter…
… j'ai arrêté il y a deux ans.
Elle ne voulait pas quitter sa
région… Alors je suis parti…
Tu me connais.**

❽ **Écoutez le dialogue. Vrai ou faux ?**

1. Alain a fait ses études avec Régine.

2. Alain est un grand reporter.

3. Sa femme rêvait de vivre à Paris.

4. Alain et sa femme habitent à la
campagne.

5. Régine n'est pas mariée.

❾ **Régine écrit à une amie. Dans sa lettre, elle
lui parle d'Alain.**

*« Hier, j'ai rencontré Alain dans un café. Il…, mais
maintenant il… »*

Continuez la lettre.

VOCABULAIRE

ÇA ME FAIT RÊVER !

Qu'est-ce qui vous fait rêver ?

La musique me fait rêver.

Écouter de la musique, ça me fait rêver.

La mer, ça me fait rêver.

Ça me fait rêver de regarder la mer.

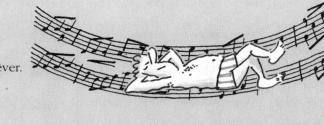

Qu'est-ce qui vous fait plaisir ?

Les cadeaux me font plaisir.

Faire des cadeaux à mes amis,
ça me fait plaisir.

Les lettres d'amour, ça me fait plaisir.

Ça me fait plaisir de lire
des lettres d'amour.

Les compliments
me font plaisir.

Faire des
compliments,
ça me fait plaisir.

Qu'est-ce qui vous fait peur ?

La guerre me fait peur.

Parler de la guerre, ça me fait peur.

Le chômage, ça me fait peur.

Ça me fait peur de penser au chômage.

❶ **À deux, faites des petits dialogues comme dans l'exemple.**

– *Qu'est-ce qui te fait plaisir ?*

➜ – *Les cadeaux, ça me fait plaisir.*

– *Et toi, qu'est-ce qui te fait plaisir ?*

➜ – *Ça me fait plaisir d'aller dans un bon restaurant.*

1. Qu'est-ce qui vous fait peur ?
2. Qu'est-ce qui vous fait rêver ?
3. Qu'est-ce qui vous fait plaisir ?

❷ **1. Pour trouver des idées, complétez le schéma.**

2. Racontez un souvenir d'enfance :

Quand j'étais petit(e), je… (vacances, école, amoureux…)

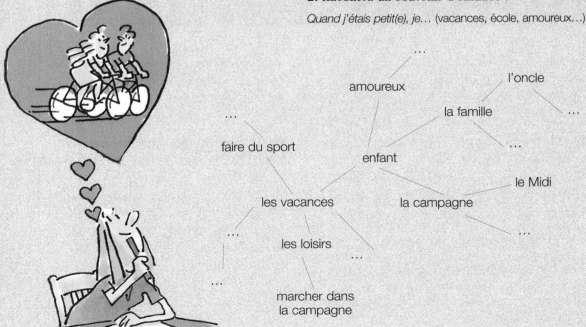

...

amoureux   l'oncle

...   la famille   ...

faire du sport   ...

enfant

les vacances   la campagne   le Midi

...   les loisirs   ...

...   ...

marcher dans
la campagne

GRAMMAIRE

CONJUGAISON : L'IMPARFAIT

aimer	finir	être
J'aim**ais**	Je finiss**ais**	J'ét**ais**
Tu aim**ais**	Tu finiss**ais**	Tu ét**ais**
Il / elle aim**ait**	Il /elle finiss**ait**	Il / elle ét**ait**
Nous aim**ions**	Nous finiss**ions**	Nous ét**ions**
Vous aim**iez**	Vous finiss**iez**	Vous ét**iez**
Ils / elles aim**aient**	Ils / elles finiss**aient**	Ils / elles ét**aient**

Les terminaisons sont les mêmes pour tous les verbes :

-ais, -ais, -ait, -ions, -iez, -aient.

• On forme l'imparfait sur le radical de la 1re personne pluriel du présent : nous **fais**-ons ➔ je **fais**-ais

voir	➔ nous voy-ons	➔ je voy-ais, nous voy-ions
avoir	➔ nous av-ons	➔ j'av-ais, nous av-ions
prendre	➔ nous pren-ons	➔ je pren-ais, nous pren-ions
manger	➔ nous mange-ons	➔ je mange-ais, nous mang-ions

être	➔	**j'étais**
il faut	➔	**il fallait**
il pleut	➔	**il pleuvait**

L'EMPLOI DE L'IMPARFAIT ET DU PASSÉ COMPOSÉ

Ces deux temps du passé sont complémentaires.

Pour raconter une histoire au passé, vous utilisez l'imparfait et le passé composé.

*Hier soir, j'**étais** dans ma chambre avec des copains et on **écoutait** de la musique.*

*Il **était** 11 heures   quand le téléphone **a sonné.***

*Je **suis allé(e)** répondre,*

*mais il n'y **avait** personne.   Il y **a eu** quatre coups de téléphone comme ça.*

Bizarre, non !

*Quand j'**étais** jeune,*

*je **faisais** toujours du jogging.*

*Je **jouais** aussi au tennis, mais,*

*   le 2 mars 1980, tout **a changé** :*

*   je **suis tombé** amoureux.*

• L'imparfait donne la situation, le cadre, les circonstances, les habitudes, les actions en train de s'accomplir.

• Le passé composé est le temps de l'événement, des actions achevées, qui ont eu lieu à un moment précis du passé.

---

❶ J'étais amoureux.

1. Remplacez je par il.

Il y a trois ans, en été, j'étais amoureux de Sylvie. J'allais au bistrot pour la rencontrer. Je lui écrivais des lettres d'amour. Puis, un jour, elle est partie à Paris.

2. Remplacez on par ils.

L'année dernière on travaillait trop. On sortait de la maison à 7 h et on rentrait à 8 h du soir. Le travail était très dur. On ne dormait pas bien. On n'avait pas le temps de faire du sport. Quand on est parti en vacances, on n'était pas en forme !

❷ Mettez les verbes entre parenthèses à la forme correcte. Utilisez le passé composé et l'imparfait.

Quand j'(avoir) 18 ans, je (rêver) de faire du théâtre. Pour gagner ma vie, je (travailler) comme vendeuse dans un grand magasin. Le soir, je (suivre) des cours. Un jour, un metteur en scène (venir) à l'école de théâtre. Il me (demander) de jouer dans sa pièce.

GRAMMAIRE

❸ Complétez avec l'imparfait ou le passé composé.

Quand je (être) enfant, je (détester) l'école. Je (préfé-rer) faire du vélo dans la campagne. Je (devoir) avoir 10 ans quand je (rencontrer) Jacques. Il (être) grand, il (avoir) les yeux bleus et il (porter) toujours un blouson noir. Jacques (aimer) l'école. Il (répéter) toujours : « Pour comprendre la vie, il faut étudier. » Un jour, il me (donner) un livre : ce (être) un roman de Jules Verne.

IL Y A + INDICATION DE TEMPS

– *Madame Dupont est à la maison ?*
– *Non, elle est partie **il y a** 5 minutes.*
*Je suis venue en France l'année dernière, **il y a** un an.*
***Il y a** 15 ans, j'étais étudiant.*

• ***Il y a** indique un moment dans le passé.*
Il y a une semaine, trois jours, deux heures, 5 minutes.

LA SUBORDONNÉE DE TEMPS AVEC QUAND

***Quand** j'étais étudiant, je n'aimais pas travailler.*
***Quand** il a vu Hélène, il est tombé amoureux.*
*Nous regardions la télé **quand** le téléphone a sonné.*
***Quand** vous viendrez à Paris, je vous inviterai à dîner.*
*Je mange **quand** j'ai faim.*

• ***Quand** peut être suivi d'un verbe au passé, au présent ou au futur.*

 ❹ À deux, faites des dialogues et utilisez il y a.

partir en vacances
➜ – *Quand est-ce que vous êtes parti(e) en vacances ?*
– *Je suis parti(e) en vacances il y a trois mois.*

1. aller au cinéma
2. acheter ce blouson
3. jouer au tennis
4. dîner au restaurant
5. aller chez le médecin
…

À VOUS ! **❺ À deux, complétez les phrases suivantes avec une subordonnée de temps.**

Tu me téléphoneras… ➜ *… quand tu seras en vacances.*

1. J'ai continué à travailler…
2. Nous buvons…
3. Tu m'écriras…
4. Je n'aimais pas l'école…
5. Nous déjeunions…

CONJUGAISON : CONNAÎTRE

indicatif		impératif
présent	**futur**	**présent**
Je connais	Je connaîtrai	
Tu connais	…	Connais
Il / elle connaît		
Nous connaissons		Connaissons
Vous connaissez		Connaissez
Ils / elles connaissent		
passé composé	**imparfait**	
J'ai connu	Je connaissais	

❻ Complétez par une forme de connaître.

Je (présent) votre frère. ➜ *Je connais votre frère.*

1. Je (passé composé) votre père quand il travaillait encore.
2. Est-ce que vous (présent) la peinture de Monet ?
3. Quand j'étais jeune, je (imparfait) très bien Paris.
4. Vous (futur) les Français quand vous saurez le français.
5. Est-ce que vous (imparfait) ce sport ?
6. Vous (présent) madame Dupont ?
7. Je ne (présent) personne ici.

Unité 13 — **Boîte à outils**

AU PARIS-LYON PALACE

DIALOGUE A

À la réception.

LE RÉCEPTIONNISTE : Voilà votre clé, madame Gauthier. Monsieur Mistral, vous avez trouvé vos bagages ?

JACQUES : Oui, quelqu'un les a montés.

LILIANE : Oh ! ma clé !

JACQUES : La voilà, madame !

LILIANE : C'est bizarre, mais votre nom… J'avais un ami quand j'étais petite, il venait d'Aix-en-Provence. Il s'appelait…

JACQUES : Mistral, comme moi !

LILIANE : Jacques ! C'est bien toi !

JACQUES : Liliane ! Mais tu étais blonde !

LILIANE : Les hommes préfèrent les brunes, c'est bien connu !

JACQUES : Bon alors, raconte, tu vis toujours à Genève ?

LILIANE : Oui. Il y a dix ans, j'ai monté une entreprise.

JACQUES : Chapeau ! Et tu vis seule ?

LILIANE : Oh ça ! Mon petit Jacques, tu es trop curieux !

DIALOGUE B

Quelques minutes plus tard, entre Martine.

JACQUES : Non, mais ! c'est Martine, tu n'as pas changé.

MARTINE : Jacques, c'est toi ? Liliane ! Non mais c'est pas vrai !

LILIANE : Alors Martine, tu fais toujours de la danse ? Tu étais petit rat à l'Opéra.

MARTINE : Non, la danse, le ballet, tout ça c'est fini. Je suis retournée à Toulouse.

JACQUES : Oui et puis ?

MARTINE : Je me suis mariée, et il y a quelques années, j'ai ouvert un petit bistrot.

LILIANE : Je me rappelle, tu aimais déjà faire la cuisine !

MARTINE : Et toi Jacques, toujours la tête dans les nuages ?

JACQUES : Plutôt dans le béton en ce moment.

LILIANE : C'est chouette d'être tous ensemble !

MARTINE : Oui, mais il manque quelqu'un.

JOSEPH : Plus maintenant !

Écoutez

❶ Dialogue A : Vrai ou faux ? Le réceptionniste raconte sa journée à sa femme. Quel texte est faux ?

1. Aujourd'hui, une cliente est arrivée de Genève. Je lui ai donné la clé de sa chambre. Puis un monsieur d'Aix-en-Provence est entré. Ils ont discuté. Ils ont ri, à cause de la couleur des cheveux de la dame. Quand il est parti, la dame n'avait plus la clé de sa chambre. Elle a eu peur ! Elle avait laissé son argent dans sa chambre !

2. Aujourd'hui, une cliente est arrivée de Genève. C'était une grande femme brune, très belle. Je lui ai donné la clé de sa chambre, mais la clé est tombée. Un client d'Aix-en-Provence a ramassé la clé et l'a donnée à la dame. La dame connaissait le nom du monsieur, le monsieur connaissait la dame. C'étaient des amis d'enfance !

À VOUS ! **❷ La femme du réceptionniste veut connaître tous les détails,** alors elle lui pose des questions. À deux, jouez la scène.

À VOUS ! **❸ Dialogue B : Pourquoi est-ce que Pierre a organisé ce rendez-vous ? Par petits groupes, imaginez les raisons de cette rencontre.**

Observez et répétez

▶ **Les sons [b] et [v]** •••

❹ **Classez les adjectifs dans la bonne colonne.**

Quand j'étais enfant, j'habitais dans une belle maison blanche aux volets verts. Ma chambre était vaste. Les rideaux et le couvre-lit étaient bleus, beiges et bordeaux, et les murs violets.

[b]	[v]
...	*verts*
...	...

▶ **Les mélodies** •••

❺ **L'expression de la surprise.**

– Jacques ! C'est bien toi ?

– Non mais ! c'est Martine !

– Liliane, c'est toi ! Non, mais c'est pas vrai !

– Mais tu étais blonde !

| À VOUS ! | ❻ **En petits groupes, jouez la scène à la réception du Paris-Lyon Palace.** |

Exprimez-vous

| À VOUS ! | ❼ **Vous êtes dans un avion. Votre voisin(e) prend place à côté de vous. Quelle surprise ! c'est un(e) ami(e) d'enfance. À deux, jouez la scène.** |

(Saluer, exprimer sa surprise, poser des questions, parler de son enfance, de son métier, de sa famille, de ses goûts, etc.)

❽ **Vous écrivez à un(e) ami(e).**

Vous lui parlez de votre amie d'enfance.

Histoires vraies

Savoir-faire
- raconter des événements

Vocabulaire
- les loisirs
- la description d'un logement

Grammaire
- les verbes pronominaux
- le passé récent : *venir de* + infinitif
- *être en train de*
- *depuis*
- le pronom relatif *qui*

L'amour de la nature

Les habitants des grandes villes qui veulent retrouver le calme et le contact avec la nature ont le choix : ils peuvent choisir une région de montagne, un parc au bord de la mer ou à la campagne. La France compte aussi beaucoup de parcs naturels qui accueillent les touristes pendant les mois d'été. Ces parcs sont très fréquentés et, malheureusement, les promeneurs ne respectent pas toujours la nature : ils font du bruit, ils quittent les chemins, et ils dérangent les animaux sauvages qui sont ici chez eux.

Les habitants des grandes villes qui veulent...
La France compte beaucoup de parcs qui accueillent...

❶ **Utilisez les éléments donnés pour décrire les promeneurs.**

| Les promeneurs | amoureux de la nature,
qui visitent le parc,
qui aiment les animaux, | recherchent le conctact avec la nature.
ont dérangé les animaux sauvages.
vont dans les parcs nationaux. |

Je viens de le louer... •••

– Agence « Soleil et Vacances », bonjour.
– Bonjour, mademoiselle. Je voudrais louer un appartement pour la deuxième semaine de juillet en montagne près de Chamonix.
– Oui. Pour combien de personnes ?
– Pour quatre.
– J'ai un studio à 1 300 francs la semaine.
– Nous sommes quatre adultes. Est-ce que vous avez un appartement avec deux chambres ?
– Je viens de louer le dernier, je suis désolée… Attendez…
Je suis en train de regarder sur l'ordinateur, je vais peut-être trouver quelque chose… Ah ! voilà, pour la deuxième semaine de juillet, j'ai un appartement qui vous plaira, dans un petit chalet. C'est au rez-de-chaussée. Il y a deux chambres avec un grand lit, un salon, une cuisine et une salle de bains avec douche… Ça vous intéresse ?
– Oui. Quel est le prix ?
– 2 900 francs la semaine.
– D'accord. Je le réserve.
– Très bien. Votre nom, s'il vous plaît.
– Chartier, Jacques.
– Votre adresse ?
– 45, rue Condorcet, 75009 Paris.
– Il faut confirmer votre réservation par écrit. Il me faut aussi un acompte de 1 000 francs, par chèque.

Les principaux parcs régionaux et nationaux de France

Boulonnais
Plaine de la Scarpe et de l'Escaut
Brotonne
Marais du Cotentin
Montagne de Reims
Vosges du Nord
Vexin
Normandie-Maine
Lorraine
Armorique
Chevreuse
Forêt d'Orient
Ballon des Vosges
Brière
Brenne
Morvan
Haut-Jura
Chamonix
Marais poitevin
Livradois-Forez
Chartreuse
Vanoise
Volcans d'Auvergne
Écrins
Vercors
Queyras
Landes
Grands Causses
Cévennes
Mercantour
Pyrénées occidentales
Haut-Languedoc
Luberon
Camargue
Corse

> **Je viens de louer le dernier…**
> **Je suis en train de regarder…**
> **Je vais peut-être trouver quelque chose… j'ai un appartement qui vous plaira…**

❷ ••• **Écoutez la conversation téléphonique et répondez aux questions.**

1. Jacques téléphone à qui ?
2. Pourquoi est-ce qu'il téléphone ?
3. Jacques cherche quelque chose pour combien de personnes ?
4. Il y a combien de chambres dans l'appartement du petit chalet ?
5. Quel est le prix de la location de l'appartement ?
6. Qu'est-ce qu'il faut faire pour confirmer la réservation ?

❸ **Passé, présent ou futur ? Classez les trois expressions suivantes :**

Je suis en train de regarder sur l'ordinateur.
Je vais peut-être trouver quelque chose.
Je viens de louer le dernier.

À VOUS ! ❹ **Vous téléphonez pour réserver une chambre ou un appartement pour le week-end prochain. À deux, préparez et jouez la scène.**

③ Une nuit dans un igloo

LE JOURNAL DES ALPES - DIMANCHE 15 FÉVRIER

Une nuit dans un igloo

Les élèves du collège Victor-Hugo à Orléans étaient en classe de neige à La Plagne depuis une semaine. Vendredi était leur dernier jour de ski. Vers 16 heures, Michel, un moniteur, a appelé les enfants. Simon n'était pas là. Personne ne savait où il était. Le moniteur s'est inquiété, il a téléphoné à la gendarmerie.

Imperfect

PASSÉ COMPOSÉ

Les secouristes ont commencé les recherches immédiatement, mais ils ont dû arrêter vers 19 heures à cause de la neige qui tombait. Hier matin, les recherches ont recommencé. Vers 8 heures, deux secouristes ont retrouvé Simon qui sortait de son igloo.
« Je viens de me lever », a dit Simon. « Hier, je me suis promené seul et je me suis perdu. Il était trop tard pour rentrer. Alors je me suis rappelé les conseils du moniteur : j'ai fait un igloo et je me suis installé là pour la nuit. »

Le moniteur s'est inquiété…
Je viens de me lever.
Je me suis promené seul…
Je me suis rappelé…
Je me suis installé là…

❺ Classez les informations :

– recherchez les personnages ;
– retrouvez les lieux et les indications de temps.

Qui	Où	Quand
les élèves du collège Victor-Hugo	*Orléans*	…
le moniteur	…	…

❻ Un journaliste pose des questions à Simon et au moniteur. Imaginez leurs réponses.

1. Simon, quel est le nom de ton collège ? Tu viens de quelle ville ?

2. Tu es à La Plagne depuis combien de temps ?

3. Quel était ton dernier jour de ski ?

4. Qu'est-ce que tu as fait quand la nuit est arrivée ?

5. À quelle heure est-ce que tu t'es levé ?

6. Michel, quand est-ce que vous avez appelé les enfants ?

7. Qu'est-ce que vous avez fait ?

8. À quelle heure est-ce que les secouristes ont dû arrêter ? Pourquoi ?

9. Simon, quand est-ce que les secouristes t'ont retrouvé ?

❼ Répondez aux questions.

1. À quelle heure est-ce que vous vous êtes levé(e) ce matin ?

2. Est-ce que vous vous êtes promené(e) dimanche dernier ?

3. Est-ce que vous vous êtes déjà perdu(e) ?

VOCABULAIRE

LOISIRS ET NATURE

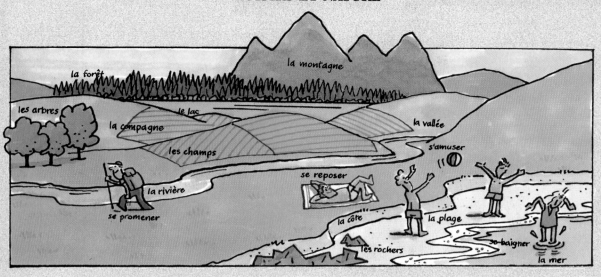

À la montagne

L'agence « Soleil et Vacances » loue des appartements dans des chalets et dans des immeubles.

Les appartements en location sont au rez-de-chaussée, au premier étage et au dernier étage. Les appartements du dernier ont une terrasse.

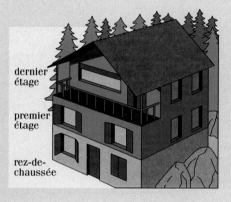

dernier étage

premier étage

rez-de-chaussée

À la mer

On peut louer une maison, un appartement ou un studio.

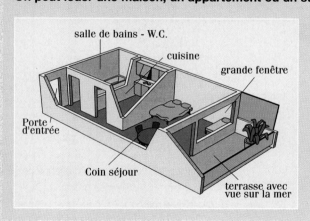

salle de bains - W.C.

cuisine

grande fenêtre

Porte d'entrée

Coin séjour

terrasse avec vue sur la mer

L'agence loue :

À 2 kilomètres de Collioure
GRAND STUDIO
pour deux adultes et un enfant

3e étage avec ascenseur
belle terrasse côté mer
salle de bains avec baignoire et WC
cuisine séparée
beau coin séjour
1 grand lit, 1 lit d'enfant

**1 700 francs par semaine
ou 300 francs par jour.**

À VOUS ! ❶ **Vous avez envie de passer une semaine au bord de la mer avec** un ou une ami(e). L'annonce de l'agence « Soleil et Vacances » dans le journal vous intéresse. À deux, préparez le dialogue par écrit et jouez la scène.

❷ **Vous avez deux semaines de vacances. Où allez-vous ? Pourquoi ?**

« Je choisis la campagne parce que j'aime le calme et parce que je veux me reposer. J'adore me promener dans les champs et me baigner dans les rivières. Je ne suis pas très sportif : je fais un peu de vélo… »

❸ **Décrivez votre appartement ou votre maison dans un petit texte. Vous pouvez aussi dessiner un plan et donner des explications.**

LE PRONOM RELATIF QUI

Il y a beaucoup de touristes. Les touristes visitent la région. ➜ *Il y a beaucoup de touristes **qui** visitent la région.*

Le touriste ne respecte pas la nature. Le touriste dérange les animaux. ➜ *Le touriste **qui** ne respecte pas la nature dérange les animaux.*

• **Qui** a la fonction de sujet dans une subordonnée relative.

❶ Transformez les phrases comme dans l'exemple.

La jeune femme est une collègue de ma sœur (cette jeune femme habite au premier étage). ➜ *La jeune femme qui habite au premier étage est une collègue de ma sœur.*

1. Les élèves du collège Victor-Hugo sont partis hier (ces élèves étaient en vacances à La Plagne).

2. On va poser des questions aux secouristes (ces secouristes ont trouvé Simon).

3. Les enfants ont un moniteur (ce moniteur s'appelle Michel).

4. Les promeneurs dérangent les animaux (ces animaux vivent dans les parcs naturels).

5. Les habitants des villes aiment passer leurs vacances en Bretagne (ils veulent retrouver le calme).

6. Myriam travaille dans un café (ce café organise des fêtes avant les vacances d'été).

CONJUGAISON : LES VERBES PRONOMINAUX

Infinitif : se promener

forme affirmative		forme négative	
indicatif présent	impératif présent	indicatif présent	impératif présent
Je me promène		Je ne me promène pas	
Tu te promènes	Promène-toi	Tu ne te promènes pas	Ne te promène pas
Il / elle se promène			
Nous nous promenons	Promenons-nous		Ne nous promenons pas
Vous vous promenez	Promenez-vous		Ne vous promenez pas
Ils / elles se promènent		Ils / elles ne se promènent pas	

• Le passé composé se forme toujours avec l'auxiliaire être. Attention à l'accord !

*Il s'est promen**é**.*   *Il ne s'est pas promen**é**.*

*Elle s'est promen**ée**.*   *Elle ne s'est pas promen**ée**.*

*Ils se sont promen**és**.*   *Ils ne se sont pas promen**és**.*

*Elles se sont promen**ées**.*   *Elles ne se sont pas promen**ées**.*

 Certains verbes peuvent avoir un emploi pronominal ou non :

Je me regarde dans la glace.   *Je regarde la télé.*

Je m'amuse.   *J'amuse les enfants.*

Pierre se promène seul.   *Pierre promène son chien.*

❷ **Mettez les verbes entre parenthèses à la forme correcte.**

1. – Ton collègue n'est pas là ?

– Non, il (se marier) cet après-midi.

– Ah ! bon ! Avec qui ?

– Tu (ne pas se rappeler) ? Son amie était là, la semaine dernière.

– Non. Je (ne pas se rappeler). Elle est comment ?

– Ah ! très sympa et très jolie. Elle (s'appeler) Carla. Elle est italienne.

2. – Ton frère n'est pas là ?

– Non. Il (se promener).

– Déjà ? Quand est-ce qu'il est sorti de l'hôpital ?

– Il y a deux semaines. Maintenant il va bien. Il (se lever) vers 8 h, (s'habiller) et il va se promener.

– C'est formidable ! En été il va recommencer à jouer au basket.

❸ **Transformez comme dans l'exemple.**

Vous voulez vous asseoir ? ➔ *Asseyez-vous !*

1. Tu veux t'habiller ?

2. Tu veux te laver ?

3. Vous voulez vous lever ?

4. Tu veux te promener ?

❹ **Mettez les verbes entre parenthèses à la forme correcte.**

1. – Pardon, madame, vous (s'appeler) comment ?

– Je (s'appeler) Jacqueline Perrin.

2. – Mademoiselle, vous (se promener) seule dans cette grande forêt ?

– Monsieur, ne (s'inquiéter) pas. Je connais très bien la région et je fais du judo.

3. Je vais quitter la ville et je (s'installer) à la campagne.

4. Excusez-moi, je ne (se rappeler) pas votre adresse.

5. C'était la fête hier ; tu (bien s'amuser) ?

6. – Vous avez passé de bonnes vacances au bord de la mer ?

– Non, il faisait trop froid et nous ne (se baigner) pas.

VENIR DE / ÊTRE EN TRAIN DE

passé récent
Il vient d'essayer un blouson.
présent
Il est en train de payer.

❺ **Transformer les phrases comme dans l'exemple.**

La femme de Jacques est sortie il y a une demi-heure. Elle fait des courses pour le dîner. ➔ *La femme de Jacques vient de sortir. Elle est en train de faire les courses pour le dîner.*

1. L'agence Soleil et Vacances a loué le dernier appartement il y a une heure. Le client téléphone à une autre agence.

2. Jacques a téléphoné à l'agence il y a une heure. Il écrit une lettre de confirmation.

3. Le train est arrivé il y a 5 minutes. Jacques cherche un taxi.

4. Annette a trouvé une belle veste il y a un quart d'heure. Elle l'essaie.

❻ **Lisez le dialogue.**

– À quelle heure est-ce que tu vas arriver dimanche ?

– Attends. Mon train arrive à 9 h 47. Je serai donc chez toi vers 10 h.

– D'accord. On déjeunera vers 1h de l'après-midi.

– Le soir, je prendrai le train à 18 h 17. J'arriverai chez moi vers 20 h.

Complétez avec à ou vers.

1. À quelle heure est-ce que Paul viendra chez nous ?

2. À quelle heure est-ce que tu es rentré hier ?

– … minuit. Les douze coups sonnaient à l'église.

3. Votre travail commence à quelle heure ?

– … 8 h 30, tous les jours.

4. Vous pensez que vous arriverez à l'heure à la fête ?

– Non, on arrivera … 21 h, pas avant.

Il est en train d'appeler un taxi.

SOUVENIRS…

DIALOGUE A

Le lendemain, après le petit déjeuner, tout le monde est réuni dans le petit salon de l'hôtel.

MARTINE : Liliane, tu te souviens, quand on était en colonie de vacances ?

LILIANE : Et comment ! on allait se baigner dans la rivière.

JACQUES : Quelle rigolade ! Et on faisait la course au trésor dans la forêt !

LILIANE : J'adorais ça. Je faisais équipe avec Pierre et nous étions toujours les premiers.

JOSEPH : Et moi, j'étais jaloux.

MARTINE : Depuis combien de temps on ne s'est pas vu ?

JACQUES : Depuis la dernière colo ? On avait 12 ans !

MARTINE : À propos de Pierre, pourquoi il n'est pas là ?

JOSEPH : C'est vrai, on ne sait pas où il est.

LE RÉCEPTIONNISTE : Monsieur Pierre Lacoste m'a demandé de vous remettre, à chacun, une enveloppe.

> *Rendez-vous tout à l'heure*
> *dans ce lieu magique.*
> *Pierre.*

DIALOGUE B

Les quatre amis essaient de comprendre le message.

MARTINE : Voyons ! Pour Joseph, c'est clair, lui qui chante toujours…

JOSEPH : Oui, mais c'est quelle note ?

LILIANE : C'est un mi.

JACQUES : Et la danseuse, c'est pour Martine.

MARTINE : Oui, c'est un petit rat. Alors ça fait rat-mi.

JOSEPH : Ou mi-rat. Et toi l'architecte, montre le dessin que tu as reçu.

LILIANE : C'est pas un dessin, c'est un symbole mathématique. C'est « pi ».

JOSEPH : Ben oui, tu étais le plus fort en maths.

MARTINE : Alors… rendez-vous à mi-rat-pi ou attends, je sais, je sais… heu rat-pi-mi… non, ça va pas.

LILIANE : Et la Joconde ? Pourquoi elle est là ?

JOSEPH : Elle n'est pas là. Elle est au Louvre.

MARTINE : Et puis elle ressemble à Liliane avec son sourire mystérieux.

JACQUES : Ah ! je viens de comprendre : rendez-vous à la pi-rat-mi-du Louvre (à la Pyramide du Louvre).

LILIANE : Un jeu ! Ça me rappelle de bons souvenirs !

Écoutez

❶ Dialogue A : Complétez.

MARTINE : Liliane, tu te souviens quand on était en colonie de … ?

LILIANE : On allait … dans la …

JACQUES : Quelle rigolade et on … la course au trésor dans …

LILIANE : J'adorais ça. On faisait équipe avec … et nous étions toujours les …

JOSEPH : Et moi … jaloux.

Dialogue B : Devinez. Où est-ce que les amis de Pierre ont rendez-vous ? Regardez les dessins de ses messages et faites des hypothèses.

Observez et répétez

▶ **Les oppositions de sons : [b] et [p], [g] et [k], [d] et [t], [v] et [f], [z] et [s], [ʒ] et [ʃ]** `···`

❷ Écoutez et répétez.

prendre un <u>b</u>ain	ma <u>v</u>ille
prendre du <u>p</u>ain	ma <u>f</u>ille
les <u>g</u>oûts	il<u>s</u> ont
les <u>c</u>ourses	il<u>s</u> sont
<u>d</u>es enfants	les <u>g</u>ens
<u>t</u>es enfants	les <u>ch</u>ansons

❸ Sur le même modèle, cherchez des oppositions de sons. Utilisez le lexique à la fin du livre.

▶ **Les mélodies** `···`

❹ Pour corriger des affirmations.

Elle n'est pas là. Elle est au Louvre.
Ce n'est pas un dessin, c'est un symbole.
Il n'est pas professeur, il est technicien.
Je ne suis pas français, je suis belge.
Ce n'est pas du café, c'est du thé.
Je ne dîne pas à la maison, je dîne au restaurant.

❺ Faites des phrases sur le même modèle.

bleu ➜ vert	tennis ➜ foot
professeur ➜ étudiant	la mer ➜ la montagne

Exprimez-vous

À VOUS ! ❻ **Portraits.**

Jacques était un enfant rêveur, il adorait le dessin. Aujourd'hui, il est architecte à Aix-en-Provence. Joseph était un enfant gentil. Il aimait chanter et jouer de la guitare. Maintenant, il est chauffeur de taxi à Paris. La belle Liliane, qui aimait le théâtre, a monté une entreprise à Genève, en Suisse.

Martine faisait de la danse et adorait la cuisine : elle a ouvert un petit bistrot à Toulouse.

Continuez. Imaginez la vie de Pierre enfant et aujourd'hui. Pourquoi est-ce qu'il les a réunis ?

À VOUS ! ❼ **Écrivez un souvenir d'enfance ou de vacances. Mélangez vos textes et devinez l'auteur de chaque texte.**

❶ Écrivez le bulletin météo de demain. Variez les verbes !

Demain il fera…, il y aura…
Mauvais temps : pluie, température 8°, ciel gris, etc.
Beau temps : soleil, pas de nuages, température agréable, etc.

❷ Mettez les verbes au présent, passé composé, futur simple ou futur proche, selon le sens.

Demain, Dorothée (partir) à Cannes pour le festival du cinéma. Dorothée (être) une jeune et jolie actrice, encore peu connue. Elle déjà (jouer) dans deux films et elle (avoir) du succès. Après-demain, elle (rencontrer) un metteur en scène célèbre et elle espère qu'il la (engager) pour son prochain film. De plus il y (avoir) beaucoup de photographes et de critiques de cinéma sur la Croisette. Cannes (être) un rendez-vous important !

❸ Mettez les verbes à l'imparfait ou au passé composé.

Le mardi 7 août, Jacques et Claudie Dupont et leurs deux enfants (partir) faire une promenade en mer. Il (faire) très beau ; M. Dupont (piloter) son bateau qui (avancer) doucement. Ils (être) tous les quatre en maillot de bain. Mme Dupont (prendre) le soleil, les enfants (essayer) d'attraper des poissons. Tout à coup, il y (avoir) un bruit terrible : le moteur (prendre) feu. Affolés, les parents (sauter) dans l'eau avec les enfants. Mais ils (avoir) une chance extraordinaire ! Le magnifique bateau de l'acteur Tom Cruise (passer) à côté d'eux. On (pouvoir) sauver la famille. Tom Cruise et sa femme (s'occuper) des quatre rescapés. Ils leur (donner) des vêtements et, bien sûr, ils (signer) des autographes en souvenir de cette aventure !

❹ Choisissez le bon verbe et écrivez-le au passé composé.

s'habiller – se coucher – se lever – s'embrasser – s'amuser

Hier, c'était Noël. Aurélie et ses deux frères … très tôt. Ils … et ils sont allés aussitôt dans le salon voir le sapin. Puis les enfants ont trouvé leurs nouveaux jouets. Tout le monde … . Les enfants … jusqu'au soir et ils … à minuit !

❺ Faites comme dans le modèle. Employez me, te, nous, vous, le, la, les, lui ou leur.

roman – Hervé ➜ Ce roman l'intéresse et il lui plaît.

film – les enfants
fille – toi
histoire – vous
livre – Lucie
tableaux – moi
maison – nous

❻ Hervé raconte comment il a rencontré Jennifer, sa femme. Écrivez son histoire en remplaçant Jennifer par les pronoms personnels la ou lui.

L'été dernier, dans un camp de bateau à voile, j'ai rencontré Jennifer, une fille géniale !
Alors, écrire et téléphoner souvent à Jennifer.
envoyer des photos de ma famille à Jennifer.
inviter Jennifer chez moi pour Noël.
aller chercher Jennifer à l'aéroport.
montrer la ville à Jennifer et emmener Jennifer aux spectacles.
présenter Jennifer à mes parents et mes amis.
demander Jennifer en mariage.

7 **Complétez par rien de, quelque chose de, personne de ou quelqu'un de.**

1. Hier, j'ai vu à la télé … amusant

2. – Qu'est-ce que tu as fait dimanche ? – Moi ? … spécial

3. Pierre Dupont a beaucoup voyagé, il aime parler de ses voyages. C'est … très intéressant.

4. Dans cette petite boutique, j'ai trouvé … très joli comme cadeau pour mon amie.

5. Il n'y a vraiment … sympa dans cette fête !

8 **Répondez négativement aux questions.**

1. Tu as acheté quelque chose pour le dîner ?

2. Il y aura quelqu'un chez vous vers 4 heures cet après-midi ?

3. Vous connaissez quelqu'un dans ce groupe d'étudiants ?

4. Tu as mangé quelque chose avant le déjeuner ?

9 **Donnez le contraire des expressions de temps soulignées.** Attention aux changements !

1. Je prends <u>toujours</u> du café après le déjeuner.

2. Le train est <u>déjà</u> arrivé.

3. J'ai <u>déjà</u> vu ce film.

4. À 70 ans, il travaille <u>encore</u>.

5. Elle achète <u>souvent</u> des vêtements dans les grands magasins.

10 **Trouvez les adjectifs qui correspondent aux noms. Donnez le masculin et le féminin.**

la beauté ➜ beau, belle

le sport	la pollution
le silence	le cyclisme
la légèreté	la nature
l'amour	la timidité

11 **Trouvez un nom qui va avec les noms suivants.**

la gare ➜ le train

la poste	le parc
l'école	le musée
l'hôpital	les embouteillages
le pont	le commissariat de police
les rochers	l'agence de voyages

12 **Complétez avec depuis ou il y a.**

Christophe travaille dans le parc naturel de la Vanoise … bientôt cinq ans. Avant il était moniteur dans des camps de jeunes. Mais … cinq ans, il a rencontré, à l'occasion d'un camp, le directeur du parc. Il a été tout de suite embauché pour encadrer les visiteurs. … ce moment-là, Christophe est le plus heureux des hommes !

Une journée à Paris

Savoir-faire
- demander / donner / comprendre des informations sur des itinéraires
- parler de l'endroit où l'on habite

Vocabulaire
- les monuments
- s'orienter dans l'espace
- donner des mesures

Grammaire
- les pronoms *y* et *en*
- *bien / mieux, bon / meilleur*
- *oui* et *si*

 ## *La toilette des monuments*

La Pyramide du Louvre mesure 21 mètres de haut et sa base fait 35 mètres. On nettoie l'extérieur de la Pyramide toutes les trois semaines, l'intérieur tous les six mois.

La Pyramide du Louvre mesure 21 mètres de haut et sa base fait 35 mètres.

La tour Eiffel mesure 320 mètres de haut. Elle a plus de cent ans, mais pour son âge, la tour va très bien. Elle n'a qu'un gros problème : la rouille.

12 *Des alpinistes à Paris*

LE TOURISTE : Regarde, il y a encore des travaux !
Qu'est-ce qui se passe ?

LE PARISIEN : Il n'y a pas de travaux !

LE TOURISTE : Mais si. Regarde les ouvriers là-haut !

LE PARISIEN : Ah… ce sont les alpinistes-laveurs de carreaux !

LE TOURISTE : Quoi ? Des alpinistes sur la Pyramide du Louvre !
Tu plaisantes ?

LE PARISIEN : Non, ils nettoient l'extérieur de la Pyramide.

LE TOURISTE : C'est un travail dangereux !

LE PARISIEN : Bien sûr. Il faut être bon alpiniste.
Tu sais, pour ce travail,
les entreprises emploient
des guides de haute montagne.

❶ Lisez le texte et répondez aux questions.

1. La Pyramide mesure combien de mètres de haut ?

2. Quel âge a la tour Eiffel ?

3. Quel est le problème de la tour Eiffel ?

4. Qui nettoie la Pyramide ?

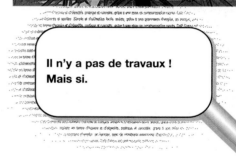

Il n'y a pas de travaux !
Mais si.

À VOUS ! **❷ À deux, donnez les mesures d'un monument de votre ville, de votre pays.**

❸ Écoutez et repérez les deux questions du touriste.

– Quelle question exprime une demande d'information ?

– Quelle question exprime la surprise ?

À VOUS ! **❹ Écoutez puis, à deux, jouez les deux scènes suivantes.**
Attention à l'intonation.

1. – Qu'est-ce qui se passe ? Tu ne veux plus continuer ?

– Non, j'ai soif. Je veux prendre quelque chose dans un café.

– Quoi ? Tu pars demain et tu ne veux pas visiter la tour Eiffel ! Tu plaisantes ?

2. – Qu'est-ce qu'il y a ?

– J'ai faim !

– Quoi ? Mais on n'a pas le temps d'aller au restaurant. On doit encore visiter l'Arche de la Défense et le Louvre cet après-midi !

❺ Qu'est-ce qui va ensemble ?

1. Le travail des alpinistes-laveurs de carreaux n'est pas dangereux.

2. On ne nettoie jamais l'intérieur de la Pyramide.

3. Les touristes ne sont pas entrés dans le musée.

4. Le Louvre n'est pas fermé aujourd'hui.

5. Les laveurs de carreaux de la Pyramide ne sont pas des alpinistes.

a. Si, il est fermé. Nous sommes mardi.

b. Si, ils sont entrés avec le guide.

c. Si, on le nettoie tous les six mois.

d. Si, ils sont alpinistes.

e. Si, c'est très dangereux.

À VOUS ! **❻ À deux, jouez le dialogue entre le touriste et le Parisien, puis inventez un dialogue sur le même modèle.**

③ *Habiter en banlieue*

Philippe, musicien de jazz

J'étais un vrai Parisien. Et maintenant, j'ai une petite maison en banlieue. J'ai découvert le petit déjeuner dans le jardin et le plaisir d'aller faire les courses à bicyclette. Et je peux faire de la musique sans déranger les voisins. C'est mieux qu'en ville.

Céline, infirmière à l'hôpital Cochin

Moi, j'ai fait mes études à Nice. Mes parents habitent toujours dans le Midi. Je suis venue faire un stage à Paris et j'y suis restée. Je n'ai qu'un petit appartement dans le 14e ; c'est un quartier très sympa. J'adore Paris, les gens, les restaurants, les magasins ouverts tard le soir. La vie ne s'arrête jamais. On vit bien dans le Midi mais on vit mieux à Paris !

Michel, vendeur

Moi, j'ai un appartement dans une cité de banlieue. J'y habite depuis quinze ans. Je fais tous les jours 50 kilomètres pour venir travailler à Paris ! Dans la cité, il n'y a que le foot pour se distraire. Heureusement, je fais de la musique avec les copains.

Claude, professeur

Bien sûr, nous habitons loin de Paris, mais nous n'y pensons pas. Quand on invite des Parisiens à dîner à la maison, j'envoie un plan. Mais les gens ne savent pas très bien lire les plans, alors ils s'énervent en voiture. Ils arrivent toujours en retard et ils sont de très mauvaise humeur.

> J'y habite depuis quinze ans.
> On vit mieux à Paris.

❼ 🔊 **Écoutez le texte et répondez aux questions.**

1. Pourquoi est-ce que Philippe préfère habiter en banlieue ?
2. Pourquoi est-ce que Céline a choisi Paris ?
3. Où habite Michel ?
4. Qu'est-ce que Michel fait pour se distraire ?
5. Est-ce que les amis parisiens de Claude aiment la banlieue ?

❽ **C'est dans le texte.**
Quelle est la bonne réponse ?

1. Dans la cité, il n'y a que le foot pour se distraire.
 – Dans la cité, on ne peut pas jouer au foot pour se distraire. ...
 – Dans la cité, on peut seulement jouer au foot pour se distraire. ...
2. Je n'ai qu'un petit appartement.
 – Mon appartement n'est pas petit. ...
 – J'ai seulement un petit appartement. ...

❾ **Faites parler les personnages.**

– Moi, j'habite une maison en banlieue. Pour moi...
– Moi aussi, j'habite en banlieue, dans une cité. Je ne suis pas d'accord...
– Moi, j'adore les grandes villes, alors...
– Quand je vais chez des amis en banlieue, je me perds, j'arrive toujours en retard. Je pense que...

À VOUS ! ❿ **À deux, discutez de vos goûts. Utilisez *ne ... que*.**

– *Qu'est-ce que vous mangez à midi ?*
– *À midi, je ne mange que des gâteaux.*
– *Quoi ? Vous mangez seulement des gâteaux !*

1. Qu'est-ce que vous aimez comme musique ?
2. Qu'est-ce que vous buvez au dîner ?
3. Quelle est votre couleur préférée ?
4. Qu'est-ce que vous portez comme vêtements ?

VOCABULAIRE

POUR INDIQUER LE LIEU

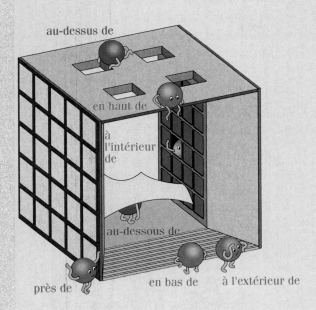

au-dessus de

en haut de

à l'intérieur de

au-dessous de

près de

en bas de

à l'extérieur de

loin de

POUR MESURER…

large	→	la largeur
haut, haute	→	la hauteur
long, longue	→	la longueur

POUR POSER DES QUESTIONS… ET POUR Y RÉPONDRE :

– Quelle est la rue la plus longue ?
– La rue fait quelle longueur ?
– Quelle est la longueur de la rue ?
– Elle fait … mètres de longueur.
– Elle mesure / fait combien de long ?
– Elle mesure / fait … mètres de long.

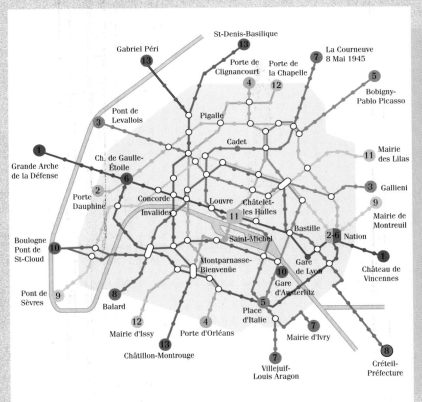

C'EST UTILE

Visiter Paris avec les transports en commun…

● **Pour demander la station de métro ou l'arrêt d'autobus le plus proche :**

– Pardon, monsieur, est-ce qu'il y a une station de métro près d'ici ?
– La station Cadet est à 5 minutes. Vous prenez la rue Condorcet et vous allez tout droit.

● **Pour demander la bonne direction dans le métro :**

– Pardon, monsieur, pour aller place de l'Étoile ?

À VOUS ! ❶ **Vous êtes à Paris.**
Vous demandez à un piéton la station de métro la plus proche. À deux, jouez la scène. Travaillez avec le plan de métro.

À VOUS ! ❷ **Vous vous êtes perdu(e) dans le métro. Vous connaissez le nom de la station de métro qui vous intéresse. Vous demandez la direction à quelqu'un. À deux, jouez la scène.**

Boîte à outils

LES PRONOMS Y ET EN

Vous jouez au tennis ?	Vous parlez de peinture ?
Oui, on **y** joue souvent.	Oui, nous **en** parlons depuis une heure.
Tu penses à tes vacances ?	Tu rêves de tes vacances ?
Oui, j'**y** pense toujours.	Oui, j'**en** rêve toujours.
Vous allez en Italie ?	Vous revenez d'Allemagne ?
Oui, nous **y** allons dans 8 jours.	Oui, nous **en** revenons.

Y remplace un groupe nominal précédé de la préposition **à**, **en**, **dans**, **sur**, etc.

 Pour les noms propres :
– Tu penses à Caroline ?
– Oui, je pense **à elle**.

En remplace un groupe nominal précédé de la préposition **de**.

 Pour les noms propres :
– Tu parles de Caroline ?
– Oui, je parle **d'elle**.

• **La place des pronoms y et en**

Nous **y** allons.	Nous n'**y** allons pas.
Nous **y** sommes allés.	Nous n'**y** sommes pas allés.
Allons-**y** !	N'**y** allons pas !
Nous **en** sortons.	Nous n'**en** sortons pas !
Nous **en** sommes sortis.	Nous n'**en** sommes pas sortis.
Sortons-**en** !	N'**en** sortons pas.

 Les verbes en **-er** prennent un **s** à la deuxième personne du singulier de l'impératif, à la forme affirmative, quand ils sont suivis de **y** ou de **en**.
Il y a un trait d'union entre l'impératif et le pronom :
Va**s**-y ! (N'y va pas !)
Parle**s**-en ! (Ne m'en parle pas !)

❶ Dans les phrases suivantes, retrouvez le sens de y.

J'adore Paris. J'y vais demain.
➜ Je vais demain à Paris.

1. J'ai un appartement en banlieue. J'y habite depuis 15 ans.
2. Vous connaissez l'université de Nice ? J'y ai étudié pendant deux ans.
3. Ma femme aime beaucoup la campagne : elle y va tous les week-ends.
4. Alors, on se donne rendez-vous au Petit Bistrot. J'y serai vers sept heures et demie.

❷ Remplacez les expressions entre parenthèses par les pronoms y, en, le, la, l' ou les.

Fanny Ardant allait (aux répétitions) pour écouter les ténors. ➜ Fanny Ardant y allait pour écouter les ténors.

1. Des amis attendent (l'actrice) devant le théâtre.
2. J'achète (les billets).
3. En été, l'actrice habite (dans une petite ville des Alpes).
4. Les acteurs parlent (de leur stage d'été).
5. Elle passe l'hiver (à Paris).
6. Elle pense souvent (à son travail), mais elle ne parle jamais (de son travail).
7. Elle joue souvent (au tennis) avec des amis.
8. Elle déjeune (au Café du Théâtre) tous les jours.

Boîte à outils

BIEN OU MIEUX ?

– C'est **bien** de prendre le bus ? – Non, c'est **mieux** de prendre le métro.

On mange **bien** chez Martine, mais on mange **mieux** chez Annie.

John parle **bien** français, mais David parle **mieux** que lui.

• **Bien** et **mieux** s'emploient toujours avec un verbe. Ce sont des adverbes.

 Il ne faut pas confondre **bien** et **mieux** avec les adjectifs **bon** et **meilleur** :

C'est un bon restaurant de poisson.

Le français de John est bon, mais le français de David est meilleur.

OUI OU SI ?

question	réponse
forme affirmative	→ oui / non
Est-ce qu'il va faire beau ?	**Oui**, le ciel est bleu.
	Non, il va pleuvoir.
forme négative	→ si / non
Il ne va pas faire beau.	**Si**, le ciel est bleu.
	Non, il va pleuvoir.

❸ Faites des phrases complètes comme dans les exemples.

Cette année, la saison touristique est bonne. (l'année dernière) → *Cette année, la saison est bonne, elle est meilleure que l'année dernière.*

Avec cet ordinateur, je travaille bien. (au bureau) → *Avec cet ordinatreur, je travaille bien, je travaille mieux qu'au bureau.*

1. Les films sont bons. (l'année dernière)

2. En été, on roule bien. (en hiver)

3. Maintenant, on parle bien français. (il y a six mois)

4. Ce restaurant est bon. (le Café du Théâtre)

5. Les étudiants écrivent bien. (le mois dernier)

6. C'est une très bonne agence. (l'agence « Soleil et Voyages »)

❺ Oui ou si ? Répondez affirmativement aux questions, comme dans les exemples.

– *Vous n'avez pas vu Simon ? (il y a cinq minutes)*
→ – *Si, je l'ai vu il y a cinq minutes.*

– *Vous avez l'adresse de l'agence Soleil et Voyages ?*
(dans la voiture) → – *Oui, je l'ai dans la voiture.*

1. Vous n'êtes jamais allé en vacances de neige, vous ? (quand j'avais dix, onze ans)

2. Tes amis n'ont jamais visité le Louvre ? (l'année dernière)

3. Vous avez vu le dernier film de Fanny Ardant ? (la semaine dernière)

4. Tes parents n'habitent pas dans l'appartement avec terrasse ? (depuis trois ans)

5. Vous n'êtes pas allés chez Claude, dans sa maison de banlieue ? (dimanche dernier)

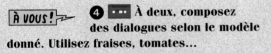 À VOUS ! **❹ ··· À deux, composez des dialogues selon le modèle donné. Utilisez fraises, tomates...**

1. – Vous voulez des abricots, madame ?
– Oui, je veux bien. Hier j'en ai acheté, mais ils n'étaient pas bons. Est-ce qu'ils sont meilleurs ?
– Ah oui, ils sont très très bons.

2. – Vous voulez des oranges ?
– Non, je n'en prends pas aujourd'hui. J'en ai encore. Je voudrais des tomates.
– Un kilo ?
– Non, un peu moins d'un kilo.

À TRAVERS PARIS…

DIALOGUE A

Au bar américain du Paris-Lyon Palace.

MARTINE : Alors, qu'est-ce qu'on doit faire maintenant ?

JACQUES : Il y a un nouveau message de Pierre. Il a organisé un jeu, comme autrefois.

JOSEPH : À notre âge… On ne va pas jouer !

MARTINE : Mais si, c'est ça qui est rigolo !

LILIANE : Et cette fois, c'est encore mieux.

JACQUES : Ah bon, pourquoi ?

LILIANE : Parce qu'on fait un rallye à travers Paris.

JOSEPH : Et qu'est-ce qu'il nous demande exactement ?

LILIANE : Oh ! mais c'est tout un programme ! Jacques, tu es architecte, alors tu vas à la Grande Arche et, pendant dix minutes, tu joues au guide. Tu me rapportes une preuve de ton activité. Martine, tu vas à la tour Eiffel, tu montes à pied, et tu comptes le nombre de marches. Liliane, tu vas aux Puces et tu me rapportes un objet bizarre. Joseph, toi, tu vas à Montmartre, à la place du Tertre, là où il y a tous les artistes. Tu me rapportes ton portrait.

DIALOGUE B

Un groupe de touristes est en admiration devant la Grande Arche. Jacques n'est pas loin.

PREMIER TOURISTE : C'est extraordinaire. Quelle pureté !

DEUXIÈME TOURISTE : Oui, c'est magnifique. Elle mesure combien ?

JACQUES : Vous permettez ? Elle fait 110 mètres de haut et sa construction n'a duré que quatre ans, de 1985 à 1989. L'intérieur des façades est en béton. À l'extérieur il y a du marbre blanc et du verre.

UN ENFANT : Dis papa, à gauche, qu'est-ce que c'est ?

JACQUES : Là, à côté de la façade ? Ce sont les ascenseurs panoramiques. Ça monte très vite !

TROISIÈME TOURISTE : Et dans le toit, qu'est-ce qu'il y a ?

JACQUES : Alors là ! Attendez… oui, il y a une librairie, des salles d'exposition et de conférence.

JACQUES : Bon ! Je dois partir mais avant, j'aimerais vous donner un petit souvenir.

(Il donne l'extrait du texte de présentation du projet.)

PREMIER TOURISTE : Vous êtes un excellent guide.

JACQUES : Vous pouvez me l'écrire, s'il vous plaît ?

Écoutez

❶ **Dialogue A : Donnez la bonne réponse.**

Pierre a organisé :

a. une visite de Paris ;

b. un jeu ;

c. une rencontre avec des touristes.

❷ **Qu'est-ce qui va ensemble ?**

1. Jacques	**a.** La Grande Arche
2. Martine	**b.** Les Puces
3. Liliane	**c.** Montmartre
4. Joseph	**d.** La tour Eiffel

❸ **Qu'est-ce que les quatre personnages doivent faire ?**

❹ **Dialogue B : Répondez aux questions.**

1. Qui fait le guide à la Grande Arche ?

2. Quelle est la hauteur de la Grande Arche ?

3. Qu'est-ce que Jacques donne comme souvenir aux touristes ?

Ici, sous « l'arc de triomphe de l'homme »,
les gens viendront du monde entier,
pour apprendre ce que les gens ont appris,
pour connaître leurs langues,
leurs coutumes, religions, arts et cultures,
mais surtout pour rencontrer
d'autres gens.

Johan Otto von Spreckelsen, architecte danois.

Observez et répétez

▶ **Les sons [s], [ʃ], [z] et [ʒ]** ···

❺ **Voici des lieux à Paris. Repérez les sons.**

	[s]	[ʃ]	[z]	[ʒ]
la Grande Arche	…	Arche	…	…
le Moulin rouge	…	…	…	…
la Sorbonne	…	…	…	…
l'Orangerie	…	…	…	…
le Châtelet	…	…	…	…
la Défense	…	…	…	…
le musée Picasso	…	…	…	…

▶ **Les mélodies** ···

❻ **Pour réfléchir.**

– *Et dans le toit, qu'est-ce qu'il y a ?*
– *Alors là ! attendez… Ah oui, il y a une librairie.*
– *La Grande Arche mesure combien ?*
– *Alors là… 110 mètres, je crois.*

À VOUS ! ❼ **À deux, posez-vous des questions et répondez. Utilisez des formules pour gagner du temps et réfléchir.**

– *Il y a combien d'habitants dans votre pays ?*
– *Euh…*

Exprimez-vous

À VOUS ! ❽ **À deux, jouez la scène. Un journaliste, qui fait une enquête sur les touristes à Paris, pose des questions à Martine. Elle lui raconte son séjour avec ses amis.**

À VOUS ! ❾ **À deux, décrivez dans un petit texte un monument ou un lieu connus dans votre ville sans dire leur nom. Lisez ensuite votre description aux autres participants qui doivent deviner le nom du monument ou du lieu.**

Dénouement

Savoir-faire
- raconter
  une histoire
  au passé

Vocabulaire
- caractériser
  un personnage,
  décrire un lieu
- construire
  une histoire
  chronologiquement

Grammaire
- les verbes
  apercevoir, croire
- révisions des
  temps du passé,
  de l'emploi
  des pronoms
  personnels
- le pluriel
  des noms

L'assassin habitait à côté...

Le cri

Je viens de vivre une histoire extraordinaire. C'était le mois dernier, un mardi, le soir. J'étais dans le jardin en train de chercher Mozart (Mozart, c'est mon chat) quand j'ai aperçu mon voisin qui rentrait chez lui. Il n'était pas seul. Une femme l'accompagnait. Ils sont entrés dans la maison et ils ont fermé la porte derrière eux.

J'ai continué à appeler Mozart... Tout à coup, j'ai entendu un cri horrible, le cri d'une femme. Ça venait de la cave de mon voisin. J'ai eu très peur. Je suis rentré et je suis monté dans ma chambre. « Tu vas te coucher, Éric ? » m'a demandé ma mère. Je n'ai pas répondu. Dans ma chambre, j'ai regardé par la fenêtre. Il y avait de la lumière dans la cave du voisin.

J'ai attendu, longtemps. La femme ne sortait pas. Vers minuit, le voisin a ouvert la porte et il est sorti de la maison. Non ! Ce n'était pas vrai !

Il portait un grand sac-poubelle. Il est allé à sa voiture et il a mis le sac dans le coffre.

C'était le mois dernier.
J'étais dans le jardin quand
j'ai aperçu...
Tout à coup, j'ai entendu...
J'ai attendu longtemps.

❶ Lisez le texte et repérez les actions exprimées au passé, puis classez-les.

Actions d'Éric	Actions du voisin et de la femme
…	…

❷ Relevez les indications de temps dans le premier paragraphe.

Le mois dernier…

❸ Choisissez la bonne réponse.

1. « Tout à coup » annonce : un événement attendu, inattendu ou une date ?

2. Le cri horrible, c'est le cri d'une personne qui a peur, d'une personne qui est contente, ou d'une personne qui cherche son chat ?

❹ Répondez aux questions suivantes.

1. Qu'est-ce qu'Éric fait dans le jardin ?

2. Qu'est-ce qu'il a vu ?

3. Qu'est-ce qu'il a entendu ?

4. D'où venait le cri horrible ?

5. Est-ce que le voisin est sorti de la maison ?

6. Est-ce que la femme est sortie de la maison ?

L'assassin habitait à côté…

Le squelette

Le lendemain, j'ai tout raconté à mon copain Julien. D'après lui, mon voisin était un assassin ! Je voulais téléphoner à la police.
« On ne va pas appeler la police tout de suite, m'a dit Julien. Avant, il faut aller chez lui, dans sa cave. »
C'était une nuit sans lune. On est entrés sans faire de bruit et on est descendus à la cave. J'avais très peur.
En bas, j'ai ouvert la porte. Horreur ! Il y avait un squelette. J'ai crié. On est sortis. On a couru jusqu'à la maison.

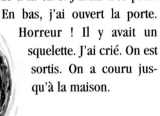

Le lendemain, j'ai tout raconté…
On est entrés…
J'avais très peur.

❺ Lisez le texte. Vrai ou faux ?

1. Éric est allé à la police. …

2. La nuit, Éric et Julien sont allés chez le voisin. …

3. Ils ne sont pas descendus à la cave. …

4. Ils n'ont pas eu peur. …

5. Ils n'ont rien trouvé dans la cave. …

6. Ils sont restés longtemps dans la cave. …

❻ Répondez aux questions.

1. À qui est-ce qu'Éric a raconté les événements ?

2. Quand ?

3. Quel est le conseil de Julien ?

❼ Racontez au passé composé et à l'imparfait un événement extraordinaire.

Pour commencer, utilisez : « C'était… », puis continuez avec « tout à coup… » et « le lendemain… » .

L'assassin habitait à côté...

le train fantôme

Le jour suivant, c'était mercredi, le jour de la fête foraine. Julien et moi, on y est allés. On faisait la queue pour le train fantôme quand j'ai aperçu un grand type avec un costume noir. Je l'ai regardé : c'était l'assassin. Il discutait avec la femme qui vendait les billets pour le train fantôme. Est-ce qu'il cherchait sa prochaine victime ? Quelle horreur ! J'avais peur de regarder l'assassin. J'ai regardé la femme et là, j'ai cru rêver ! C'était elle ! C'était la femme assassinée de la cave.

On a donné nos billets à un type qui se trouvait là et nous sommes montés dans le train fantôme. Il faisait noir et on ne voyait rien. On entendait des bruits bizarres. Dans un virage, Dracula a voulu nous barrer la route et puis la sorcière est sortie de la nuit. Elle a poussé un cri horrible. Je connaissais ce cri : c'était le cri de la femme assassinée ! Un peu plus loin, il y avait un squelette. J'ai regardé Julien. Je venais de tout comprendre !

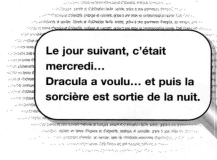

Le jour suivant, c'était mercredi...
Dracula a voulu... et puis la sorcière est sortie de la nuit.

❽ **Lisez le texte et répondez aux questions.**

1. Qu'est-ce qui s'est passé le jour suivant ?
2. Qu'est-ce que l'assassin portait comme vêtements ?
3. L'assassin discutait avec qui ?
4. Qui vendait les billets pour le train fantôme ?
5. Qu'est-ce qu'on pouvait voir dans le train fantôme ?
6. Qu'est-ce qu'on y entendait ?

❾ **Qu'est-ce qui va ensemble ? Pour reliez les phrases, utilisez « et puis ».**

Dracula a voulu nous barrer la route et puis la sorcière est sortie de la nuit.

1. On a acheté des billets.
2. Le voisin est sorti.

3. Je suis monté dans ma chambre.
4. J'ai regardé l'assassin.
5. On est entrés dans la maison.

a. J'ai regardé par la fenêtre.
b. On est montés dans le train fantôme.
c. Je suis parti.
d. On est descendus à la cave.
e. Il est allé à sa voiture.

❿ **Résumez l'histoire en quelques phrases (5 à 10 phrases).**

⓫ **Inventez une suite à l'histoire.**

RACONTER UNE HISTOIRE POLICIÈRE

Pour raconter une histoire policière, il faut se poser six questions :
Qui ? Quand ? Où ? Pourquoi ? Quoi ? Comment ?

• **Qui ?** Il faut des personnages.

 ❶ À deux, inventez un personnage. Vous lui donnerez :

– un aspect physique : grand, petit, gros, mince, blond, brun, etc. et des vêtements
– une identité : le nom, le prénom, l'âge, la nationalité, l'adresse
– une famille et des relations
– des goûts et des habitudes
– une profession

• **Quand ?** Il faut dire le moment.

 ❷ À deux, écrivez le début d'une histoire.

Vous pouvez commencer par :

– Un jour
– Il y a longtemps ≠ Il y a peu de temps
– C'était
– Dimanche dernier
– Le 14 mars 1996

et continuer avec :

– le jour d'avant / la veille
– le jour suivant / le lendemain
– tout à coup
– à 11 heures du soir, vers minuit
– et puis
– quand

• **Où ?** Il faut choisir le lieu.

 ❸ À deux, choisissez des lieux pour votre histoire. Décrivez-les.

– dans une ville
– à la montagne
– au bord de la mer
– dans un magasin
– en haut de la tour Eiffel
– sous un pont
– dans une chambre d'hôtel
– dans un appartement
– à la gare

• **Quoi ? Pourquoi ? Comment ?**

Il faut préciser les événements, les circonstances.

 ❹ À deux, imaginez un schéma pour votre histoire.

– Il / elle avait une belle voiture.
– Il / elle a changé de travail.
– Il / elle a provoqué un accident.
– Un voisin a téléphoné à la police.
– Il / elle aimait voyager.
– Il pleuvait.

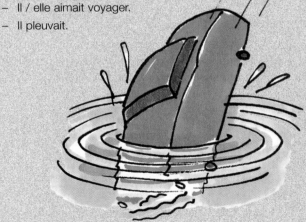

 ❺ À deux, rédigez votre histoire policière.

GRAMMAIRE

CONJUGAISON : CROIRE, APERCEVOIR

indicatif

présent		**futur**		**participe passé**	
Je crois	J'aperçois	Je croirai	J'apercevrai	cru	aperçu
Tu crois	Tu aperçois				
Il / elle croit	Il / elle aperçoit	**imparfait**			
Nous croyons	Nous apercevons	Je croyais	J'apercevais		
Vous croyez	Vous apercevez				
Ils / elles croient	Ils / elles aperçoivent				

 Les emplois de croire

croire quelqu'un / quelque chose : *Je te crois.*

croire + infinitif : *J'ai cru apercevoir un ami au café.*

croire que… : *Je crois que ce livre est intéressant.*

❶ Formulez les questions du policier à l'homme qui a vu la scène, comme dans l'exemple.

Le policier :   (faire)

Le voisin :   Je regardais la télévision.

→ Le policier :   Qu'est-ce que vous faisiez ?

1. Le policier : (voir)

Le voisin :   J'ai vu mon voisin qui rentrait chez lui.

2. Le policier : (être seul)

Le voisin :   Non, il n'était pas seul.

3. Le policier : (apercevoir)

Le voisin :   Non, je n'ai pas aperçu de voiture.

4. Le policier : (y avoir)

Le voisin :   Oui, il y avait de la lumière dans la cave.

5. Le policier : (croire)

Le voisin :   Oui, je crois que la femme n'est pas

sortie de la maison.

❷ Faites des phrases comme dans l'exemple.

J'ai entendu un cri horrible.

→ *Je viens d'entendre un cri horrible.*

1. J'ai aperçu un homme devant la maison.

2. Il est arrivé en voiture.

3. J'ai vu de la lumière dans la cave.

4. Une femme a crié.

5. Il a appelé la police.

6. Il est descendu à la cave.

❸ Remplacez les expressions soulignées par des pronoms, puis mettez les phrases à la forme négative.

Je voulais voir <u>mon voisin</u> ➜ *Je voulais le voir / Je ne voulais pas le voir.*

1. J'ai pu sortir de <u>la maison</u>.

2. Je voulais appeler <u>la police</u>.

3. Éric a pu apercevoir <u>le sac-poubelle</u>.

4. <u>Le sac-poubelle</u> devait être léger.

5. J'ai pu téléphoner à <u>la police</u>.

6. Je suis monté dans <u>ma chambre</u>.

7. Je pense souvent à <u>la femme assassinée</u>.

❹ Mettez les verbes entre parenthèses à l'imparfait, au passé composé, au présent ou au futur.

Ce (être) la semaine dernière. Il (pleuvoir) et il (faire) froid. Je (être) à la maison, je (regarder) la télévision et je (rêver). Je (être) seul et je (attendre) ma femme. Tout à coup, le téléphone (sonner). Je (se lever). Quand je (prendre) le téléphone, il ne (y avoir) plus personne. Je (crier), mais rien. Je (penser) : « Ce (être) ma femme, elle (avoir) peut-être un accident. Je (appeler) la police. On (pouvoir) peut-être me dire quelque chose. » Je (téléphoner) à la police mais elle ne (savoir) rien. Je (s'inquiéter). Tout à coup, je (entendre) le téléphone. Ce ne (être) pas mon téléphone, mais un téléphone dans le film qui passait à la télé. Et puis ma femme (arriver). Elle me (dire) : « Bonsoir, chéri. Je (avoir envie) d'aller au restaurant. Tu me (inviter) ? »

LE PLURIEL DES NOMS

un coureur	des coureur**s**
un lycéen	des lycéen**s**
une lettre	des lettre**s**
un prix	des prix
un mois	des mois
un bureau	des bureau**x**
un lieu	des lieu**x**
un festival	des festival**s**
un animal	des anim**aux**

❺ Répondez aux questions.

1. Est-ce que vous connaissez des festivals dans votre région ?

2. Quels sont les mois de l'année que vous préférez ?

3. Quels sont les lieux de rencontre que vous aimez ?

4. Est-ce que vous aimez les animaux ?

À VOUS !   **❻ Formez deux groupes dans votre classe de français.**
Les groupes préparent leurs questions et les posent au Martien.

On marque un point par question correcte. Le groupe qui marque le plus de points a gagné.

C'EST LA FÊTE !

DIALOGUE A

Pierre attend ses amis devant la Pyramide du Louvre.
Et la première, bien sûr, c'est…

PIERRE : Liliane, c'est toi ? Tu es toujours aussi belle.

LILIANE : Alors toi qui aimes jouer, je t'offre un jeu de cartes ancien… Et voilà les autres !

JACQUES : Salut vieux farceur. Tiens ! la voilà ta preuve : je suis le meilleur guide de Paris.

MARTINE : C'est haut ! 1 665 marches !

JOSEPH : Et voilà mon portrait !

TOUS : Tu es magnifique… comme tu es beau…

JACQUES : Bon, et qu'est-ce qu'on fait maintenant ?

PIERRE : Je vais vous raconter une petite histoire.

MARTINE ET
LILIANE : Chouette !

PIERRE : Voilà, je suis collectionneur et j'aime les objets d'art. Un jour, je me promenais sur les quais quand, tout à coup, j'ai vu un livre ancien, magnifique ! Je l'ai ouvert et, au même moment, une vieille photo est tombée.

MARTINE : Ah ! Et alors ? …

(À suivre…)

DIALOGUE B

PIERRE : J'ai donc ouvert le livre et, au même moment, une vieille photo est tombée.

MARTINE : Ah ! et alors ?

PIERRE : Je l'ai ramassée et… sur la photo, il y avait nous, enfants.

TOUS : Mais comment ? C'est incroyable !

PIERRE : Alors, j'ai eu envie de vous revoir. Aujourd'hui, c'est mon anniversaire. Venez avec moi !
(Ils arrivent au bord de la Seine. Une péniche les attend.)

JOSEPH : Mais c'est l'orchestre de Patrick. Et toi, Nathalie, tu es là aussi ?

JACQUES : Mireille, Thierry, quelle folie !

MARTINE : Mais je rêve, Céline, qu'est-ce que tu fais là ?

PIERRE : Allez, champagne, s'il vous plaît !
(Quelques instants plus tard.)

MIREILLE : Jacques, regarde Liliane et Pierre en train de danser, comme ils ont l'air heureux, tu ne crois pas que…

JACQUES : Après toutes ces années, c'est le moment !

FIN.

Écoutez

❶ Dialogue A : Complétez.

1. La plus rapide, c'est …
2. Le meilleur guide, c'est …
3. La plus fatiguée, c'est …
4. Le plus beau, c'est …

❷ Répondez aux questions.

1. Que fait Pierre ?
2. Un jour, il se promenait sur les quais, qu'est-ce qu'il a vu ?
3. Quand il a ouvert le livre, qu'est-ce qui s'est passé ?

❸ Dialogue B : Vrai ou faux ?

1. Sur la photo, il y avait les enfants de Pierre.
2. Aujourd'hui, c'est l'anniversaire de Pierre.
3. L'orchestre de Patrick joue de la musique.
4. Tout le monde boit du champagne.
5. Pierre danse avec Martine.

Observez et répétez

▶ **Les sons [g], [ʀ], [l]**

❹ Au marché aux Puces, Pierre a trouvé :

	[g]	[ʀ]	[l]
une vieille montre	…	*montre*	…
des timbres	…	…	…
une bague	…	…	…
de la vaisselle	…	…	…
des verres	…	…	…
une lampe	…	…	…
des gants	…	…	…

▶ **Les mélodies**

❺ Pour s'exclamer.

Pierre danse avec Liliane.
– Comme ils ont l'air heureux !
Pierre trouve Liliane très belle.
– Comme tu es belle !
Tout le monde trouve que Patrick joue très bien.
– Comme il joue bien !

❻ Exprimez votre enthousiasme sur le même modèle.

1. Il fait froid.
2. Joseph a l'air fatigué.
3. Il est intelligent, cet enfant.

Exprimez-vous

❼ Mireille dit à Jacques : « Regarde Pierre et Liliane, comme ils ont l'air heureux. Tu ne crois pas que… » Elle ne finit pas sa phrase. Imaginez la fin de l'histoire.

À VOUS ! **❽** En groupe, imaginez l'histoire de la photo. Rédigez le texte de la meilleure histoire.

Paris, capitale

1 Paris, ville lumière

À Paris,
il y a des
monuments,
des musées,
des lieux célèbres
depuis longtemps,
mais il y a aussi
de nouvelles
réalisations comme
la Cité des sciences
et de l'industrie (*1*)
ou l'opéra Bastille,
la transformation
de la gare d'Orsay
en musée (*4*)...
Cela confirme
le rôle de Paris
comme centre
artistique
et intellectuel.

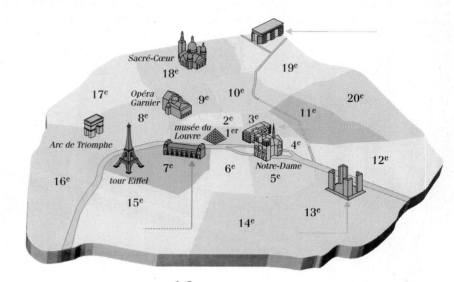

1 2

**2. La Bibliothèque
nationale
de France.
3. Le centre
Georges-Pompidou.**

LES FRANÇAIS ET LEUR PATRIMOINE	
Paris	19%
Le château de Versailles	10
La tour Eiffel	9
Le Louvre	8
Les châteaux de la Loire	6
Le Mont-Saint-Michel	6
La cathédrale Notre-Dame de Paris	3
Les châteaux de France	3
L'Arc de triomphe	2
Le centre Georges-Pompidou	2
Les églises, les cathédrales	1
Les musées	1
La Bretagne	1

3 4

OBSERVEZ – RÉPONDEZ

▶ Dans le tableau ci-dessus, les Français
donnent leur opinion sur le patrimoine
de leur pays.
Parmi les treize lieux choisis, dites combien
de fois des lieux de Paris sont nommés.

▶ C'est la ville de Paris qui représente le mieux
le patrimoine de la France. Est-ce que c'est
la même chose pour la capitale de votre pays ?

▶ Retrouvez sur le plan le lieu des nouvelles
réalisations (photos 1 à 4) et dites dans
quels arrondissements elles se trouvent.

2 Paris, ville active

Paris est aussi une ville avec des activités artisanales et commerciales. Certains quartiers sont spécialisés : marchands de tissus et de vêtements bon marché, boulevard de Rochechouart, au pied du Sacré-Cœur (18ᵉ arrondissement – **5**) ; antiquaires, quai Voltaire, rue des Saints-Pères, près de Saint-Germain-des-Prés (6ᵉ et 7ᵉ arrondissements – **1**) ; ateliers et commerces de meubles, faubourg Saint-Antoine (11ᵉ et 12ᵉ arrondissements) ; commerces du quartier chinois, près de la porte d'Italie (13ᵉ arrondissement – **4**).

Il existe aussi des marchés spécialisés : marchés aux fleurs et aux oiseaux (entre le Louvre et le Châtelet, sur l'île de la Cité (1ᵉʳ arrondissement – **2**), marché aux timbres, rue de Matignon (8ᵉ arrondissement– **3**).

PLACE DE PARIS DANS LA VIE ÉCONOMIQUE NATIONALE (en %)	
Population	4
Sièges sociaux des banques	96
Sièges des sociétés d'assurance	70
Sièges d'autres entreprises	45
Professions libérales (médecins, avocats, notaires, architectes…)	39
Emplois dans les administrations, services…)	25
Recettes fiscales	45

1

4

2

3

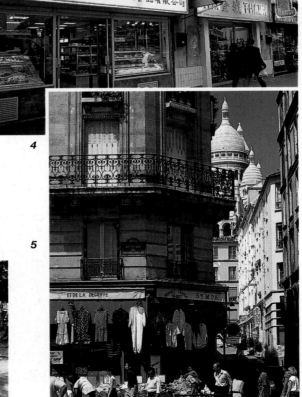

5

OBSERVEZ – RÉPONDEZ

▶ **Regardez les photos ci-dessus et situez les différents lieux sur le plan de la page 158.**

▶ **D'après le tableau, dites quel est le secteur économique le plus important :**

– le secteur primaire (agriculture, pêche, extraction de matières premières…) ;
– le secteur secondaire (l'industrie) ;
– le secteur tertiaire (banques, assurances, administrations, services…)

3 Un week-end à Paris

▶ **Vous serez à Paris le week-end de la Pentecôte avec un groupe d'amis. Vous êtes chargé de réserver des chambres d'hôtel et d'organiser les deux journées de visite (samedi et dimanche).**

À partir des suggestions, complétez la lettre de réservation de l'hôtel.

Arrivée : le vendredi soir, vers 20h

Départ : le dimanche soir, à 22 h

Nombre de personnes : 14 + 1 accompagnateur

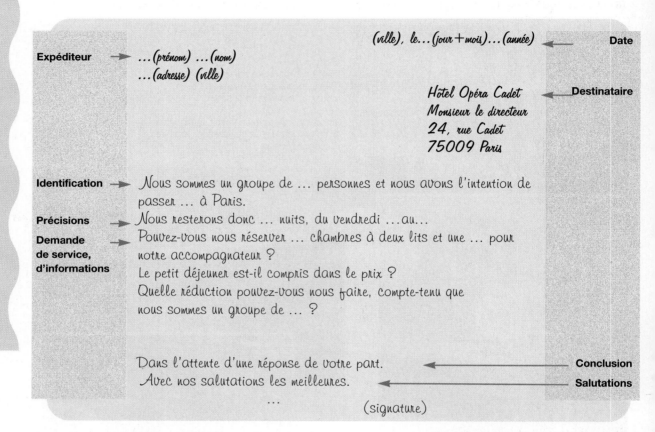

Date : (ville), le...(jour + mois)...(année)

Expéditeur → ...(prénom) ...(nom)
...(adresse) (ville)

Destinataire : Hôtel Opéra Cadet
Monsieur le directeur
24, rue Cadet
75009 Paris

Identification → Nous sommes un groupe de ... personnes et nous avons l'intention de passer ... à Paris.

Précisions → Nous resterons donc ... nuits, du vendredi ...au...

Demande de service, d'informations → Pouvez-vous nous réserver ... chambres à deux lits et une ... pour notre accompagnateur ?
Le petit déjeuner est-il compris dans le prix ?
Quelle réduction pouvez-vous nous faire, compte-tenu que nous sommes un groupe de ... ?

Conclusion : Dans l'attente d'une réponse de votre part.
Salutations : Avec nos salutations les meilleures.
...
(signature)

• **Identification**
Nous sommes... / Je suis...

• **Précisions : jour, heure des visites**
Nous serons à Paris le... / La visite est prévue pour...
/ Le petit-déjeuner est-il compris...

• **Demande de service, d'informations**
Pouvez-vous nous consentir une réduction... / Est-il
possible d'avoir une réduction... / Nous avons besoin
de la liste des auberges de jeunesse...

• **Conclusion**
Je reste dans l'attente de votre réponse / Je vous
remercie par avance.

• **Salutations**
Avec mes salutations les meilleures / Agréez
mes salutations les plus distinguées.

À VOUS DE JOUER ! **Écrivez une lettre à l'office de tourisme pour demander :**

1. Une réduction du tarif d'entrée pour un musée.

2. La visite des tours de Notre-Dame à 18 h (horaire : 10 h / 17 h 30).

Arguments : vous voulez voir beaucoup de choses ; vous restez seulement deux jours à Paris.

UNITÉ 1   BOÎTE À OUTILS

❺ Écoutez et complétez.
– Vous aimez la danse ?
– Oh oui, j'adore danser.
– Et la musique ?
– Oui, j'aime le jazz.
– Et le rock, vous aimez ?
– Non, je déteste le rock.
– Vous détestez le rock ! C'est bizarre !

❸ Est-ce que vous entendez...
1. Vous aimez la musique ?
2. Est-ce que tu aimes le jazz ?
3. Est-ce que vous aimez danser ?
4. Vous aimez la danse ?
5. Et toi, tu aimes la mer ?
6. Et vous, vous détestez le rock ?
7. Vous adorez la ville.
8. Et la boxe, vous aimez ?
9. Tu aimes le tennis.
10. Vous détestez le foot.

❻ J'aime... J'adore...
– Vous aimez la danse ?
– Oh ! Oui, j'adore danser.
– Et la musique ?
– J'aime le jazz.
– Et le rock, vous aimez ?
– Non, je déteste le rock.
– Vous détestez le rock ! c'est bizarre !

UNITÉ 2   DÉCOUVERTES

❹ Écoutez et répétez les nombres.
10 – 10 000 – 8 – 8 000 – 4 – 400 – 3 – 3 000 – 1 – 7 –
700 – 7 000 – 5 – 500 – 5 000 – 6 – 600 – 2 – 2 000 –
9 – 900

❺ Écoutez et écrivez les nombres.
3 – 4 – 100 – 200 – 6 – 1 000 – 7 – 9 – 900 – 2 – 10 –
5 000 – 1 – 8 – 10 000 – 2 000

BOÎTE À OUTILS

❸ Écoutez et complétez.
– Vous vous appelez comment ?
– Sophie.
– Vous êtes française ?
– Non, je suis suisse.
– Et toi, tu es italienne ?
– Non, monsieur, je suis espagnole.
– Et vous, madame, vous êtes suédoise ?
– Je ne comprends pas !
– Vous êtes allemande, grecque, canadienne ?
– Autrichienne.
– Madame est autrichienne ! C'est très bien.

UNITÉ 3   DÉCOUVERTES

⓫ Écoutez et écrivez les dates.
le 3 mai – le 1er avril – le 21 juin – le 15 août – le 4 juillet – le
9 septembre – le 25 décembre – le 18 mars – le 27 janvier –
le 11 novembre – le 28 février – le 31 octobre

BOÎTE À OUTILS

❷ Avoir ou être ?
1. Nous sommes formidables.
2. Vous avez froid.
3. Ils ont chaud.
4. Ils sont magnifiques.
5. Elles ont soif.
6. Elles sont contentes.
7. Tu as 20 ans.
8. J'ai deux enfants.
9. Tu es médecin.

UNITÉ 4   BOÎTE À OUTILS

❶ Écoutez et écrivez l'heure.
1. Bonjour, il est sept heures et quart, et il fait beau.
2. – S'il vous plaît, quelle heure est-il ?
– Il est neuf heures moins le quart.
3. Rendez-vous à midi et demi chez Martine. Salut !
4. Mon train arrive à 17 heures 42.
5. Oh ! 11 heures 10. J'ai un rendez-vous. Au revoir.

UNITÉ 5   BOÎTE À OUTILS

❸ Écoutez et complétez avec quel, quelle, quels, quelles.
– Pardon, monsieur. C'est pour une enquête.
– Oui ?
– Première question : quels sont vos aliments préférés ?
– J'aime le poisson, les fruits de mer, j'adore les moules !
– Quelle est votre boisson préférée ?
– C'est la bière.
– Quelle bière ?
– La bière allemande.
– Quel est votre repas préféré ?
– C'est le dîner, mais j'aime le petit déjeuner aussi.
– Vous dînez à quelle heure ?
– À sept heures, sept heures et demie.
– Vous avez quel âge ?
– Euh !
– Quelle est votre profession ?
– Pilote.
– Merci, monsieur. Bonne journée !

UNITÉ 7   BOÎTE À OUTILS

❺ Écoutez et notez l'ordre d'arrivée des coureurs.
Le premier, le premier est italien, c'est... Non, le premier est
allemand, c'est Franz Kunze, et Marco Mattoni est deuxième.
Ah ! Et voilà un Français. Jacques Denis arrive troisième. Le
quatrième est aussi français : Gille Delaud est quatrième.
Giuseppe Peretti est cinquième, Léonardo Mancuso est
sixième, Albert Graf est septième. Et le dernier ? Qui est le
dernier ? François Rivière ou Gerd Müller ? François Rivière est
huitième. Et Gerd Müller est dernier.

BOÎTE À OUTILS

❷ Écoutez et choisissez la bonne réponse.
1. Je n'habite pas chez mes parents, je vais chez eux pendant les vacances.
2. Mon frère et sa femme sont arrivés. Je vais au restaurant avec eux.
3. Ma collègue a deux filles et elle parle beaucoup d'elles.
4. Ma sœur est partie à 10h et je suis parti après elle.
5. Jacques n'est pas au chômage. Il y a du travail pour lui.

PRÉCIS GRAMMATICAL

LA PHRASE SIMPLE _____

■ LA PHRASE AFFIRMATIVE

1. Sujet + verbe

Je sors.
Les enfants dorment.

2. Sujet + verbe + complément direct ou indirect

- **Il n'y a pas de préposition** entre le verbe et le complément direct.
  Florence lit le journal.

- **Il y a une préposition** (**à** ou **de**) entre le verbe et le complément indirect.
  *Claire téléphone **à** son ami.*
  *Tout le monde parle **de** ce film.*

3. Sujet + verbe + adjectif ou nom

*Béatrice est **grande**.*
*Florence est **pilote**.*

4. Sujet + verbe + complément circonstanciel

Le complément circonstanciel indique le lieu, le temps, le but...
Sa place est variable dans la phrase.

*Ils travaillent **au Canada*** = complément de lieu.
***Pendant les vacances**, je fais de la randonnée* = complément de temps.

LA PHRASE INTERROGATIVE

1. L'interrogation totale

Elle porte sur toute la phrase. La réponse est **oui** ou **non**.

On emploie :

- **l'intonation** (la voix monte en fin de phrase)

    Tu as fini ?

    Il fait froid ?

- **est-ce que**

    Est-ce que tu as fini ?

    Est-ce qu'il fait froid ?

 Si la question est négative, la réponse n'est pas oui mais **si**.

Tu ne viens pas avec nous au cinéma ? **Si**, je viens.

2. L'interrogation partielle

Elle porte sur une partie de la phrase :

- sur le **sujet**

    *Le dimanche, **Richard** joue au foot.* ➜ ***Qui** joue au foot ?*

- sur le **complément direct**

    *J'ai acheté **deux disques**.* ➜ ***Qu'est-ce que** tu as acheté ?*

- sur le **complément indirect**

    *Elle téléphone **à son ami**.* ➜ *Elle téléphone **à qui** ?*

- sur le **complément circonstanciel**

    *Le train part **à 20h 05**.* ➜ *Le train part **quand** ?*

Les différents types d'interrogation partielle

	question avec intonation	question avec est-ce que
sujet	**Qui** est là ?	**Qui est-ce qui** est là ?
complément direct	Vous voulez **quoi** ?	**Qu'est-ce que** vous voulez ?
complément indirect	**À qui** tu écris ?	**À qui est-ce que** tu écris ?
complément circonstanciel		
de lieu	Vous habitez **où** ?	**Où est-ce que** vous habitez ?
de temps	Ils partent **quand** ?	**Quand est-ce qu'**ils partent ?
	Vous partez **à quelle heure** ?	**À quelle heure est-ce que** vous partez ?
de but	Vous travaillez **pour quoi** ?	**Pour quoi est-ce que** vous travaillez ?
de manière	Elle va à Lyon **comment** ?	**Comment est-ce qu'**elle va à Lyon ?
de cause	**Pourquoi** elle rit ?	**Pourquoi est-ce qu'**elle rit ?
de prix	Ça coûte **combien** ?	**Combien est-ce que** ça coûte ?

 Pour les compléments indirects et les compléments circonstanciels, le mot interrogatif se place au début ou à la fin de la phrase.

À qui tu écris ? Tu écris à qui ?

Combien ça coûte ? Ça coûte combien ?

◼ LA PHRASE NÉGATIVE

1. La négation du verbe

- **ne (n') ... pas**

  *Il **ne** pleut **pas**.*

  *Elle **n'**aime **pas** danser.*

   Au **passé composé**, on emploie :

  ne + auxiliaire + pas + participe passé.

  *Il **n'**a **pas** répondu.*

  Avec les **verbes pronominaux**, on emploie :

  ne + pronom + verbe (ou auxiliaire) + pas.

  *Elle **ne** se promène **pas**.*

  *Elle **ne** s'est **pas** promenée.*

- **ne ... jamais**

  – Vous regardez toujours / souvent la télévision le soir ?

  *– Non, je **ne** regarde **jamais** la télévision le soir.*

- **ne ... plus**

  – Vous habitez toujours / encore à Aix ?

  *– Non, je **n'**habite **plus** à Aix (avant j'y habitais).*

- **ne ... pas encore**

  – Tu as déjà vu ce film ?

  *– Non, je **n'**ai **pas encore** vu ce film (je le verrai peut-être).*

2. La négation du complément direct, précédé de l'article indéfini ou de l'article partitif

- **ne ... pas / ne ... jamais / ne ... plus + de**

  *J'ai **une** voiture.*   *Je **n'**ai **pas de** voiture.*

  *Elle a acheté **des** fruits.*   *Elle **n'**a **pas** acheté **de** fruits.*

  *Il boit **de la** bière.*   *Il **ne** boit **jamais de** bière.*

  *Pierre fait **du** sport.*   *Pierre **ne** fait **plus de** sport.*

3. La négation du pronom indéfini

- **personne ... ne**

  – Quelqu'un a téléphoné ?

  *– Non, **personne n'**a téléphoné.*

- **ne ... rien**

  – Vous voulez quelque chose à boire ?

  *– Non merci, je **ne** veux **rien**.*

  – Vous avez tout compris ?

  *– Non, je **n'**ai **rien** compris.*

LE GROUPE DU NOM

◼ LE NOM

1. Genre du nom

Un nom est masculin ou féminin : *un livre, une table*.

En général, on ajoute un **-e** à la forme du masculin pour former le féminin des noms de personnes.

- **La prononciation peut rester la même.**

    un ami · *une amie*

- **La prononciation peut changer : on entend la consonne finale.**

un marchand	*une marchande*
un infirmier	*une infirmière*
un Japonais	*une Japonaise*
un voisin	*une voisine*
un informaticien	*une informaticienne*

- **La syllabe finale peut être modifiée.**

un serveur	*une serveuse*
un acteur	*une actrice*
un sportif	*une sportive*

- **Beaucoup de noms terminés par -e sont masculin ou féminin. C'est le déterminant qui indique le genre.**

    un / une artiste
    un / une architecte

2. Nombre du nom

Un nom est singulier ou pluriel : *la maison, les maisons*.

En général, on ajoute un **-s** à la forme du singulier pour former le pluriel.

- **Il n'y a pas de changement pour les noms terminés par -s.**

le mois	*les mois*
le pays	*les pays*

- **On ajoute un -x aux noms terminés par -eau ou -eu.**

le bureau	*les bureaux*
le lieu	*les lieux*

- **Les noms terminés en -al ont un pluriel en -aux.**

le journal	*les journaux*

    Exception : le festival, les festivals.

- **Pluriels irréguliers.**

un œil	*des yeux*
un jeune homme	*des jeunes gens*
madame	*mesdames*
monsieur	*messieurs*
mademoiselle	*mesdemoiselles*

■ LE DÉTERMINANT

Un nom est généralement précédé d'un déterminant.

1. L'article

	singulier		pluriel
	masculin	féminin	
indéfini	un	une	des
défini	le / l'	la / l'	les
partitif	du / de l'	de la / de l'	des

2. L'adjectif démonstratif

	masculin	féminin
singulier	ce / cet	cette
pluriel	ces	

3. L'adjectif possessif

	masculin	féminin
singulier	mon, ton, son	ma, ta, sa
	notre, votre, leur	
pluriel	mes, tes, ses, nos, vos, leurs	

4. L'adjectif interrogatif

	masculin	féminin
singulier	quel	quelle
pluriel	quels	quelles

■ L'ADJECTIF QUALIFICATIF

L'adjectif qualificatif s'accorde avec le nom. Il peut être masculin ou féminin, singulier ou pluriel.

> *un manteau noir*
> *une petite fille*
> *des fruits sucrés*
> *des étudiantes italiennes*

1. Genre de l'adjectif qualificatif

Pour former le féminin des adjectifs à l'écrit, on ajoute un **-e** au masculin.

- **La prononciation peut rester la même.**

normal	*normale*
exceptionnel	*exceptionnelle*
cher	*chère*
grec	*grecque*
jeune	*jeune*

Attention à l'orthographe.

- **La prononciation peut changer.**

grand	grande	
chinois	chinoise	
bon	bonne	
gros	grosse	**La consonne finale est prononcée.**
étranger	étrangère	
complet	complète	
voisin	voisine	
sportif	sportive	
heureux	heureuse	**La consonne finale est modifiée.**
blanc	blanche	
doux	douce	

- **Cas particuliers : beau, nouveau, vieux.**

beau	belle
nouveau	nouvelle
vieux	vieille

Devant un nom masculin commençant par une **voyelle** ou un **h muet**, beau devient **bel**, nouveau devient **nouvel**, vieux devient **vieil**.

un beau pays	un bel appartement
un nouveau restaurant	un nouvel hôpital
un vieux quartier	un vieil hôtel

2. Nombre de l'adjectif qualificatif

Pour former le pluriel des adjectifs à l'écrit, on ajoute un **-s** à la forme masculine ou féminine du singulier.

joli	joli**s**, jolie**s**
grand	grand**s**, grande**s**

Les adjectifs masculins terminés par **-eau** ou **-al** ont un pluriel en **-x**.

beau	beau**x**
national	nationau**x**

3. Place de l'adjectif qualificatif

En général, l'adjectif se place après le nom.

un repas excellent, des étudiants grecs, une robe verte

Les adjectifs **bon, beau, joli, petit, grand, gros, mauvais, nouveau, premier, dernier** se placent avant le nom.

un joli tableau,
le premier étage,
un gros gâteau

LE PRONOM PERSONNEL

Un pronom se met à la place d'un nom.

1. Les pronoms des première et deuxième personnes

	singulier		pluriel	
	je	tu	nous	vous
complément direct et indirect	me / m'	te / t'	nous	vous
tonique ou après une préposition	moi	toi	nous	vous

2. Les pronoms de la troisième personne

	singulier		pluriel	
	il	elle	ils	elles
complément direct	le / l'	la / l'	les	
complément indirect	lui		leur	
tonique ou après une préposition	lui	elle	eux	elles

- Complément direct
    *Florence **me** regarde.*
    *Il **la** regarde.*

- Complément indirect
    *Florence **me** parle.*
    *Il **lui** parle.*

- Pronom tonique
    ***Moi**, j'adore la musique.*
    *Les garçons, **eux**, aiment le foot mais les filles, **elles**, préfèrent la danse.*

- Pronom après une préposition
    *Thierry travaille avec **moi**.*
    *Je travaille pour **lui** depuis deux ans.*

3. En et y

- **En,** pronom, remplace un groupe nominal précédé de la préposition **de**.
    Vous parlez de vos prochaines vacances. ➜ *Vous **en** parlez.*
    Vous prenez un kilo de pommes. ➜ *Vous **en** prenez un kilo.*

- **Y,** remplace un groupe nominal précédé de la préposition **à**, **en**, **dans**, **sur**, etc.
    *– Tu vas souvent à la campagne ? – Oui, j'**y** vais souvent.*
    *– Vous vous intéressez au cinéma ? – Oui, je m'**y** intéresse.*

LE VERBE

■ EMPLOI DES TEMPS DE L'INDICATIF

1. Le présent

- Action en cours
  *Les gens **se promènent** dans le jardin.*

- Action dans un futur très proche
  *Je **reviens** dans cinq minutes.*

- Action habituelle
  *Les enfants **prennent** quatre repas par jour.*

- Vérité générale
  *La neige **est** blanche.*

2. Le futur simple

- Événement probable
  *Il **pleuvra** demain.*

3. L'imparfait

- Circonstances, état, action en cours
  *Je **regardais** la télévision quand Luc m'a téléphoné.*

- Description
  *C'**était** une journée magnifique : le ciel **était** bleu, le soleil **brillait**.*

- Action habituelle
  *Quand nous **habitions** à Paris, nous **allions** souvent à l'Opéra.*

4. Le passé composé

- Action terminée
  *Ils **ont acheté** leur maison en 1992.*

- Succession d'actions
  *Les touristes **ont visité** le Louvre, ils **sont montés** à la tour Eiffel,*
  *puis ils se **sont promenés** dans le quartier du Marais.*

5. Emplois particuliers

- **Être en train de + infinitif :** une action en cours d'accomplissement
  *Elle **est en train d'**écrire une lettre.*

- **Aller + infinitif :** le futur proche, une action proche et considérée comme certaine
  *Je **vais acheter** une voiture.*

- **Venir de + infinitif :** le passé récent, une action passée très proche
  *Je **viens de rencontrer** Béatrice dans la rue.*

CONJUGAISONS

1. Les verbes être et avoir

Ils servent à former les temps composés. Ce sont des auxiliaires.

Elle a accompagné son fils à la gare.

Je suis sorti hier.

Ils sont aussi employés comme des verbes.

Mes amis ont une maison avec un jardin.

Françoise est très jolie.

2. Les trois groupes de verbes

• **Premier groupe : infinitif en -er** (donner, parler, etc.)

90% des verbes sont des verbes du premier groupe.

Le radical est le même à tous les temps.

*je **donn**e, il **donn**ait, tu as **donn**é*

• **Deuxième groupe : infinitif en -ir** (finir, choisir, etc.)

Le radical ne change pas, mais l'élément **-iss** apparaît à certains temps.

*je **fin**is, je **fin**issais*

• **Troisième groupe : quelques verbes irréguliers très fréquents**

Le radical est variable.

Verbes en **-ir** : venir, partir, etc.

je viens, je pars.

Verbes en **-re** : faire, prendre, etc.

je fais, nous prenons.

Verbes en **-oir** : pouvoir, savoir, etc.

je peux, je sais.

3. Remarques générales sur les temps de l'indicatif

• **Le présent**

On entend la consonne finale du radical pour les verbes des 1er et 2e groupes.

*par**l**er ➔ je par**l**e   fi**n**ir ➔ il fi**n**it*

On n'entend pas la consonne finale du radical pour de nombreux verbes du 3e groupe.

*sor**t**ir ➔ je sors   descen**d**re ➔ je descends*

• **L'imparfait**

Il est toujours formé sur le radical de la première personne du pluriel du présent (sauf pour le verbe être).

Les terminaisons sont les mêmes pour tous les verbes.

*nous **parl**ons   ➔   je parl**ais***

*nous **finiss**ons   ➔   je finiss**ais***

*nous **écriv**ons   ➔   nous écriv**ions***

• **Le futur simple**

Il est toujours formé sur l'infinitif du verbe.

Les terminaisons sont les mêmes pour tous les verbes.

>   donner → *je donnerai*
>
>   choisir → *je choisirai*

Quelques verbes du troisième groupe ont un futur irrégulier.

>   *faire* → *je ferai*   *aller* → *j'irai*   *voir* → *je verrai*

• **Le passé composé**

En général, le passé composé se forme avec **l'auxiliaire avoir**.

>   *J'**ai** téléphoné.*

 Les verbes **aller, arriver, descendre, entrer, monter, mourir, naître, partir, passer, rester, retourner, sortir, tomber, venir** se conjuguent avec **l'auxiliaire être**.
*Elle **est** partie très tôt.*

Mais les verbes **descendre, monter, sortir, passer** se conjuguent avec l'auxiliaire avoir quand ils sont suivis d'un complément direct.
*Il **a** descendu sa valise. J'**ai** passé une bonne soirée.*

Les verbes pronominaux se conjuguent aussi avec l'auxiliaire être.
*Robert s'**est** levé à 7 heures.*

TABLEAUX DE CONJUGAISONS

Les verbes du premier groupe en -er : parler

indicatf	
présent	je parl**e**
	tu parl**es**
	il / elle parl**e**
	nous parl**ons**
	vous parl**ez**
	ils / elles parl**ent**
futur	je parler**ai**
	tu parler**as**
	il / elle parler**a**
	nous parler**ons**
	vous parler**ez**
	ils / elles parler**ont**
passé composé	j'ai parl**é**
	tu as parl**é**
	il / elle a parl**é**
	nous avons parl**é**
	vous avez parl**é**
	ils / elles ont parl**é**
imparfait	je parl**ais**
	tu parl**ais**
	il / elle parl**ait**
	nous parl**ions**
	vous parl**iez**
	ils / elles parl**aient**

impératif	
présent	parl**e**
	parl**ons**
	parl**ez**

 Il n'y a pas de **-s** à la 2ᵉ personne de l'impératif, sauf quand le verbe est suivi de **en** et **y**.

Donnes-en !   Offres-en !

Remarques

• Quelques verbes présentent des **modifications orthographiques**.

– Verbes en **-ger** (changer, manger, voyager, etc.)

Présent : nous mang**e**ons

Imparfait : je mang**e**ais, tu mang**e**ais, etc.

– Verbes comme lever, préférer : **è + e muet**

Présent : je l**è**ve, tu l**è**ves, il l**è**ve, ils l**è**vent

je préf**è**re, tu préf**è**res, il préf**è**re, ils préf**è**rent

– Verbes comme payer, essayer : **y** ou **i + e muet**

Présent : je pa**i**e / je pa**y**e, tu pa**i**es / tu pa**y**es, il pa**i**e / il pa**y**e, ils pa**i**ent / ils pa**y**ent

Futur : je pa**i**erai / je pa**y**erai, tu pa**i**eras / tu pa**y**eras, etc.

– Verbes comme employer, nettoyer : **i + e muet**

Présent : j'empl**o**ie, tu empl**o**ies, il empl**o**ie, ils empl**o**ient

Futur : j'empl**o**ierai, etc.

exception : envoyer ➜ j'enverrai

– Verbes comme appeler et jeter : **ll** ou **tt + e muet**

– Verbes en **-cer** (commencer)

Présent : nous commen**ç**ons

Imparfait : je commen**ç**ais

indicatif		
présent	j'appe**ll**e	je je**tt**e
	tu appe**ll**es	tu je**tt**es
	il / elle appe**ll**e	il / elle je**tt**e
	nous appe**l**ons	nous je**t**ons
	vous appe**l**ez	vous je**t**ez
	ils / elles appe**ll**ent	ils / elles je**tt**ent
futur	j'appe**ll**erai	je je**tt**erai
passé composé	j'ai appe**l**é	j'ai je**t**é

Les verbes du deuxième groupe en -ir : finir

indicatif			
présent	je fin**is**	**imparfait**	je finiss**ais**
	tu fin**is**		tu finiss**ais**
	il / elle fin**it**		il / elle finiss**ait**
	nous fin**issons**		nous finiss**ions**
	vous fin**issez**		vous finiss**iez**
	ils / elles fin**issent**		ils / elles finiss**aient**
futur	je fin**irai**	**passé composé**	j'ai fin**i**
	tu fin**iras**		tu as fin**i**
	il / elle fin**ira**		il / elle a fin**i**
	nous fin**irons**		nous avons fin**i**
	vous fin**irez**		vous avez fin**i**
	ils / elles fin**iront**		ils / elles ont fin**i**

impératif	
présent	fin**is**
	finiss**ons**
	finiss**ez**

Les verbes avoir et être

indicatif		
présent	j'ai	je suis
	tu as	tu es
	il / elle a	il / elle est
	nous avons	nous sommes
	vous avez	vous êtes
	ils / elles ont	ils / elles sont
futur	j'aurai	je serai
	tu auras	tu seras
	il / elle aura	il / elle sera
	nous aurons	nous serons
	vous aurez	vous serez
	ils / elles auront	ils / elles seront
imparfait	j'avais	j'étais
	tu avais	tu étais
	il / elle avait	il / elle était
	nous avions	nous étions
	vous aviez	vous étiez
	ils / elles avaient	ils / elles étaient
passé composé	j'ai eu	j'ai été
	tu as eu	tu as été
	il / elle a eu	il / elle a été
	nous avons eu	nous avons été
	vous avez eu	vous avez été
	ils / elles ont eu	ils / elles ont été

impératif		
présent	aie	sois
	ayons	soyons
	ayez	soyez

La conjugaison pronominale

• Le verbe est précédé d'un pronom de la même personne que le sujet (nom ou pronom).

je **me** lève
tu **te** lèves
il / elle **se** lève   *Paul **se** lève.*
nous **nous** levons
vous **vous** levez
ils / elles **se** lèvent   *Les enfants **se** lèvent.*

• Le passé composé est formé avec l'auxiliaire être. Attention à l'accord du participe passé avec le sujet.

*Florence s'est habillé**e**.*
*Nous nous sommes promené**(e)s**.*

• Attention à la place du pronom personnel à l'impératif.

lève-**toi**   ne **te** lève pas
levons-**nous**   ne **nous** levons pas
levez-**vous**   ne **vous** levez pas

Les verbes du troisième groupe

infinitif	indicatif				impératif
	présent	passé composé	imparfait	futur	présent
aller	je vais tu vas il / elle va nous allons vous allez ils / elles vont	je suis allé(e) tu es allé(e) il / elle est allé(e) nous sommes allé(e)s vous êtes allé(e)s ils / elles sont allé(e)s	j'allais tu allais il / elle allait nous allions vous alliez ils / elles allaient	j'irai tu iras il / elle ira nous irons vous irez ils / elles iront	va allons allez
apercevoir recevoir	j'aperçois tu aperçois il / elle aperçoit nous apercevons vous apercevez ils / elles aperçoivent	j'ai aperçu tu as aperçu il / elle a aperçu nous avons aperçu vous avez aperçu ils / elles ont aperçu	j'apercevais tu apercevais il / elle apercevait nous apercevions vous aperceviez il / elles apercevaient	j'apercevrai tu apercevras il / elle apercevra nous apercevrons vous apercevrez ils / elles apercevront	aperçois apercevons apercevez
boire	je bois tu bois il / elle boit nous buvons vous buvez ils / elles boivent	j'ai bu tu as bu il / elle a bu nous avons bu vous avez bu ils / elles ont bu	je buvais tu buvais il / elle buvait nous buvions vous buviez ils / elles buvaient	je boirai tu boiras il / elle boira nous boirons vous boirez ils / elles boiront	bois buvons buvez
conduire construire détruire introduire produire traduire	je conduis tu conduis il / elle conduit nous conduisons vous conduisez ils / elles conduisent	j'ai conduit tu as conduit il / elle a conduit nous avons conduit vous avez conduit ils / elles ont conduit	je conduisais tu conduisais il / elle conduisait nous conduisions vous conduisiez ils / elles conduisaient	je conduirai tu conduiras il / elle conduira nous conduirons vous conduirez ils / elles conduiront	conduis conduisons conduisez
connaître paraître disparaître	je connais tu connais il / elle connaît nous connaissons vous connaissez ils / elles connaissent	j'ai connu tu as connu il / elle a connu nous avons connu vous avez connu ils / elles ont connu	je connaissais tu connaissais il / elle connaissait nous connaissions vous connaissiez ils / elles connaissaient	je connaîtrai tu connaîtras il / elle connaîtra nous connaîtrons vous connaîtrez ils / elles connaîtront	connais connaissons connaissez
courir	je cours tu cours il / elle court nous courons vous courez ils / elles courent	j'ai couru tu as couru il / elle a couru nous avons couru vous avez couru ils / elles ont couru	je courais tu courais il / elle courait nous courions vous couriez ils / elles couraient	je courrai tu courras il / elle courra nous courrons vous courrez ils / elles courront	cours courons courez
croire	je crois tu crois il / elle croit nous croyons vous croyez ils / elles croient	j'ai cru tu as cru il / elle a cru nous avons cru vous avez cru ils / elles ont cru	je croyais tu croyais il / elle croyait nous croyions vous croyiez ils / elles croyaient	je croirai tu croiras il / elle croira nous croirons vous croirez ils / elles croiront	crois croyons croyez
devoir	je dois tu dois il / elle doit nous devons vous devez ils / elles doivent	j'ai dû tu as dû il / elle a dû nous avons dû vous avez dû ils / elles ont dû	je devais tu devais il / elle devait nous devions vous deviez ils / elles devaient	je devrai tu devras il / elle devra nous devrons vous devrez ils / elles devront	
dire interdire	je dis tu dis il / elle dit nous disons vous dites ils / elles disent	j'ai dit tu as dit il / elle a dit nous avons dit vous avez dit ils / elles ont dit	je disais tu disais il / elle disait nous disions vous disiez ils / elles disaient	je dirai tu diras il / elle dira nous dirons vous direz ils / elles diront	dis disons dites

infinitif	indicatif				impératif
	présent	**passé composé**	**imparfait**	**futur**	**présent**
dormir	je dors	j'ai dormi	je dormais	je dormirai	
	tu dors	tu as dormi	tu dormais	tu dormiras	dors
	il / elle dort	il / elle a dormi	il / elle dormait	il / elle dormira	
	nous dormons	nous avons dormi	nous dormions	nous dormirons	dormons
	vous dormez	vous avez dormi	vous dormiez	vous dormirez	dormez
	ils / elles dorment	ils / elles ont dormi	ils / elles dormaient	ils / elles dormiront	
écrire	j'écris	j'ai écrit	j'écrivais	j'écrirai	
décrire	tu écris	tu as écrit	tu écrivais	tu écriras	écris
	il / elle écrit	il / elle a écrit	il / elle écrivait	il / elle écrira	
	nous écrivons	nous avons écrit	nous écrivions	nous écrirons	écrivons
	vous écrivez	vous avez écrit	vous écriviez	vous écrirez	écrivez
	ils / elles écrivent	ils / elles ont écrit	ils / elles écrivaient	ils / elles écriront	
faire	je fais	j'ai fait	je faisais	je ferai	
défaire	tu fais	tu as fait	tu faisais	tu feras	fais
refaire	il / elle fait	il / elle a fait	il / elle faisait	il / elle fera	
	nous faisons	nous avons fait	nous faisions	nous ferons	faisons
	vous faites	vous avez fait	vous faisiez	vous ferez	faites
	ils / elles font	ils / elles ont fait	ils / elles faisaient	ils / elles feront	
falloir	il faut	il a fallu	il fallait	il faudra	
mettre	je mets	j'ai mis	je mettais	je mettrai	
	tu mets	tu as mis	tu mettais	tu mettras	mets
	il / elle met	il / elle a mis	ils / elle mettait	il / elle mettra	
	nous mettons	nous avons mis	nous mettions	nous mettrons	mettons
	vous mettez	vous avez mis	vous mettiez	vous mettrez	mettez
	ils / elles mettent	ils / elles ont mis	ils / elles mettaient	ils / elles mettront	
ouvrir	j'ouvre	j'ai ouvert	j'ouvrais	j'ouvrirai	
couvrir	tu ouvres	tu as ouvert	tu ouvrais	tu ouvriras	ouvre
découvrir	il / elle ouvre	il / elle a ouvert	il / elle ouvrait	il / elle ouvrira	
	nous ouvrons	nous avons ouvert	nous ouvrions	nous ouvrirons	ouvrons
	vous ouvrez	vous avez ouvert	vous ouvriez	vous ouvrirez	ouvrez
	ils / elles ouvrent	ils / elles ont ouvert	ils / elles ouvraient	ils / elles ouvriront	
partir	je pars	je suis parti(e)	je partais	je partirai	
sortir	tu pars	tu es parti(e)	tu partais	tu partiras	pars
	il / elle part	il / elle est parti(e)	il / elle partait	il / elle partira	
	nous partons	nous sommes parti(e)s	nous partions	nous partirons	partons
	vous partez	vous êtes parti(e)s	vous partiez	vous partirez	partez
	ils / elles partent	ils / elles sont parti(e)s	ils / elles partaient	ils / elles partiront	
plaire	je plais	j'ai plu	je plaisais	je plairai	
	tu plais	tu as plu	tu plaisais	tu plairas	plais
	il / elle plaît	il / elle a plu	il / elle plaisait	il / elle plaira	
	nous plaisons	nous avons plu	nous plaisions	nous plairons	plaisons
	vous plaisez	vous avez plu	vous plaisiez	vous plairez	plaisez
	ils / elles plaisent	ils / elles ont plu	ils / elles plaisaient	ils / elles plairont	
pleuvoir	il pleut	il a plu	il pleuvait	il pleuvra	
pouvoir	je peux	j'ai pu	je pouvais	je pourrai	
	tu peux	tu as pu	tu pouvais	tu pourras	
	il / elle peut	il / elle a pu	il / elle pouvait	il / elle pourra	
	nous pouvons	nous avons pu	nous pouvions	nous pourrons	
	vous pouvez	vous avez pu	vous pouviez	vous pourrez	
	ils / elles peuvent	ils / elles ont pu	ils / elles pouvaient	ils / elles pourront	
prendre	je prends	j'ai pris	je prenais	je prendrai	
apprendre	tu prends	tu as pris	tu prenais	tu prendras	
comprendre	il / elle prend	il / elle a pris	il / elle prenait	il / elle prendra	prends
	nous prenons	nous avons pris	nous prenions	nous prendrons	prenons
	vous prenez	vous avez pris	vous preniez	vous prendrez	prenez
	ils / elles prennent	ils / elles ont pris	ils / elles prenaient	ils / elles prendront	

infinitif	indicatif				impératif
	présent	**passé composé**	**imparfait**	**futur**	**présent**
rendre attendre défendre descendre entendre vendre	je rends tu rends il / elle rend nous rendons vous rendez il / elles rendent	j'ai rendu tu as rendu il / elle a rendu nous avons rendu vous avez rendu ils /elles ont rendu	je rendais tu rendais il /elle rendait nous rendions vous rendiez ils / elles rendaient	je rendrai tu rendras il /elle rendra nous rendrons vous rendrez ils /elles rendront	 rends rendons rendez
répondre	je réponds tu réponds il / elle répond nous répondons vous répondez ils / elles répondent	j'ai répondu tu as répondu il / elle a répondu nous avons répondu vous avez répondu ils /elles ont répondu	je répondais tu répondais il / elle répondait nous répondions vous répondiez ils / elles répondaient	je répondrai tu répondras il / elle répondra nous répondrons vous répondrez ils / elles répondront	 réponds répondons répondez
savoir	je sais tu sais il / elle sait nous savons vous savez ils / elles savent	j'ai su tu as su il / elle a su nous avons su vous avez su ils / elles ont su	je savais tu savais il / elle savait nous savions vous saviez ils / elles savaient	je saurai tu sauras il / elle saura nous saurons vous saurez ils / elles sauront	 sache sachons sachez
sentir	je sens tu sens il / elle sent nous sentons vous sentez ils / elles sentent	j'ai senti tu as senti il / elle a senti nous avons senti vous avez senti ils / elles ont senti	je sentais tu sentais il / elle sentait nous sentions vous sentiez ils / elles sentaient	je sentirai tu sentiras il / elle sentira nous sentirons vous sentirez ils / elles sentiront	 sens sentons sentez
servir	je sers tu sers il / elle sert nous servons vous servez ils / elles servent	j'ai servi tu as servi il a servi nous avons servi vous avez servi ils / elles ont servi	je servais tu servais il /elle servait nous servions vous serviez ils / elles servaient	je servirai tu serviras il / elle servira nous servirons vous servirez ils / elles serviront	 sers servons servez
suivre	je suis tu suis il / elle suit nous suivons vous suivez ils / elles suivent	j'ai suivi tu as suivi il / elle a suivi nous avons suivi vous avez suivi ils / elle ont suivi	je suivais tu suivais il / elle suivait nous suivions vous suiviez ils / elles suivaient	je suivrai tu suivras il / elle suivra nous suivrons vous suivrez ils / elles suivront	 suis suivons suivez
venir devenir revenir tenir (auxiliaire avoir) obtenir (auxiliaire avoir)	je viens tu viens il / elle vient nous venons vous venez ils / elles viennent	je suis venu(e) tu es venu(e) il / elle est venu(e) nous sommes venu(e)s vous êtes venu(e)s ils / elles sont venu(e)s	je venais tu venais il / elle venait nous venions vous veniez ils / elles venaient	je viendrai tu viendras il / elle viendra nous viendrons vous viendrez ils / elles viendront	 viens venons venez
vivre	je vis tu vis il / elle vit nous vivons vous vivez ils / elles vivent	j'ai vécu tu as vécu il / elle a vécu nous avons vécu vous avez vécu ils / elles ont vécu	je vivais tu vivais il / elle vivait nous vivions vous viviez ils / elles vivaient	je vivrai tu vivras il / elle vivra nous vivrons vous vivrez ils / elles vivront	 vis vivons vivez
voir	je vois tu vois il / elle voit nous voyons vous voyez ils / elles voient	j'ai vu tu as vu il / elle a vu nous avons vu vous avez vu ils / elles ont vu	je voyais tu voyais il / elle voyait nous voyions vous voyiez ils / elles voyaient	je verrai tu verras il / elle verra nous verrons vous verrez ils / elles verront	 vois voyons voyez
vouloir	je veux tu veux il / elle veut nous voulons vous voulez ils / elles veulent	j'ai voulu tu as voulu il / elle a voulu nous avons voulu vous avez voulu ils / elles ont voulu	je voulais tu voulais il / elle voulait nous voulions vous vouliez ils / elles voulaient	je voudrai tu voudras il / elle voudra nous voudrons vous voudrez ils / elles voudront	 veuille veuillons veuillez

LEXIQUE

Le numéro qui figure à gauche
du mot renvoie à l'unité
où le mot apparaît pour
la première fois.

adj : adjectif
adv : adverbe
f : féminin
indéf : indéfini

imp : impersonnel
intr : intransitif
inv : invariable
loc : locution

m : masculin
n : nom
p : pluriel
pr : pronominal

prép : préposition
pron : pronom
tr : transitif
v : verbe

1	accent, n.m	accent	Akzent	acento	acento	τόνος
16	accident, n.m	accident	Unfall	accidente	acidente	ατύχημα
10	accompagner, v.tr	to accompany	begleiten	acompañar	acompanhar	συνοδεύω
14	accueillir, v.tr	to welcome	empfangen	acoger	acolher	υποδέχομαι
7	acheter, v.tr	to buy	kaufen	comprar	comprar	αγοράζω
14	acompte, n.m	deposit	Anzahlung	anticipo	entrada	προκαταβολή
2	acteur, n.m	actor	Schauspieler	actor	actor	ηθοποιός
1	activité, n.f	activity	Beschäftigung	actividad	actividade	δραστηριότητα
5	addition, n.f	bill	Rechnung	cuenta	conta	λογαριασμός
15	admiration, n.f	admiration	Bewunderung	admiración	admiração	θαυμασμός
5	adolescent, n.m	teenager	Jugendliche	adolescente	adolescente	έφηβος
1	adorer, v.tr	to adore	gern haben	adorar	adorar	λατρεύω
4	adresse, n.f	address	Adresse	señas	direcção	διεύθυνση
11	adulte, n.m	adult	Erwachsener	adulto	adulto	ενήλικος
1	aéroport, n.m	airport	Flughafen	aeropuerto	aeroporto	αεροδρόμιο
3	âge, n.m	age	Alter	edad	idade	ηλικία
8	agence, n.f	agency	Agentur	agencia	agência	πρακτορείο
10	aider, v.tr	to help	helfen	ayudar	ajudar	βοηθώ
1	aimer, v.tr	to love, to like	lieben	gustar	gostar de	αγαπώ
5	alcool, n.m	alcohol	Alkohol	alcohol	álcool	οινόπνευμα
5	aliment, n.m	food	Nahrungsmittel	alimento	alimento	τρόφιμα
2	allemand, adj	German	deutsch	alemán	alemão	Γερμανός
4	aller (à), v.intr	to go to	gehen	ir a	ir (a)	πηγαίνω (κάπου)
10	aller chercher, v	to fetch	holen	buscar	ir buscar	πηγαίνω να πάρω
8	aller-retour, n.m	return (ticket)	Hin- und Rückfahrt	ida-vuelta	ida e volta	πήγαινε-έλα
3	alors, adv	so, then	also	entonces	então	τότε
15	alpiniste, n.m	mountaineer	Bergsteiger	alpinista	alpinista	ορειβάτης
15	américain, adj	American	amerikanisch	americano	americano	αμερικανικό
3	ami, n.m	friend	Freund	amigo	amigo	φίλος
4	amitiés, n.f.p	very best wishes	Grüße	abrazos	abraços	φιλίες
8	amoureux, adj	in love	verliebt	enamorado	apaixonado	ερωτευμένος
14	amuser (s'), v.pr	to have fun	amüsieren	divertirse	divertir (-se)	διασκεδάζω
3	an, n.m, / année, n.f	year	Jahr	año	ano	έτος
5	ananas, n.m	pineapple	Ananas	piña tropical	ananás	ανανάς
16	ancien, adj	old	alt	antiguo	antigo	παλαιός
2	anglais, adj	English	englisch	inglés	inglês	αγγλικός
14	animal, n.m	animal	Tier	animal	animal	ζώο/α
16	anniversaire, n.m	birthday	Geburtstag	cumpleaños	aniversário	επέτειος
9	annonce, n.f	advertisement	Anzeige	anuncio	anúncio	αγγελία
16	apercevoir, v.tr	to notice	bemerken	darse cuenta	avistar	διακρίνω
4	appartement, n.m	flat	Wohnung	piso	apartamento	διαμέρισμα

	French	English	German	Spanish	Portuguese	Greek
2	appeler (s'), v.pr	to be called	heißen	llamarse	chamar-se	ονομάζομαι
12	apporter, v.tr	to bring	bringen	aportar	trazer	φέρνω
9	apprendre, v.tr	to learn	lernen	aprender	aprender	μαθαίνω
6	après, prép	after	nach	después de	depois	μετά
4	après-midi, n.m	afternoon	Nachmittag	tarde	tarde	απόγευμα
3	architecte, n	architect	Architekt	arquitecto	arquitecto	αρχιτέκτονας
7	argent, n.m	money	Geld	dinero	dinheiro	χρήμα
15	arrêt d'autobus, n.m	bus stop	Bushaltestelle	parada de autobús	paragem de autocarro	στάση λεωφορείου
15	arrêter de (s'), v.pr	to stop (doing sth)	aufhören	pararse	parar (de)	σταματώ
2	arriver, v.intr	to arrive	ankommen	llegar	chegar	φτάνω
15	art, n.m	art	Kunst	arte	arte	τέχνη
15	artiste, n	artist	Künstler	artista	artista	καλλιτέχνης
14	ascenseur, n.m	lift	Aufzug	ascensor	elevador	ανελκυστήρας
16	aspect physique, n.m	physical aspect	Aussehen	aspecto físico	aspeto físico	όψη
16	assassin, n.m	murderer	Mörder	asesino	assassino	δολοφόνος
5	assiette, n.f	plate	Teller	plato	prato	πιάτο
1	associer, v.tr	to link	verbinden	asociar	associar	συνδέω
10	atmosphère, n.f	atmosphere	Atmosphäre	atmósfera	atmosfera	ατμόσφαιρα
9	attendre, v.tr	to wait	warten	esperar	esperar	περιμένω
6	attention (faire), n.f	(to pay) attention	aufpassen	cuidado (tener)	cuidado (ter)	προσέχω
10	audition, n.f	audition	Vorstellung	audición, prueba	audição	ακρόαση
10	augmenter, v.tr	to increase	erhöhen	aumentar	aumentar	αυξάνω
3	aussi, adv	also	auch	también	também	επίσης
3	automne, n.m	autumn	Herbst	otoño	outono	φθινόπωρο
3	autre, pron	other	andere	otro	outro (a)	άλλος
15	autrefois, adv	in the past	früher	antaño	antigamente	άλλοτε
2	autrichien, adj	Austrian	österreichisch	austriaco	austríaco	Αυστριακός/ή
8	avance (en), loc	early	zu früh	adelante	adiantado	πιο νωρίς
6	avant, prép	before	vor, vorher	antes	antes	πριν
8	aventure, n.f	adventure	Abentheuer	aventura	aventura	περιπέτεια
4	avenue, n.f	avenue	Avenue	avenida	avenida	λεωφόρος
1	avion, n.m	aeroplane	Flugzeug	avión	avião	αεροπλάνο
7	avis (à mon), n.m	opinion (in my)	Meinung (nach meiner)	(en mi) opinión	opinião (na minha,)	κατά τη γνώμη μου

B

	French	English	German	Spanish	Portuguese	Greek
9	bac (baccalauréat), n.m	'A' levels	Abi(tur)	bachiller (bachillerato)	exame do 12° ano	απολυτήριο
13	bagages, n.m.p	luggage	Gepäck	equipaje	bagagens	αποσκευές
14	baigner (se), v.pr	to go swimming	baden	bañarse	banhar (se)	κολυμπώ
14	baignoire, n.f	bath (tub)	Badewanne	bañera	banheira	μπανιέρα
6	baisser, v.tr	to lower	bücken	bajar	baixar	χαμηλώνω
10	balle, n.f	ball	Ball	pelota	bola	μπάλα
13	ballet, n.m	ballet	Ballett	ballet	balé	μπαλέτο
9	banlieue, n.f	suburb	Vorort	afueras	subúrbio	προάστειο
16	barrer la route, v	to block the way	die Straße versperren	bloquear la carretera	barrar a estrada	κλείνω το δρόμο
15	bas (en), loc	down	unten	abajo	baixo (em)	κάτω από
9	basketteur, n.m	basketball player	Basketballspieler	baloncentista	basquetebolista	μπασκετμπολίστας
1	beau, belle, adj	handsome, beautiful	schön	guapo, guapa	bonito (a)	ωραίος/α
6	beaucoup, adv	a lot of	viel	mucho	muito	πολύ
2	belge, adj	Belgian	belgisch	belga	belga	Βέλγος
13	béton, n.m	concrete	Beton	cemento	betão	τσιμέντο
15	bicyclette, n.f	bicycle	Fahrrad	bicicleta	bicicleta	ποδήλατο
2	bien, adv	good, well	gut	bien	bem	καλά
9	bien sûr, loc	of course	natürlich	por supuesto	claro	σίγουρα
1	bientôt (à), loc	soon (see you)	bald (bis)	hasta pronto	logo (até)	σύντομα
5	bière, n.f	beer	Bier	cerveza	cerveja	μπύρα
8	billet, n.m	ticket	Karte	billete	bilhete	εισιτήριο
4	bise, n.f	love (lit. 'kiss')	Kuß	beso	beijo	φιλί
11	bistrot, n.m	café, bar	Kneipe	bar	botequim	καφενείο
1	bizarre, adj	weird	komisch	raro	estranho (a)	περίεργο
7	blanc, adj	white	weiß	blanco	branco	άσπρος
7	bleu, adj	blue	blau	azul	azul	μπλε
7	blond, adj	blond	blond	rubio	louro (a)	ξανθός
5	bœuf, n.m	bullock; beef	Rind	vaca	boi	μοσχάρι
5	boire, v.tr	to drink	trinken	beber	beber	πίνω
5	boisson, n.f	drink	Getränk	bebida	bebida	ποτό

5 bon marché, adv	cheap	preiswert	barato	barato	προσφορά
3 bon, adj	good	gut	bueno	bom	καλός
6 bouger, v	to move	bewegen	mover	mexer-se	κινούμαι
11 boulot, n.m	job	Arbeit	curro	trabalho	δουλειά
7 boutique, n.f	shop	Boutique	tienda	loja	μαγαζί
1 boxe, n.f	boxing	Boxen	boxeo	boxe	μποξ
3 briller, v.intr	to shine	scheinen	brillar	brilhar	λάμπω
14 bruit, n.m	noise	Lärm	ruido	barulho	θόρυβος
7 brun, adj	dark(-haired)	braun	moreno	moreno	καστανός
4 bureau, n.m	office	Büro	oficina	escritório	γραφείο
4 bus, n.m	bus	Bus	autobús	autocarro	λεωφορείο

7 cabine, n.f	fitting room	Kabine	probador	cabina	θάλαμος
13 cadeau, n.m	gift	Geschenk	regalo	presente	δώρο
1 café, n.m	café; coffee	Kaffee, Café	café	café	καφενείο
9 caisse, n.f	cashdesk	Kasse	caja	caixa	ταμείο
2 caissier, n.m	cashier	Kassiererin	cajero	caixa	ταμίας
8 calme, n.m, adj	calm	Ruhe, ruhig	tranquilo	calmo	γαλήνη/γαλήνιος
13 campagne, n.f	countryside	Land (Gebiet)	campo	campo	εξοχή
8 camping, n.m	camping; campsite	Campingplatz	camping	campismo	κάμπινγκ
2 canadien, adj	Canadian	canadisch	canadiense	canadiano	Καναδός/ή
11 cantine, n.f	canteen	Kantine	comedor	cantina	καντίνα
8 car, n.m	coach	Bus	autocar	autocarro	λεωφορείο
15 carreau, n.m	(window) pane	Fensterscheibe	cristal	vidraça	τζάμι
12 carrefour, n.m	crossroads	Kreuzung	cruce	cruzamento	γωνία
5 carte, n.f	menu	Karte	menú	ementa	κατάλογος
9 cause de (à), loc	because of	wegen	a causa de	causa (por ... de)	εξαιτίας
16 cave, n.f	cellar	Keller	sótano	cave	αποθήκη
9 célibataire, adj	single	ledig	soltero	solteiro	ανύπαντρος
5 centre-ville, n.m	town centre	Zentrum	centro	centro da cidade	κέντρο της πόλης
13 certitude, n.f	certainty	Sicherheit	certidumbre	certeza	βεβαιότητα
14 chacun, pron	each one	jeder	cada uno	cada um	καθένας
14 chalet, n.m	chalet	Chalet	chalet	chalé	ορεινό σπίτι
14 chambre, n.f	bedroom	Zimmer	habitación	quarto	δωμάτιο
2 champion, n.m	champion	Sieger	campeón	campeão	πρωταθλητής
11 chance, n.f	luck	Glück	suerte	sorte	τύχη
8 changer (de train), v.tr	to change (trains)	umsteigen	cambiar	fazer a correspondência	αλλάζω τρένο
1 chanson, n.f	song	Lied	canción	canção	τραγούδι
10 chanter, v.tr	to sing	singen	cantar	cantar	τραγουδώ
5 charcuterie, n.f	cooked pork meats	Wurstwaren	charcutería	charcutaria	αλλαντικά
16 chat, n.m	cat	Katze	gato	gato	γάτα
7 châtain, adj	brown-haired	kastanienbraun	castaño	castanho	καστανός
4 château, n.m	castle	Schloß	castillo	castelo	πύργος
3 chaud, adj	hot	warm	calor	quente	ζεστός
9 chauffeur (de taxi), n.m	(taxi) driver	Fahrer	conductor, taxista	motorista (de táxi)	οδηγός (ταξί)
13 chef, n.m	boss	Chef	jefe	chefe	διευθυντής
4 chemin, n.m	way, path	Weg	camino	caminho	δρόμος
7 chèque, n.m	cheque	Scheck	cheque	cheque	επιταγή
5 cher, adj	expensive	teuer, lieb	caro	caro	ακριβός
2 chercher, v.tr	to look for	suchen	buscar	procurar	ψάχνω
5 chez, prép	at (sb's place)	bei	casa	em casa	στο σπίτι
2 chiffre, n.m	figure	Ziffer	cifra	algarismo	αριθμός
7 choisir, v.tr	to choose	wählen	escoger	escolher	διαλέγω
2 choix, n.m	choice	Wahl	elección	escolha	επιλογή
9 chômage, n.m	unemployment	Arbeitslosigkeit	paro	desemprego	ανεργία
1 cinéma, n.m	cinema	Kino	cine	cinema	κινηματογράφος
16 circonstance, n.f	circumstance	Umstand	circunstancia	circunstância	περίσταση
12 circulation, n.f	traffic	Verkehr	circulación	circulação	κυκλοφορία
9 circuler, v.intr	to drive, ride, move	fahren	ir, circular	circular	κυκλοφορώ
10 cité, n.f	(housing) estate	Siedlung (Stadt)	barrio	cidade	πόλη
5 citron, n.m	lemon	Zitrone	limón	limão	λεμόνι
2 classement, n.m	placing	Reihenfolge	clasificación	classificação	ταξινόμηση
1 classer, v.tr	to group together	ordnen	clasificar	classificar	ταξινομώ
13 clé, n.f	key	Schlüssel	llave	chave	κλειδί

	French	English	German	Spanish	Portuguese	Greek
5	client, n.m	customer	Kunde	cliente	cliente	πελάτης
16	coffre, n.m	car boot	Koffer	maletero	mala	μπαούλο
14	coin, n.m	corner	Ecke	rincón	canto	γωνιά
16	collectionneur, n.m	collector	sammeln	coleccionar	coleccionador	συλλέκτης
9	collège, n.m	middle school	Realschule	colegio	colégio	κολλέγιο
3	collègue, n.m	colleague	Kollege	colega	colega	συνάδελφος
14	colonie de vacances, n.f	holiday camp	Ferienkolonie	campamento	colónia de férias	κατασκήνωση
5	commander, v.tr	to order	bestellen	pedir	pedir	παραγγέλνω
13	comme, adv	as	als	como	como	όπως
9	communication, n.f	communications	Kommunikation	comunicación	comunicação	επικοινωνία
10	compagnie d'assurances, n.f	insurance company	Versicherungsgesellschaft	compañía de seguros	companhia de seguros	ασφαλιστική εταιρεία
13	compliment, n.m	compliment	Kompliment	cumplidos	cumprimento	κομπλιμέντο
2	comprendre, v.tr	to understand	verstehen	comprender	compreender	καταλαβαίνω
6	comprimé, n.m	tablet	Tablette	comprimido	comprimido	χάπι
8	concert, n.m	concert	Konzert	concierto	concerto	κοντσέρτο
11	concours, n.m	competition	Wettbewerb	concurso	concurso	διαγωνισμός
9	concurrent, n.m	competitor	Konkurrent	competidor	concorrente	ανταγωνιστής
9	conduire, v.tr	to drive	fahren (Auto)	conducir	conduzir	οδηγώ
1	conférence, n.f	conference; lecture	Konferenz	conferencia	conferência	διάλεξη
10	confiance, n.f	trust, confidence	Vertrauen	confianza	confiança	εμπιστοσύνη
14	confirmer, v.tr	to confirm	bestätigen	confirmar	confirmar	επιβεβαιώνω
5	confiture, n.f	jam	Marmelade	mermelada	doce	μαρμελάδα
3	connaître, v.tr	to know	kennen	conocer	conhecer	γνωρίζω
10	conseiller, n.m	councillor	Berater	consejero	conselheiro	συμβουλεύω
10	construire, v.tr	to build	bauen	construir	construir	χτίζω
6	consulter, v.tr	to consult	zu Rate ziehen	consultar	consultar	συμβουλεύω
10	contacter, v.tr	to contact	in Kontakt treten	contactar	contactar	έρχομαι σ'επαφή
3	content, adj	happy	zufrieden	contento	contente	ευχαριστημένος
1	continuer, v.tr	to continue	weitermachen	continuar	continuar	συνεχίζω
11	conversation, n.f	conversation	Gespräch	conversación	conversa	συζήτηση
9	copain, n	pal, chum	Freund	amigo	amigo	φίλος/η
2	coréen, adj	Korean	koreanisch	coreano	coreano	Κορεάτης
6	corps humain, n.m	human body	menschliche Körper	cuerpo humano	corpo humano	ανθρώπινο σώμα
8	correspondance, n.f	connection	Anschluß	enlace	correspondência	ανταπόκριση
16	coucher (se), v.pr	to go to bed	ins Bett gehen	acostarse	deitar (se)	ξαπλώνω
7	couleur, n.f	colour	Farbe	color	cor	χρώμα
3	couple, n.m	couple	Paar	pareja	casal	ζευγάρι
10	courage, n.m	willpower	Mut	coraje	coragem	κουράγιο
12	coureur, n.m	runner	Läufer	corredor	corredor	δρομέας
16	courir, v.	to run	laufen	correr	correr	τρέχω
1	courrier, n.m	mail	(Brief)post	correo	correio	αλληλογραφία
8	cours, n.m.p	lesson	Kurs	clase	aula	μάθημα
10	courses, n.f	shopping	Einkäufe	compras	compras	ψώνια
7	court, adj	short	kurz	corto	curto	κοντός/ή
5	couteau, n.m	knife	Messer	cuchillo	faca	μαχαίρι
7	coûter, v.intr	to cost	kosten	costar, valer	custar	στοιχίζω
15	coutume, n.f	custom	Gewohnheit	traje	costume	έθιμο
9	créer, v.tr	to create, set up	schaffen	crear	criar	δημιουργώ
16	crier, v.intr	to shout (out)	schreien	gritar	gritar	φωνάζω
16	croire, v.tr	to believe	glauben	creer	acreditar	πιστύω
8	croisière, n.f	cruise	Kreuzfahrt	crucero	cruzeiro	κρουαζιέρα
5	crudités, n.f.p	mixed salad	Salate	ensaladas	saladas	σαλατικά
5	cuillère, n.f	spoon	Löffel	cuchara	colher	κουτάλι
10	cuisine, n.f	cooking; kitchen	Küche	cocina	comida	κουζίνα
2	cuisinier, n.m	cook	Koch	cocinero	cozinheiro	μάγειρος
10	culture, n.f	culture	Kultur	cultura	cultura	πολιτισμός
13	curieux, adj	curious	neugierig	curioso	curioso	περίεργος
9	cycliste, n.f	cyclist	Radfahrer	ciclista	ciclista	ποδηλάτης

	French	English	German	Spanish	Portuguese	Greek
7	d'accord (être), loc	to agree	einverstanden (sein)	de acuerdo (estar)	de acordo (estar)	σύμφωνοι
9	d'accord!	O K !	einverstanden	de acuerdo, vale	de acordo	σύμφωνοι!
15	dangereux, adj	dangerous	gefährlich	peligroso	perigoso	επικίνδυνος
1	danser, v.intr	to dance	tanzen	bailar	dançar	χορεύω

	French	English	German	Spanish	Portuguese	Greek
3	date, n.f	date	Datum	fecha	data	ημερομηνία
15	découvrir, v.intr	to discover	entdecken	descubrir	descobrir	ανακαλύπτω
3	degré, n.m	degree	Grad	grado	grau	βαθμός
9	déjà, adv	already	schon	ya	já	ήδη
5	déjeuner, v	lunch (to have)	zu Mittag essen	almorzar	almoçar	γευματίζω
12	demain, adv	tomorrow	morgen	mañana	amanhã	αύριο
4	demander, v.tr	to ask	fragen, verlangen	pedir	perguntar	ζητώ
8	départ, n.m	departure	Abfahrt	salida	partida	αναχώρηση
10	dépenser, v.tr	to spend	ausgeben	gastar	gastar	ξοδεύω
9	depuis, prép	for, since	seit	desde	há	από τότε
14	déranger, v.tr	to disturb	stören	molestar	incomodar	ενοχλώ
8	dernier, adj	last	letzte	último	último (a)	τελευταίος/α
8	descendre, v.intr	to get off	aussteigen	bajar	descer	κατεβαίνω
12	désolé, adj	sorry	leid (tut mir)	lo siento	sinto muito	λυπημένος
5	dessert, n.m	dessert	Nachtisch	postre	sobremesa	επιδόρπιο
14	dessin, n.m	drawing	Zeichnung	dibujo	desenho	σχέδιο
1	détester, v.tr	to detest	verabscheuen	odiar	detestar	μισώ
12	développer, v.tr	to develop	entwickeln	desarrollar	desenvolver	αναπτύσσω
4	devoir, n.m, v	homework; must (vb)	Pflicht; müssen	deber	dever	καθήκον/πρέπει
10	difficulté, n.f	difficulty	Schwierigkeit	dificultad	dificuldade	δυσκολία
10	diminuer, v.intr	to reduce	verringern	disminuir	diminuir	μειώνω
5	dîner, n.m, v	dinner; to dine	Abendessen; zu Abend essen	cena, cenar	jantar	δείπνο
6	dire, v.tr	to say, to tell	sagen	decir	dizer	λέω
8	direct, adj	non-stop	direkt	directo	directo	κατευθείαν
12	directeur, n.m	manager, director	Direktor	director	director	διευθυντής
15	direction, n.f	direction	Richtung	dirección	direcção	διεύθυνση
11	discuter, v.intr	to discuss	diskutieren	discutir	discutir	συζητώ
11	disparaître, v.intr	to disappear	verschwinden	desaparecer	desaparecer	εξαφανίζομαι
12	disposition (mettre à la), n.f	(to put at one's) disposal	Verfügung (stellen)	disposición (poner a)	disposição (pôr à)	είμαι στη διάθεση κάποιου
15	distraire (se), v.pr	to amuse o.s.	vergnügen	distraerse	distrair (se)	διασκεδάζω
3	divorcer, v.intr	to get divorced	sich scheiden lassen	divorciarse	divorciar (se)	παίρνω διαζύγιο
4	donner, v.tr	to give	geben	dar	dar	δίνω
8	dormir, v.intr	to sleep	schlafen	dormir	dormir	κοιμάμαι
4	droite (à), loc	(on the) right	rechts	a la derecha	direita (a)	δεξιά
14	durer, v.intr	to last	dauern	durar	durar	διαρκώ

E

	French	English	German	Spanish	Portuguese	Greek
5	eau, n.f	water	Wasser	agua	água	νερό
1	école, n.f	school	Schule	escuela	escola	σχολείο
9	économique, adj	economical	sparsam	económico	económico	οικονομικός
3	économiste, n.m	economist	Wirtschaftsprüfer	economista	economista	οικονομολόγος
1	écouter, v.tr	to listen to	hören	escuchar	escutar	ακούω
1	écrire, v.tr	to write	schreiben	escribir	escrever	γράφω
12	électricité, n.f	electricity	Elektrizität	electricidad	electricidade	ηλεκτρικό
11	élève, n.	pupil	Schüler	alumno	aluno	μαθητής
9	embouteillage, n.m	traffic jam	Stau	embotellamiento, atasco	engarrafamento	μποτιλιάρισμα
10	emploi du temps, n.m	schedule	Stundenplan	agenda	horário	πρόγραμμα
9	emploi, n.m	job	Stelle	empleo	emprego	απασχόληση
8	employé, n.m	employee	Angestellte	empleado	empregado	υπάλληλος
15	employer, v.tr	to employ, use	anstellen	emplear	empregar	προσλαμβάνω
3	enchanté, adj	delighted	erfreut	encantado	muito prazer	γοητευμένος
15	encore, adv	still	noch	todavía	ainda	ακόμα
15	énerver (s'), v.pr	to get annoyed	aufregen	ponerse nervioso	ficar nervoso	νευριάζω
3	enfant, n.m	child	Kind	niño	filhos	παιδί
11	enfin, adv	lastly	endlich	en fin	enfim	επιτέλους
13	engagement, n.m	engagement	Einstellung	compromiso	compromisso	υποχρέωση
12	ennuyé, adj	sorry; bored	bedrückt	aburrido (lo siento)	contrariado	ενοχλημένος
8	ennuyeux, adj	boring	langweilig	aburrido	chato	πληκτικός
5	enquête, n.f	survey, inquiry	Untersuchung	encuesta	investigação	έρευνα
8	ensuite, adv	then	dann	después	em seguida	μετά
9	entendre, v.tr	to hear	hören	entender	ouvir	ακούω
7	entre, prép	between	zwischen	entre	entre	ανάμεσα

7	entrée, n.f	entrance	Eingang	entrada	entrada	είσοδος
9	entreprise, n.f	company	Unternehmen	empresa	empresa	επιχείρηση
8	entrer, v.intr	to enter	eintreten	entrar	entrar	μπαίνω
14	enveloppe, n.f	envelop	Umschlag	sobre	envelope	φάκελος
10	envie de (avoir)	to want (to do sth)	Lust (haben)	ganas (tener - de)	vontade (estar com...de)	έχω όρεξη να
9	envoyer, v.tr	to send	schicken	enviar	enviar	στέλνω
5	épinard, n.m	spinach	Spinat	espinacas	espinafre	σπανάκι
7	escalier, n.m	staircase	Treppe	escalera	escada	σκάλα
2	espagnol, adj	Spanish	spanisch	español	espanhol (a)	Ισπανός
7	espèces (en), n.f.p	(in) cash	in bar	en metálico	espécies (em)	μετρητά
7	essayer, v.tr	to try (on)	versuchen	probar	tentar	δοκιμάζω
3	est, n.m	east	Osten	este	leste	είναι
7	étage, n.m	floor	Stockwerk	planta, piso	andar	πάτωμα
8	été, n.m	summer	Sommer	verano	verão	καλοκαίρι
6	étirer (le dos), v.tr	to stretch (one's back)	strecken	estirar	estirar (as costas)	ισιώνω την πλάτη
9	étranger, n.m, adj	stranger; strange	Fremde, fremd	extranjero	estrangeiro (a)	ξένος
13	étudier, v.tr	to study	studieren	estudiar	estudar	μελετώ
16	événement, n.m	event	Ereignis	acontecimiento	acontecimento	γεγονός
12	évoluer, v.intr	to evolve	entwickeln	evolucionar	evoluir	εξελίσσομαι
11	exagérer, v.tr	to exaggerate	übertreiben	exagerar	exagerar	υπερβάλλω
10	excellent, adj	excellent	ausgezeichnet	excelente	excelente	καταπληκτικός
8	excursion, n.f	excursion	Ausflug	excursión	excursão	εκδρομή
12	excuser (s'), v.pr	to apologize	entschuldigen	disculparse	desculpar(se)	ζητώ συγγνώμη
9	expérience, n.f	experience	Erfahrung	experiencia	experiência	εμπειρία
11	explication, n.f	explanation	Erklärung	explicación	explicação	εξήγηση
8	exposition, n.f	exhibition	Ausstellung	exposición	exposição	έκθεση
15	extraordinaire, adj	extraordinary	außergewöhnlich	extraordinario	extraordinário	εξαιρετικός

2	fac, faculté, n.f	university	Uni	facultad	faculdade	πανεπιστήμιο
15	façade, n.f	façade	Fassade	fachada	fachada	πρόσοψη
4	facile, adj	easy	leicht	fácil	fácil	εύκολος
2	faire, v.tr	to do, to make	machen	hacer	fazer	κάνω
3	famille, n.f	family	Familie	familia	família	οικογένεια
16	farceur, n.m	joker	Spaßmacher	bromista	brincalhão	πλακατζής
6	fatigué, adj	tired	müde	cansado	cansado (a)	κουρασμένος
2	femme, n.f	woman	Frau	mujer	mulher	γυναίκα
16	fenêtre, n.f	window	Fenster	ventana	janela	παράθυρο
4	festival, n.m	festival	Festival	festival	festival	φεστιβάλ
16	fête foraine, n.f	fun fair	Jahrmarkt	verbena	festa popular	πανηγύρι
3	fête, n.f	festival; party	Fest	fiesta	festa	γιορτή
10	fier, adj	proud	stolz	orgulloso	orgulhoso	υπερήφανος
6	fièvre, n.f	temperature, fever	Fieber	fiebre	febre	πυρετός
3	fille, n.f	daughter; girl	Tochter, Mädchen	hija	filha	κορίτσι/κόρη
3	fils, n.m	son	Sohn	hijo	filho	γιος
7	fin, n.f	end	Ende	fin	fim	τέλος
9	financier, n.m	financial	finanzieren	financiar, costear	financeiro	οικονομικός
9	formation, n.f	training	Ausbildung	formación	formação	εκπαίδευση
6	forme (être en), n.f	to be in good shape	fit (sein)	forma	forma (estar em)	είμαι σε φόρμα
2	formidable, adj	fantastic	klasse	formidable	formidável	καταπληκτικός
11	fort, adj	strong	stark	fuerte	forte	δυνατός
11	fou, n.m, adj	mad, crazy	verrückt	loco, loca	louco (a)	τρελός/ή
5	fourchette, n.f	fork	Gabel	tenedor	garfo	πηρούνι
14	fréquenté, adj	frequented	besucht	frecuentado, visitado	frequentado	που συχνάζουν
3	frère, n.m	brother	Bruder	hermano	irmão	αδελφός
3	froid, n.m, adj	cold	kalt	frío	frio (a)	κρύο
5	fruit, n.m	fruit	Obst	fruta	fruta	φρούτο
13	gagner (sa vie), v.tr	to earn (one's living)	verdienen (Geld)	ganarse la vida	ganhar (a vida)	κερδίζω τη ζωή μου
12	garage, n.m	garage	Garage	garaje	garagem	συνεργείο
4	gauche (à), loc	(on the) left	links	a la izquierda	esquerda (à)	αριστερά
14	gendarmerie, n.f	police	Gendarmerie	comisaría, cuartelillo	polícia	χωροφυλακή
15	gens, n.m	people	Leute	gente	gente	άνθρωποι
4	gentil, adj	kind	nett	amable	amável	ευγενικός/ή
7	glace, n.f	mirror	Spiegel	espejo	espelho	καθρέφτης

2	goût, n.m	taste	Geschmack	gusto	gosto	προτίμηση
2	grand,e, adj	big, large	groß	grande	grande	μεγάλος/η
3	grands-parents, n.m.p	grandparents	Großeltern	abuelos	avós	παππούς και γιαγιά
6	grave, adj	serious	schlimm	grave	grave	σοβαρός
2	grec, grecque, adj	Greek	griechisch	griego	grego (a)	Έλληνας
6	grippe, n.f	'flu	Grippe	gripe	gripe	γρίππη
16	gros, adj	fat	dick	gordo	gordo	εύσωμος
13	guerre, n.f	war	Krieg	guerra	guerra	πόλεμος
8	guichet, n.m	ticket office	Schalter	ventanilla	guichê	θυρίδα
15	guide, n.m	guide	Führer	guía	guia	οδηγός
6	gymnastique, n.f	gymnastics	Gymnastik	gimnasia	ginástica	γυμναστική

10	habiller, v.tr	to dress	kleiden	vestir	vestir	ντύνω
14	habitant, n.m	inhabitant	Einwohner	habitante	habitante	κάτοικος
2	habiter, v.	to live	wohnen	vivir	morar	κατοικώ
16	habitude, n.f	habit	Gewohnheit	costumbre	hábito	συνήθεια
5	haricot vert, n.m	French bean	grüne Bohnen	judías verdes	feijão verde	φασολάκι
15	haut (de), adj	high	oben	de altura	alto	από ψηλά
16	haut de (en), loc	on top of	auf der Spitze von	encima de	cima (em - de)	ψηλά
15	hauteur, n.f	height	Höhe	altura	altura	ύψος
4	heure, n.f	hour; o'clock; time	Stunde	hora	hora	ώρα
15	heureusement, adv	fortunately	zum Glück	por suerte	felizmente	ευτυχώς
11	heureux, adj	happy	glücklich	feliz	feliz	ευτυχισμένος
6	hier, adv	yesterday	gestern	ayer	ontem	χτες
2	histoire, n.f	history	Geschichte	historia	história	ιστορία
3	hiver, n.m	winter	Winter	invierno	inverno	χειμώνας
2	homme, n.m	man	Mann	hombre	homem	άνθρωπος
2	hôpital, n.m	hospital	Krankenhaus	hospital	hospital	νοσοκομείο
8	horreur, n.f	horror	Horror	horror	horror	τρόμος
1	horrible, adj	horrible	schrecklich	horrible	horrível	τρομερός
5	hors d'œuvre, n.m	hors d'œuvre	Vorspeise	entremeses	entradas	ορεκτικό
4	hôtel, n.m	hotel	Hotel	hotel	hotel	ξενοδοχείο
15	humeur, n.f	mood	Humor	humor	humor	διάθεση

8	ici, adv	here	hier	aquí	aqui	εδώ
9	idée, n.f	idea	Idee	idea	ideia	ιδέα
16	identité, n.f	identity	Personalien	identidad	identidade	ταυτότητα
14	igloo, n.m	igloo	Iglu	iglú	iglu	ιγκλού
14	immédiatement, adv	immediately	sofort	inmediatamente	imediatamente	αμέσως
4	impasse, n.f	cul-de-sac	Sackgasse	callejón	beco	αδιέξοδο
10	important, adj	important	wichtig	importante	importante	σημαντικός
12	impossible, adj	impossible	unmöglich	imposible	impossível	αδύνατο
08	inconnu, n.m	stranger	Unbekannte	desconocido	desconhecido	άγνωστος
16	incroyable, adj	incredible	unglaublich	increíble	incrível	απίστευτος
7	indiquer, v.tr	to show (the way)	angeben	indicar	indicar	δείχνω
2	infirmier, n	nurse	Krankenpfleger, schwester	enfermera	enfermeiro	νοσοκόμος/α
2	informaticien, n	computer operator	Informatiker, in	informático	informático	πληροφορικός
2	informatique, n.f	computer science	Informatik	informática	informática	πληροφορική
2	ingénieur, n	engineer	Ingenieur	ingeniero	engenheiro	μηχανικός
12	innover, v.intr	to innovate	erneuern	innovar	inovar	καινοτομώ
11	inquiet, adj	worried	beunruhigt	inquieto	inquieto	ανήσυχος/η
14	inquiéter (s'), v.pr	to worry	beunruhigt sein	preocuparse	preocupar (se)	ανησυχώ
2	inscription, n.f	enrolment	Einschreibung	inscripción	inscrição	εγγραφή
14	installer (s'), v.pr	to settle down	einrichten	instalarse	instalar (se)	εγκαθίσταμαι
10	instrument (de musique), n.m	(musical) instrument	Instrument	instrumento (de música)	instrumento (de música)	μουσικό όργανο
12	intelligent, adj	intelligent	intelligent	inteligente	inteligente	έξυπνος
12	interdire, v.tr	to forbid	verbieten	prohibir	proibir	απαγορεύω
9	intéresser, v.tr	to interest	interessieren	interesar	interessar	ενδιαφέρω

9	interroger, v.tr	to interrogate	befragen	preguntar	interrogar	ρωτάω
5	inviter, v.tr	to invite	einladen	invitar	convidar	προσκαλώ
2	italien, adj	Italian	italienisch	italiano	italiano	Ιταλός/ή

11	jaloux, adj	jealous	eifersüchtig	celoso	ciumento	ζηλιάρης
2	japonais, adj	Japanese	japanisch	japonés	japonês	Γιαπωνέζος
15	jardin, n.m	garden	Garten	jardín	jardim	κήπος
7	jaune, adj	yellow	gelb	amarillo	amarelo	κίτρινος
10	jeu, n.m	game	Spiel	juego	jogo	παιχνίδι
9	jeune, n, adj	young person; young	Jugendliche, jung	joven	jovem	νέος/α
7	joli, adj	pretty	hübsch	bonito	bonito	όμορφος
1	jouer, v.intr	to play; to act	spielen	jugar	jogar	παίζω
2	jour, n.m	day	Tag	día	dia	ημέρα
2	journal, n.m	newspaper	Zeitung	periódico	jornal	εφημερίδα
10	journaliste, n	journalist	Journalist	periodista	jornalista	δημοσιογράφος
2	journée, n.f	day, daytime	Tag (Dauer)	día	dia	ημέρα
5	jus de fruit, n.m	fruit juice	Saft	zumo de frutas	sumo de fruta	χυμός φρούτου
4	là, adv	there	da	allí	lá	εκεί
13	là-bas, adv	down there	da unten	ahí	lá	εκεί πέρα
4	laisser, v.tr	to leave	lassen	dejar	deixar	αφήνω
5	lait, n.m	milk	Milch	leche	leite	γάλα
7	large, adj	big, wide	breit	ancho	largo	φαρδύς
15	largeur, n.f	width	Breite	anchura	largura	φάρδος
15	laveur, n.m	washer	Wäscher	limpia	lavador	που πλένει
5	léger, adj	light, low-fat	leicht	ligero	leve	ελαφρύς
5	légume, n.m	vegetable	Gemüse	legumbre	legume	λαχανικό
14	lendemain, n.m	following day	nächste Tag	al día siguiente	no dia seguinte	επαύριο
9	lettre, n.f	letter	Brief	carta	carta	γράμμα
6	lever, v.tr	to raise	heben	levantar	levantar	σηκώνω
14	lever (se), v.pr	to get up	aufstehen	levantarse	levantar (se)	σηκώνομαι
13	libraire, n.m/f	bookseller	Buchhändler	librería	livreiro	βιβλιοπώλης
4	libre, adj	free	frei	libre	livre	ελεύθερος
7	lieu, n.m	place	Ort	lugar	lugar	τόπος
5	ligne, n.f	figure	Linie	línea	linha	γραμμή
12	limiter, v.tr	to limit	begrenzen	limitar	limitar	οριοθετώ
1	lire, v.tr	to read	lesen	leer	ler	διαβάζω
10	lit, n.m	bed	Bett	cama	cama	κρεββάτι
10	livre, n.m	book	Buch	libro	livro	βιβλίο
12	loin (de), adv	far (from)	weit	lejos (de)	longe (de)	μακρυά
11	longtemps, adv	long time	lange Zeit	mucho tiempo	muito tempo	για πολύ καιρό
15	longueur, n.f	length	Länge	largo	comprimento	μάκρος
14	louer, v.tr	to rent	vermieten	alquilar	alugar	ενοικιάζω
5	lourd, adj	heavy	schwer	pesado	pesado	βαρύς
16	lumière, n.f	light	Licht	luz	luz	φως
16	lune, n.f	moon	Mond	luna	lua	φεγγάρι
9	lycée, n.m	high school	Gymnasium	instituto	liceu	λύκειο

2	magasin (grand), n.m	(department) store	Kaufhaus	grandes almacenes	loja (grande)	πολυκατάστημα
1	magnifique, adj	magnificent	wunderbar	fenomenal	magnífico	υπέροχος
3	maintenant, adv	now	jetzt	ahora	agora	τώρα
4	maison, n.f	house	Haus	casa	casa	σπίτι
6	mal (avoir), n.m	to hurt	Schmerzen (haben)	dificultad (tener)	dor (estar com)	πονάω
6	malade, n.m, adj	an invalid; sick	krank	enfermo	doente	άρρωστος
14	malheureusement, adv	unfortunately	leider	por desgracia	infelizmente	δυστυχώς
5	manger, v.tr	to eat	essen	comer	comer	τρώω
13	manquer, v	to miss	fehlen	faltar	faltar	μου λείπει
15	marbre, n.m	marble	Marmor	mármol	mármore	μάρμαρο
15	marche (d'escalier), n.f	step (in staircase)	Treppenstufe	peldaño	degrau (de escada)	σκαλοπάτι
1	marche (à pied), n.f	walking	Wandern	caminata	caminhada	περπάτημα
1	marcher, v.intr	to walk	wandern	andar	andar	περπατώ

3	mari, n.m	husband	Mann	marido	marido	σύζυγος
3	mariage, n.m	marriage	Hochzeit	casamiento	casamento	γάμος
2	marocain, adj	Moroccan	marokkanisch	marroquí	marroquino	Μαροκινός
7	marron, adj	brown	braun	marrón	castanho	καστανός
14	mathématiques (maths), n.m	mathematics	Mathematik	matemáticas	matemática	μαθηματικά
4	matin, n.m	morning	Morgen	mañana	manhã	πρωί
3	mauvais, adj	bad	schlecht	malo	mau	κακός
2	médecin, n.m	doctor	Arzt	médico	médico (a)	γιατρός
6	médicament, n.m	medicine, drug	Arzneimittel	medicamento	medicamento	φάρμακο
10	ménage, n.m	housework	Haushalt	limpieza	limpeza	νοικοκυριό
5	menu, n.m	menu	Menu	menú	ementa	μενού
1	mer, n.f	sea	Meer	mar	mar	θάλασσα
3	mère, n.f	mother	Mutter	madre	mãe	μητέρα
1	message, n.m	message	Nachricht	mensaje, recado	recado	μήνυμα
15	mesurer, v.tr	to measure	messen	medir	medir	μετράω
3	météo, n.f	(weather) forecast	Wettervorhersage	meteorología	meteorologia	μετεωρολογικό δελτίο
9	métier, n.m	profession, job	Beruf	trabajo	profissão	επάγγελμα
10	metteur en scène, n.m	director	Regisseur	director	encenador	σκηνοθέτης
7	mettre, v.tr	to put (on)	stellen, legen	meter	pôr	βάζω
5	midi (à), n.m	(at) midday	12 (um)	al mediodía	meio-dia	το μεσημέρι
5	mince, adj	slim	schlank	delgado	delgada	λεπτός
7	mode, n.f	fashion	Mode	moda	moda	μόδα
9	mois, n.m	month	Monat	mes	mês	μήνας
2	moment, n.m	moment	Moment	momento	momento	στιγμή
15	monde, n.m	world	Welt	mundo	mundo	κόσμος
14	moniteur, n.m	instructor	Sportlehrer	monitor	monitor	εκπαιδευτής
14	montagne, n.f	mountain	Gebirge	montaña	montanha	βουνό
15	monter, v.tr	to climb	steigen	subir	subir	ανεβαίνω
13	monter (les bagages), v.tr	to bring up (the luggage)	heraufbringen (das Gepäck)	subir (el equipaje)	subir (as bagagens)	ανεβάζω τις αποσκευές
13	monter (une entreprise), v.tr	to set up (a company)	aufbauen	construir (una empresa)	criar (uma empresa)	στήνω μια επιχείρηση
10	monter (une pièce), v.tr	to put on (a play)	einarbeiten (ein Stück)	montar (una obra)	encenar (uma peça)	ανεβάζω ένα έργο
15	monument, n.m	monument	Gebäude	monumento	monumento	μνημείο
12	moteur, n.m	engine	Motor	motor	motor	κινητήρας
5	moule, n.f	mussel	Muschel	mejillón	mexilhão	μύδι
3	moyen, adj	average	mittel	medio	médio (a)	μέσο
12	moyen de transport, n.m	means of transport	Transportmittel	medio de transporte	meio de transporte	μέσο συγκοινωνίας
3	moyenne, n.f	average	Durchschnitt	media	média	μέσος όρος
8	musée, n.m	museum	Museum	museo	museu	μουσείο
2	musicien, n.m	musician	Musiker	músico	músico	μουσικός
14	mystérieux, adj	mysterious	mysterieus	misterio	misterioso	μυστήριος

8	nager, v.intr	to swim	schwimmen	nadar	nadar	κολυμπώ
5	nappe, n.f	table cloth	Tischtuch	mantel	toalha	τραπεζομάντηλο
6	natation, n.f	swimming	Schwimmen	natación	natação	κολύμπι
2	nationalité, n.f	nationality	Staatsangehörigkeit	nacionalidad	nacionalidade	υπηκοότητα
14	nature, n.f	nature	Natur	naturaleza	natureza	φύση
14	neige, n.f	snow	Schnee	nieve	neve	χιόνι
15	nettoyer, v.tr	to clean	säubern	limpiar	limpar	καθαρίζω
7	noir, adj	black	schwarz	negro	preto	μαύρος
1	nom, n.m	name	Name	nombre	nome	όνομα
2	nombre, n.m	number	Zahl	números	números	αριθμός
3	nord, n.m	north	Norden	norte	norte	βορράς
14	note (de musique), n.f	note	Note	nota	nota (musical)	μουσική νότα
4	nouveau, adj	new	neu	nuevo	novo	καινούργιος
4	nuit, n.f	night	Nacht	noche	noite	νύχτα
2	numéro, n.m	number	Nummer	número	número	νούμερο
15	objet, n.m	object	Objekt	objeto	objecto	αντικείμενο
10	occuper, v.tr	to occupy	beschäftigen	ocupar	ocupar	καταλαμβάνω
6	œil, n	eye	Auge	ojo, ojos	olho (s)	μάτι/α
5	œuf, n.m	egg	Ei	huevo	ovo	αυγό
12	office de tourisme, n.m	tourist office	Fremdenverkehrsbüro	oficina de turismo	(o) turismo	οργανισμός τουρισμού
8	offrir, v.tr	to offer	schenken	ofrecer	oferecer	προσφέρω
13	oncle, n.m	uncle	Onkel	tío	tio	θείος

1	opéra, n.m	opera	Oper	ópera	ópera	όπερα
7	opposé, adj	contrasting; opposite	entgegengesetzt	opuesto	oposto (a)	αντίθετος
7	orange, adj	orange	orange	naranja	laranja	πορτοκαλής
9	orchestre, n.m	orchestra, band	Orchester	orquesta	orquestra	ορχήστρα
2	ordinateur, n.m	computer	Computer	ordenador	computador	υπολογιστής
11	organiser, v.tr	to organize	organisieren	organizar	organizar	οργανώνω
8	original, n.m	eccentric person	Original	original	original	πρωτότυπος
12	oublier, v.tr	to forget	vergessen	olvidar	esquecer	ξεχνώ
3	ouest, n.m	west	Westen	oeste	oeste	δύση
15	ouvrier, n.m	worker	Arbeiter	obrero	operário	εργάτης
6	ouvrir, v.tr	to open	öffnen	abrir	abrir	ανοίγω

5	pain, n.m	bread	Brot	pan	pão	ψωμί
8	palace, n.m	palace	Palast	palacio	palácio	παλάτι
15	panoramique, adj	panoramic	Panorama-	panorámica	panorâmico	πανοραμικός
5	pardon, n.m	sorry	Entschuldigung	perdón	perdão; desculpe	συγνώμη
3	parent, n.m	parent	Elternteil	padres	pais	γονέας
7	parfait, adj	perfect	perfekt	perfecto	perfeito	τέλειος
10	parfois, adv	sometimes	manchmal	a veces	às vezes	καμιά φορά
1	parfum, n.m	perfume	Parfüm	perfume	perfume	άρωμα
12	parking, n.m	car park	Parkplatz	aparcamiento	parque de estacionamento	γκαράζ
2	parler, v.tr	to speak	sprechen	hablar	falar	μιλώ
8	partir, v.intr	to leave	weggehen	irse	partir	φεύγω
12	partout, adv	everywhere	überall	por todos lados	em toda parte	παντού
9	passé, n.m	past	Vergangenheit	pasado	passado	παρελθόν
7	passer, v.intr	to spend (time)	verbringen	pasar	passar	περνώ
15	passer (se), v.pr	to happen	ereignen	pasarse	acontecer	συμβαίνει
6	pâtes, n.f.p	pasta	Nudeln	pasta	massa	ζυμαρικά
9	patron, n.m	boss	Chef	jefe	patrão	αφεντικό
5	pause, n.f	pause	Pause	pausa	pausa	παύση
7	payer, v.tr	to pay	bezahlen	pagar	pagar	πληρώνω
2	pays, n.m	country	Land	país	país	χώρα
1	peinture, n.f	painting	Bild, Gemälde	pintura	pintura	ζωγραφική
8	pendant, prép	during	während	durante	durante	κατά τη διάρκεια
16	péniche, n.f	barge	Hausboot	gabarra	lanchão	μαούνα
1	penser, v.tr/intr	to think	denken	pensar	pensar	σκέφτομαι
9	perdre, v.tr	to lose	verlieren	perder	perder	χάνω
14	perdre (se), v.pr	to get lost	verlieren	perderse	perder (se)	χάνομαι
3	père, n.m	father	Vater	padre	pai	πατέρας
12	périphérique, n.m	ring road	Ringautobahn	circunvalación	periférico	περιφερικός
15	permettre, v.tr	to permit	erlauben	permitir	permitir	επιτρέπω
1	personnage, n.m	person	Persönlichkeit	personaje	personagem	πρόσωπο
5	personne, n.f	person	Person	nadie, persona	pessoa	πρόσωπο
1	petit, adj	short, small	klein	pequeño	pequeno	μικρός
5	petit déjeuner, n.m	breakfast	Frühstück	desayuno	pequeno almoço	πρόγευμα
16	peur (avoir), n.f	to be afraid	Angst	miedo (tener - de)	medo	φόβος
13	peut-être, adv	perhaps	vielleicht	quizá	talvez	ίσως
11	phénomène, n.m	phenomenon	Phänomen	fenómeno	fenómeno	φαινόμενο
1	photo, n.f	photo	Foto	foto	foto	φωτογραφία
10	pièce (de théâtre), n.f	play	Stück	obra (de teatro)	peça (de teatro)	θεατρικό έργο
12	piéton, n.m	pedestrian	Fußgänger	peatón	peão	διαβάτης
12	piste cyclable, n.f	cycle track	Radweg	pista ciclista	faixa para ciclistas	διάδρομος για ποδήλατα
8	plage, n.f	beach	Strand	playa	praia	παραλία
7	plaire, v.intr	to please	gefallen	gustar	agradar	αρέσω
15	plaisanter, v.intr	to joke	scherzen	bromear	brincar	αστιεύομαι
7	plaisir, n.m	pleasure	Freude	placer	prazer	ευχαρίστηση
4	plan, n.m	plan	Plan	plano	mapa	σχέδιο
5	plat, n.m	dish	Gericht	plato	prato	πιάτο
3	pleuvoir, v.imp	to rain	regnen	lluvia	chover	βρέχει
13	plutôt, adv	rather	eher	más bien	mais	μάλλον
7	pointure, n.f	(shoe) size	Größe (Schuh)	número	número	νούμερο (παπουτσιού)
6	poitrine, n.f	chest	Brust	pecho	peito	στήθος / θώρακας
16	police, n.f	police	Polizei	policía	polícia	αστυνομία

	French	English	German	Spanish	Portuguese	Greek
16	policier, adj.	police	Kriminal-	policíaco	policial	αστυνομικός
11	politique, n.f	politics	Politik	político	política	πολιτική
12	polluer, v.tr	to pollute	verschmutzen	contaminar	poluir	μολύνω
5	pomme de terre, n.f	potato	Kartoffel	patata	batata	πατάτα
9	pomme, n.f	apple	Apfel	manzana	maçã	μήλο
12	pont, n.m	bridge	Brücke	puente	ponte	γέφυρα
16	porte, n.f	door	Tür	puerta	porta	πόρτα
7	porter, v.tr	to wear; to carry	tragen	llevar	usar	φοράω
2	portrait, n.m	description	Portrait	retrato	retrato	πορτρέτο
2	portugais, adj	Portuguese	portugiesisch	portugués	português	Πορτογάλος
5	poulet, n.m	chicken	Huhn	pollo	frango	κοτόπουλο
16	pousser (un cri), v.tr	to cry out	ausstoßen (Schrei)	gritar	gritar	βγάζω μια φωνή
6	pouvoir, v	to be able	können	poder	poder	μπορώ
12	pratique, adj	practical	praktisch	práctico	prático (a)	πρακτικός
6	pratiquer, v.tr	to practise	ausüben	practicar	praticar	εξασκώ
1	préférer, v.tr	to prefer	vorziehen	preferir	preferir	προτιμώ
4	prendre, v.tr	to take	nehmen	tomar	tomar	παίρνω
2	prénom, n.m	first name	Vorname	nombre	nome	όνομα
3	préparer, v.tr	to prepare	vorbereiten	preparar	preparar	ετοιμάζω
4	près de, prép	near	(nahe)bei	cerca de	perto de	κοντά σε
5	près de (x kilo), prép	almost (x kilos)	fast	casi	quase	περίπου (x κιλά)
13	presque, adv	almost	fast	casi	quase	σχεδόν
9	pressé (être), adj	(to be) in a hurry	eilig (es - haben)	tener prisa	(estar) apressado	βιαστικός
10	preuve, n.f	proof	Beweis	prueba	prova	απόδειξη
3	printemps, n.m	spring	Frühling	primavera	primavera	φθινόπωρο
7	prix, n.m	price	Preis	precio	preço	τιμή
12	prochain, adj	next	nächste	próximo	próximo	επόμενος
15	proche, adj	near	nahe	cerca	próximo	κοντά
2	profession, n.f	profession	Beruf	profesión	profissão	επάγγελμα
4	programme, n.m	programme	Programm	programa	programa	πρόγραμμα
9	projet, n.m	project	Projekt	proyecto	projecto	σχέδιο
13	promenade, n.f	walk	Spaziergang	paseo	passeio	περίπατος
14	promener (se), v.pr	to go for a walk	spazieren gehen	pasearse	passear	κάνω περίπατο
14	propos de (à), loc	on the subject of	übrigens	a propósito	propósito de (a)	σχετικά με
5	proposer, v.tr	to offer	vorschlagen	proponer, sugerir	propor	προτείνω
5	protester, v.intr	to complain	protestieren	protestar	protestar	διαμαρτύρομαι
15	pureté, n.f	purity	Reinheit	pureza	pureza	αγνότητα
14	pyramide, n.f	pyramid	Pyramide	pirámide	pirâmide	πυραμίδα

	French	English	German	Spanish	Portuguese	Greek
4	quai, n.m	embankment	Kai	ribera	cais	αποβάθρα
7	qualité, n.f	quality	Qualität	calidad	qualidade	ποιότητα
5	quantité, n.f	quantity	Quantität	cantidad	quantidade	ποσότητα
10	quartier, n.m	neighbourhood	Viertel	barrio	bairro	γειτονιά
3	québécois, adj	from Quebec	aus dem Quebec	natural de Quebec	quebequense	Καναδός
16	queue (faire la), n.f	to queue up	Schlange (stehen)	guardar fila	bicha (fazer a)	κάνω ουρά
13	quitter, v.tr	to leave	verlassen	dejar	deixar	αφήνω
10	raconter, v.tr	to tell	erzählen	contar	contar	διηγούμαι
5	raisin, n.m	grape	Traube	uva	uva	σταφύλι
15	rallye, n.m	rally	Ralley	rallye	rali	ράλι
16	ramasser, v.tr	to pick up	aufheben	recoger	apanhar	μαζεύω
8	randonnée (à cheval, à vélo), n.f	ride; riding	Tour (mit dem Pferd, Fahrrad)	paseo (a caballo, en bicicleta)	passeio (a cavalo, de bicicleta)	πεζοπορία
9	rapide, adj	fast	schnell	rápido	rápido (a)	γρήγορος
14	rappeler (se), v.pr	to remember	erinnern	acordarse	lembrar (se)	θυμάμαι
10	rapport, n.m (entre 2 choses, 2 personnes)	relationship (between 2 things, 2 people)	Zusammenhang, Beziehung	relación	relação	σχέση (ανάμεσα σε 2 πράγματα, 2 πρόσωπα)
15	rapporter, v.tr	to bring back	bringen	traer	trazer	φέρνω
3	rare, adj	rare	selten	escaso	raro (a)	σπάνιος
7	rayon, n.m	department	Abteilung	sección	secção	τμήμα
13	réceptionniste, n	receptionist	Mann am Empfang	recepcionista	recepcionista	υπάλληλος στη ρεσεψιόν
12	recevoir, v.tr	to receive	empfangen	recibir	receber	δέχομαι
9	rechercher, v.tr	to look for	suchen	buscar	procurar	ψάχνω
U1	regarder, v.tr	to watch	betrachten	mirar	olhar	κοιτάζω
13	région, n.f	region	Gebiet	región	região	περιοχή

	French	English	German	Spanish	Portuguese	Greek
3	relation, n.f	acquaintance	Beziehung	relación	relação	σχέση
15	religion, n.f	religion	Religion	religión	religião	θρησκεία
14	remettre, v.tr	to hand (to sb)	übergeben	dar	entregar	παραδίδω
3	rencontrer, v.tr	to meet	treffen	encontrar	encontrar	συναντώ
4	rendez-vous, n.m	rendez-vous, appointment	Termin	cita	encontro	ραντεβού
5	renseignement, n.m	information	Auskunft	información	informação	πληροφορία
6	rentrer (le ventre), v.tr	to draw in (one's stomach)	einziehen	meter (el vientre)	contrair (a barriga)	βάζω μέσα την κοιλιά
5	repas, n.m	meal	Essen	comida	refeição	γεύμα
9	répéter, v.tr	to rehearse; to repeat	wiederholen	repetir	repetir	επαναλαμβάνω
13	répétition, n.f	rehearsal	Probe	ensayo	ensaio	πρόβα
9	répondre, v	to answer	antworten	responder	responder	απαντώ
14	reposer (se), v.pr	to rest	ausruhen	descansar	descansar	ξεκουράζομαι
5	représenter, v.tr	to represent	darstellen	representar	representar	αντιπροσωπεύω
14	réserver, v.tr	to reserve	reservieren	reservar	reservar	κάνω κράτηση
14	respecter, v.tr	to respect	respektieren	respetar	respeitar	σέβομαι
9	responsable, n	person in charge	Verantwortliche	responsable	responsável	υπεύθυνος/η
14	ressembler, v.tr	to resemble	ähnlich sehen	parecerse a	parecer	μοιάζω
2	restaurant, n.m	restaurant	Restaurant	restaurante	restaurante	εστιατόριο
6	rester, v.intr	to stay	bleiben	quedarse	ficar	μένω
8	retard (en), n.m	late	verspätet	retraso (con -)	atrasado (a) (estar -)	αργοπορημένος (είμαι)
8	retour, n.m	return	Rückfahrt	vuelta	volta	επιστροφή
13	retourner, v.intr	to return	zurückgehen	volver	voltar	επιστρέφω
9	retrouver, v.tr	to find (again)	wiederfinden	encontrar	encontrar	ξαναβρίσκω
10	réveil, n.m	alarm clock	Wecker	despertador	despertador	ξύπνημα
10	réveiller, v.tr	to wake up	wecken	despertar	despertar	ξυπνώ
1	rêver, v.intr	to dream	träumen	soñar	sonhar	ονειρεύομαι
8	revue, n.f	magazine	Zeitschrift	revista	revista	περιοδικό
7	rez-de-chaussée, n.m	ground floor	Erdgeschoß	planta baja	rés-do-chão	ισόγειο
11	rigoler, v.intr	to laugh	lachen	divertirse	divertir-se	χασκογελάω
5	riz, n.m	rice	Reis	arroz	arroz	ρύζι
10	rôle, n.m	role	Rolle	papel	papel	ρόλος
5	rôti, n.m	joint, roast	Braten	asado	assado	ψητό
7	rouge, adj	red	rot	rojo	vermelho	κόκκινος
15	rouille, n.f	rust	Rost	orín, herrumbre	ferrugem	σκουριά
12	rouler, v.intr	to travel	fahren	circular	circular	κυλάω
7	roux, rousse, adj	red-haired	rothaarig	pelirojo	ruivo (a)	πυρόξανθος, -η
4	rue, n.f	road	Straße	calle	rua	δρόμος

S

	French	English	German	Spanish	Portuguese	Greek
16	sac-poubelle, n.m	bin liner	Abfalltüte	bolsa de basura	saco de lixo	σακούλα σκουπιδιών
5	salade verte, n.f	green salad	grüner Salat	lechuga	alface	μαρούλι
9	salaire, n.m	salary	Gehalt	salario, sueldo	salário	μισθός
9	salarié, n.m	employee	Arbeitnehmer	asalariado, empleado	assalariado (a)	μισθωτός
5	salé, adj	savoury	salzig	salado	salgado	αλμυρό
14	salle de bains, n.f	bathroom	Badezimmer	cuarto de baño	casa de banho	μπάνιο
1	salle, n.f	room	Saal	sala	sala	αίθουσα
14	salon, n.m	lounge	Wohnzimmer	salón	sala de visitas	σαλόνι
6	santé, n.f	health	Gesundheit	salud	saúde	υγεία
14	sauvage, adj	wild	wild	salvaje	selvagem	άγριος
4	savoir, v.tr	to know	wissen	saber	saber	ξέρω
9	saxophone, n.m	saxophone	Saxophon	saxofón	saxofone	σαξόφωνο
3	scène, n.f	scene	Szene	escena	cena	σκηνή
14	secouriste, n.m	first-aid worker	Rot Kreuz Helfer	socorrista	socorrista	παρέχει πρώτες βοήθειες
4	secret, n.m	secret	Geheimnis	secreto	segredo	μυστικό
1	secrétaire, n.f	secretary	Sekretärin	secretaria	secretária	γραμματέας
14	séjour (pièce), n.m	living room	Wohnzimmer	salón	sala de estar	σαλόνι
3	semaine, n.f	week	Woche	semana	semana	εβδομάδα
14	séparé, adj	separate	getrennt	separado	separado	χωρισμένος
7	serré, adj	tight	eng	estrecho	apertado (a)	σφικτός
2	serveur, n.m	waiter	Ober	camarero	empregado	σερβιτόρος
9	service, n.m	department	Abteilung	servicio	serviço	υπηρεσία
5	serviette, n.f	napkin	Serviette	servilleta	guardanapo	πετσέτα
3	seul, adj	alone	allein	solo	só	μόνος

12	silencieux, adj	silent	ruhig	silencioso	silencioso	σιωπηλός
11	simple, adj	simple	einfach	simple, sencillo	simples	απλός
10	situation, n.f	situation	Situation	situación	situação	κατάσταση
1	ski, n.m	skiing	Ski	esquí	esqui	σκι
3	sœur, n.f	sister	Schwester	hermana	irmã	αδελφή
4	soir, n.m	evening	Abend	tarde, noche	noite	νύχτα
3	soirée, n.f	evening	Abend (Dauer)	velada	noite	βραδιά
15	sol, n.m	ground	Boden	suelo	solo	έδαφος
1	soleil, n.m	sun	Sonne	sol	sol	ήλιος
12	solution, n.f	solution	Lösung	solución	solução	λύση
10	sonner, v.intr	to ring	klingeln	sonar	tocar	κτυπώ το κουδούνι
16	sorcière, n.f	witch	Hexe	bruja	feiticeira	μάγισσα
7	sortir, v.intr	to go out	ausgehen	salir	sair	βγαίνω
6	souffrir, v.intr	to suffer	leiden	sufrir	sofrer	υποφέρω
6	sourire, n.m, v	smile ; to smile	Lächeln, lächeln	sonrisa ; sonreír	sorriso ; sorrir	χαμογελώ
7	sous-sol, n.m	basement	Untergeschoß	sótano	subsolo	υπόγειο
14	souvenir (se), v.pr	to remember	erinnern	acordarse	lembrar (se)	θυμάμαι
13	souvenir (d'enfance), n.m	memory (of one's childhood)	Erinnerung	recuerdo (de infancia)	lembrança (de infância)	ανάμνηση (παιδική)
8	souvent, adv	often	oft	a menudo	frequentemente	συχνά
1	spectacle, n.m	show	Veranstaltung	espectáculo	espectáculo	θέαμα
5	sportif, n.m, adj	sportsman; athletic	Sportler; sportlich	deportista	desportista	αθλητικός
16	squelette, n.m	skeleton	Skelett	esqueleto	esqueleto	σκελετός
9	stage, n.m	training course	Praktikum	prácticas	estágio	εκπαίδευση
12	station de métro, n.f	underground station	Metrostation	estación de metro	estação de metro	σταθμός του μετρό
14	studio, n.m	studio flat	Studio	estudio	estúdio	γκαρσονιέρα
7	style, n.m	style	Stil	estilo	estilo	ύφος
10	succès, n.m	success	Erfolg	éxito	sucesso	επιτυχία
5	sucré, adj	sweet	süß	dulce	doce	γλυκός
3	sud, n.m	south	Süden	sur	sul	νότος
2	suédois, adj	Swedish	schwedisch	sueco	sueco	Σουηδός
2	suisse, adj	Swiss	schweizer	suizo	suíço	Ελβετός
16	suite, n.f	following episode	Folge	continuación	continuação	συνέχεια
13	suivre, v.tr	to follow	folgen	seguir	seguir	ακολουθώ
13	sûr, adj	sure	sicher	seguro	certa	βέβαιος
3	surprise, n.f	surprise	Überraschung	sorpresa	surpresa	έκπληξη
14	symbole, n.m	symbol	Symbol	símbolo	símbolo	σύμβολο

1	tableau, n.m	table	Tabelle	cuadro	quadro	πίνακας
7	taille, n.f	size	Größe	talla	tamanho	μέγεθος
13	tante, n.f	aunt	Tante	tía	tia	θεία
15	tard, adv	late	spät	tarde	tarde	αργά
5	tarte, n.f	pie, tart	Kuchen	tarta	torta	τάρτα
6	tasse, n.f	cup	Tasse	taza	chávena	φλυτζάνι
2	technicien, n.m	technician	Techniker	técnico	técnico	τεχνικός
6	technique, n.f	technique	Technik	técnica	técnica	τεχνική
1	télévision, n.f, télé	television	Fernsehen	televisor	televisão	τηλεόραση
3	téléphoner (à), v.tr	to telephone	anrufen	llamar por teléfono	telefonar (a)	τηλεφωνώ (σε)
3	temps, n.m	weather	Wetter	tiempo	tempo	καιρός
3	terminer, v.tr	to finish	beenden	terminar	terminar	τελειώνω
8	terminus, n.m	terminus	Endstation	última parada	término	τέρμα
2	terrasse, n.f	terrace	Terrasse	terraza	terraço	επίστεγο
6	tête, n.f	head	Kopf	cabeza	cabeça	καφάλι
5	thé, n.m	tea	Tee	té	chá	τσάι
1	théâtre, n.m	theatre	Theater	teatro	teatro	θέατρο
10	thème, n.m	theme	Thema	tema	tema	θέμα
11	timide, adj	shy	schüchtern	tímido	tímido	ντροπαλός
10	toilette (faire sa), n.f	to get washed	waschen, sich	lavarse	preparar (se)	καλλωπίζομαι
5	tomate, n.f	tomato	Tomate	tomate	tomate	ντομάτα
11	tomber, v.intr	to fall	fallen	tumbar	cair	πέφτω
11	tomber amoureux, v.tr	to fall in love	verlieben, sich	enamorarse	apaixonar (se)	ερωτεύομαι
5	tonne, n.f	metric ton	Tonne	tonelada	tonelada	τόνος
2	toujours, adv	still	immer	siempre	sempre	πάντα
4	tourner, v.tr/intr	to turn	drehen	girar	virar	γυρίζω

	French	English	German	Spanish	Portuguese	Greek
16	tout à coup, loc	suddenly	plötzlich	de golpe	de repente	ξαφνικά
5	tout de suite, loc	immediately	sofort	en seguida	imediatamente	αμέσως
4	tout droit, loc	straight ahead	geradeaus	todo recto	directo	ίσια
10	tout le temps, loc	all the time	immer	todo el tiempo	o tempo todo	συνέχεια
1	train, n.m	train	Zug, Bahn	tren	comboio	τρένο
16	train fantôme, n.m	ghost train	Geisterbahn	tren fantasma	comboio fantasma	τρένο-φάντασμα
10	traîner, v	to hang around	herumlungern	vagar	vagar	σέρνομαι
8	tranquille, adj	quiet	ruhig	tranquilo	tranquilo (a)	ήσυχος
1	transport, n.m	transport	Transport	transporte	transporte	μεταφορά
4	travail, n.m	work	Arbeit	trabajo	trabalho	δουλειά
2	travailler, v.intr	to work	arbeiten	trabajar	trabalhar	δουλεύω
15	travers (à), loc	through	durch	a través de	através (de)	διαμέσου
4	traverser, v.tr	to cross	überqueren	atravesar	atravessar	διασχίζω
8	troisième âge, n.m	senior citizens	Senioren	tercera edad	terceira idade	τρίτη ηλικία
2	trouver, v.tr	to find	finden	encontrar	encontrar	βρίσκω
9	type, n.m	man, chap	Typ	tipo	tipo	τύπος

U V Y Z

	French	English	German	Spanish	Portuguese	Greek
2	université, n.f	university	Universität	universidad	universidade	πανεπιστήμιο
2	usine, n.f	factory	Werk	fábrica	fábrica	εργοστάσιο
15	utiliser, v.tr	to use	gebrauchen	utilizar	utilizar	χρησιμοποιώ
8	vacances, n.f	holidays	Ferien	vacaciones	férias	διακοπές
10	vaisselle, n.f	washing up	Geschirr	vajilla	louça	πιατικά
16	veille, n.f	day before	Vortag	víspera	véspera	προηγουμένη μέρα
1	vélo, n.m	bicycle	Rad	bicicleta	bicicleta	ποδήλατο
2	vendeur, n.m	salesman	Verkäufer	vendedor	vendedor	πωλητής
9	vendre, v.tr	to sell	verkaufen	vender	vender	πουλώ
3	venir, v.intr	to come	kommen	venir	vir	έρχομαι
10	venir chercher (à la maison), v	to come & fetch (at the house)	abholen	venir a buscar	vir buscar	παίρνω κάποιον (απ' το σπίτι)
9	vente (service après vente), n.f	sale (after-sales department/service)	Verkauf, (Kundendienst)	venta (servicio postventa)	venda (serviço de pós-venda)	πώληση (σέρβις)
11	verre, n.m	glass	Glas	vaso	copo	γυαλί
7	vert, adj	green	grün	verde	verde	πράσινος
7	vêtement, n.m	article of clothing	Kleidungsstück	vestido	roupa	ρούχο
2	vie, n.f	life	Leben	vida	vida	ζωή
16	vieux, vieille, adj	old	alt	viejo	velho (a)	ηλικιωμένος/η
1	ville, n.f	town, city	Stadt	ciudad	cidade	πόλη
5	vin, n.m	wine	Wein	vino	vinho	κρασί
16	virage, n.m	bend	Kurve	curva	curva	στροφή
8	visiter, v.tr	to visit	besichtigen	visitar	visitar	επισκέπτομαι
12	vite, adv	quick!; quickly	schnell	rápido	depressa	γρήγορα
13	vivre, v.intr	to live	leben	vivir	viver	ζω
8	voie, n.f	railway track	Gleis	vía	via	λωρίδα
11	voir, v.tr	to see	sehen	ver	ver	βλέπω
3	voisin, n.m	neighbour	Nachbar	vecino	vizinho	γείτονας
1	voiture, n.f	car	Wagen	coche	carro	αυτοκίνητο
6	voix, n.f	voice	Stimme	voz	voz	φωνή
4	vouloir, v.tr	to want	wollen	querer	querer	θέλω
6	voyage, n.m	trip, journey	Reise	viaje	viagem	ταξίδι
1	voyager, v.intr	to travel	reisen	viajar	viajar	ταξιδεύω
13	vrai, adj	true	richtig	verdad	verdade	αληθινός
5	yaourt, n.m	yoghurt	Jogurt	yogur	iogurte	γιαούρτι
12	zone piétonne, n.f	pedestrian precinct	Fußgängerzone	zona peatonal	zona para peões	πεζόδρομος

TABLE DES MATIÈRES

Avant-propos		3
Tableau des contenus		4
Bienvenue		6

PARTIE 1	**BONJOUR...**	
Unité 1	**Préférences**	10
Unité 2	**Portraits**	18
Bilan		26
Unité 3	**Moi et les autres**	28
Unité 4	**Carnet d'adresses**	36
Civilisation	*Espaces*	44

PARTIE 2	**Á MON AVIS ...**	
Unité 5	**La pause de midi**	48
Unité 6	**Sport et santé**	56
Bilan		64
Unité 7	**De toutes les couleurs**	66
Unité 8	**Un aller-retour**	74
Civilisation	*Couleurs*	82

PARTIE 3	**DIS POURQUOI...**	
Unité 9	**Au travail !**	86
Unité 10	**En famille**	94
Bilan		102
Unité 11	**Autour d'un verre**	104
Unité 12	**Embouteillages**	112
Civilisation	*Rythmes de vie*	120

PARTIE 4	**ALORS, RACONTE...**	
Unité 13	**Souvenirs d'enfance**	124
Unité 14	**Histoires vraies**	132
Bilan		140
Unité 15	**Une journée à Paris**	142
Unité 16	**Dénouement**	150
Civilisation	*Paris, capitale*	158

Transcription des enregistrements		161
Précis grammatical		162
Conjugaison		174
Lexique		178

Achevé d'imprimé en Italie par Rotolito
Dépôt Legal n° 3372-07/2000 - Collection 44 - Edition : 05
15/5016/9